ANNIE ERNAUX :
UNE ŒUVRE DE L'ENTRE-DEUX

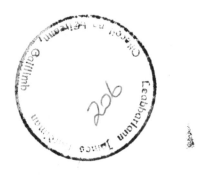

Photo de couverture :
Annie Ernaux avec sa mère (*photographie privée*).

© Artois Presses Université, 2004
9, rue du Temple
BP 665, 62030 Arras Cedex

ISBN : 2-84832-018-4
ISSN : 1272-3355

Livre imprimé en France

Études Littéraires

ANNIE ERNAUX :
UNE ŒUVRE DE L'ENTRE-DEUX

Études réunies par
Fabrice Thumerel

ARTOIS PRESSES UNIVERSITÉ

Ouvrage publié avec le concours

de l'Université d'Artois,
d'Arras Université,
du CRELID (Centre de recherches littéraires « imaginaire et didactique »).

PRÉFACE

Je ne peux évoquer ma relation à la critique universitaire en général et plus précisément à celle qui, durant ces deux jours du colloque d'Arras, a pris mes textes comme objet, sans dire auparavant quelques mots sur la critique journalistique, dite « d'accueil », à laquelle j'ai eu affaire d'abord, selon l'usage. Naturellement, lorsque mon premier livre a été publié, *Les Armoires vides*, en mars 1974, la critique universitaire ne faisait pas du tout partie de mon horizon. A mes yeux elle intervenait sur une œuvre déjà considérable, d'auteurs morts ou vieux, consacrait une durée que je n'imaginais même pas.

Le premier article que j'ai lu sur *Les Armoires vides* a paru dans *Le Monde des livres* sous la plume de Jacqueline Piatier. Je l'avais attendu avec espérance et curiosité : qu'on me dise ce qu'était mon livre, car jamais je ne serai autant qu'alors dans l'ignorance de ce j'avais fait. Même s'il est difficile de retrouver exactement les sentiments et les pensées qui me sont venus en lisant l'article, je suis certaine d'avoir éprouvé un plaisir intense. Et ceci : l'analyse que proposait la critique constituait mon texte en un objet séparé qui n'avait rien à voir avec ma vie, dont pourtant il était issu. Que ce qui a été écrit, jour après jour, un peu à l'aveugle, soit d'un seul coup appréhendé et chargé de sens dans sa totalité par une autre conscience est une expérience bizarre. Une forme d'innocence, d'irresponsabilité, est perdue. La gravité du ton et du propos de l'article, la référence – surprenante alors pour moi – à l'existentialisme, m'impressionnaient autant qu'elles me flattaient. L'affaire était plus sérieuse que je ne l'avais imaginé... Je me découvrais projetée dans un nouvel univers, impalpable et inconnu, « la littérature » dont je devenais brusquement l'une des actrices : j'éprouvais une sorte de crainte de ne pas être à la hauteur de ce qui m'arrivait. En même temps, dans la mesure où la spécificité de mon travail, sa nouveauté, étaient soulignées, je me sentais engagée à continuer d'écrire, presque obligée, ne pas le faire aurait été une faute.

Ma relation à la critique d'accueil s'est modifiée au fil du temps et des publications. Je n'attends plus d'un article qu'il me dise ce qu'est mon livre, mais « comment » et « d'où » son auteur va en parler. Ma curiosité est devenue critique elle aussi, repérant les croyances et les partis-pris idéologiques. Si j'ai toujours de la satisfaction intellectuelle à lire dans un journal une analyse qui démonte honnêtement le texte, je ne ressens plus guère de déception, d'énervement ou de colère à l'égard d'une forme de critique – qui ne peut être qualifiée de polémique, tant elle est dépourvue d'idées et d'arguments – convoquant le corps, le mode de vie, l'origine sociale et l'appartenance de l'écrivain au sexe féminin pour néantiser son livre.

Il m'est difficile de dire précisément quand j'ai découvert que l'Université s'intéressait à mes textes. Peut-être au milieu des années quatre-vingts. Pour un écrivain, la critique universitaire n'a pas la même visibilité que celle des journalistes. (Seul un contact personnel avec un professeur ou des étudiants permet de savoir que des travaux de recherche sont en cours). Elle n'est ni attendue ni prévue, les éditeurs n'en ont pas connaissance et n'ont, par ailleurs, ni influence ni pouvoir sur elle. Bien entendu, j'ai eu conscience qu'en s'intéressant à mes livres l'Université leur reconnaissait un intérêt d'ordre littéraire, qu'elle les faisait exister dans un autre temps que celui de leur apparition. C'était, sinon une certitude, du moins une promesse de durée. Surtout, dépourvue des jugements et des prescriptions que ne se font pas faute d'assener d'autres instances, indépendante de l'actualité, n'ayant comme finalité que l'étude désintéressée des textes, la critique des chercheurs m'a semblé empreinte de validité et d'une espèce de pureté. Autant dire le prix que j'accorde depuis une quinzaine d'années aux recherches dont mes textes sont l'objet. Loin de trouver « impie » le « démontage de la fiction », selon le mot de Mallarmé, je suis désireuse d'apprendre ce qui est à l'œuvre dans mon écriture.

Quand Fabrice Thumerel est venu me parler du colloque qu'il voulait organiser autour de mon travail, je lui ai donné d'emblée mon accord de participation. M'agréaient le signe sous lequel il voulait placer le colloque – mon écriture y étant définie comme celle de « l'entre-deux » – ainsi que la diversité des approches, la participation de professeurs et de chercheurs (et, détail important, de chercheures en nombre égal) dont j'estime hautement les travaux. Certes, je me suis demandé si ma présence n'était pas susceptible de gêner la liberté des communications et des débats. Les modalités prévues pour mon intervention – parler après chaque intervenant – n'allaient-elles pas m'instituer malgré moi en prof-juge ? Deux dangers, la cérémonie ou le tribunal…

Il me semble que les deux ont été évités à Arras. Pour ma part, j'ai écouté avec une grande attention, en prenant des notes. Par une propension au dédoublement, à la mise à distance, j'ai pu effectuer en moi une sorte de vide, d'effacement de l'image que j'ai de mon entreprise d'écriture, pour accueillir une lecture, une vision, à laquelle je n'étais pas préparée. Il m'a été souvent difficile de réagir au propos que je venais d'entendre, comme prise dans une sorte de subjugation. Mais celle-ci a ses limites et il m'est arrivé de protester contre tel ou tel point d'interprétation. Il en a résulté, parfois, des discussions animées, ou des développements inattendus – comme celui qui m'a conduite à révéler les motifs, absents du texte de *La Honte*, de la dispute entre mes parents.

Les approches sociologiques de mes textes me paraissent essentielles dans la mesure où je suis certaine d'écrire depuis une déchirure entre deux mondes et que, même avant de le formuler clairement dans *Une femme*, j'ai placé mon écriture entre la littérature, la sociologie et l'histoire. Elles me sont également familières depuis plusieurs années en raison de l'attention que mes livres ont suscitée très tôt chez les sociologues et de mon attachement aux travaux de Pierre Bourdieu. Pour autant, elles ont toujours sur moi un effet d'*évidence* et de *dérangement*, comme j'ai pu le constater au cours du colloque. Evidence quand les aspects mis en lumière, nommés, analysés, rejoignent des processus aveugles de l'écriture : le « sens pratique » et la violence incorporée que retrouve *La Honte*, la relation entre une nouvelle de *Confidences* lue à neuf ans et *Les Armoires vides*, la tension entre fiction et savoir sociologique dans *La Place*. Des problématiques résolues de façon sensible, au *feeling*, s'éclairent brusquement. Dérangement quand l'objectivation porte, non sur le texte lui-même mais sur mon apparition dans le champ littéraire des années soixante-dix, la place que j'y occupe, les mécanismes de la réception. Mais dérangement nécessaire, où je puise force et distanciation par rapport aux enjeux de la vie littéraire.

Que mes livres soient analysés dans des modes de pensée dont je n'ai pas l'habitude me réclame un effort. C'est le cas de la psychanalyse, je ne m'en cache pas. En même temps, j'ai de la curiosité envers ce qu'elle découvre des processus psychiques à l'œuvre dans ce que j'écris, surtout, comme ce fut le cas dans les interventions de ce colloque, lorsqu'elle s'accompagne d'autres approches, linguistiques, sociologiques et génétiques. Je n'ai pu qu'être frappée par l'importance accordée au thème de la honte abordé dans de nombreuses communications – corps honteux et corps glorieux, jeu de la honte et de la fierté dans *L'Événement*, relation de la honte sociale et de la honte sexuelle – et consentir pleinement à cette vision. Tout comme à celle de la trahison, de la déréliction, ou encore celle du temps qui a parcouru plusieurs analyses, de l'écriture du deuil à la « grammaire des temps » dans le journal et le récit.

Il y a une douzaine d'années encore, je manifestais une certaine méfiance vis-à-vis des lectures féministes. La réception sexiste violente de *Passion simple* et, celle, plus sournoise, de *L'Événement* m'ont fait changer d'avis et estimer légitime que soit pris en compte le *genre* dans les textes des femmes, mais *aussi* dans ceux des hommes. Que les miens aient été envisagés au colloque dans cette perspective et que *L'Evénement* – dont l'écriture a constitué pour moi la levée d'une censure intérieure sur quelque chose d'irréductiblement féminin – ait fait l'objet de trois communications a constitué un motif de satisfaction.

Plus difficile s'est révélé pour moi le rapprochement, évoqué en quelques occasions, avec d'autres écritures. Si, quand on commence de publier, on en éprouve du plaisir, celui d'être inscrit dans l'histoire littéraire, il n'en est pas de même par la suite. Il existe une résistance à la comparaison, tant ce que l'on poursuit dans l'écriture est ressenti comme n'appartenant qu'à soi. Secrètement on ne se sent proche de personne.

Mais s'il m'est arrivé de réagir avec vivacité contre certaines interprétations, il me semble que chaque lecture a touché, à des degrés divers, quelque chose que je désignerai comme « la vérité de l'écriture », difficile à définir, qui relève de l'intime conviction : « c'est ça ». Autant qu'à la rigueur de la démonstration, cette « vérité » ressentie doit beaucoup à certaines formules, certains mots, qui trouvent en moi un écho instantané. Ou à des détails concrets du texte, dont l'évocation, la signification que leur confère l'analyste, ont l'effet de fulgurances. Cela peut aller – quand il s'agit de génétique, particulièrement – jusqu'au bouleversement. M'est rendu brusquement sensible – mais non explicable – le cheminement qui m'a conduite à écrire un texte et que, de moi-même, je ne pourrais pas retrouver. Quelque chose est revécu, mais qui n'appartient pas à l'ordre de la vie, celle qu'on se rappelle sous forme d'images, voire de sensations proustiennes, mais à celui de l'écriture. A nouveau, je me trouve immergée, l'espace d'une communication, dans cette sorte de nécessité intérieure qui pousse à aller jusqu'au bout d'un texte, quoi qu'il se passe. C'est là où, sans qu'il le perçoive toujours, le chercheur dépasse dans son travail l'éclaircissement du texte à destination des lecteurs et plonge l'auteur lui-même aux sources de son identité et de son écriture.

Loin de me déposséder de mes textes, chaque déploiement critique m'y a ramenée avec force, d'une façon ou d'une autre, m'obligeant à me retourner sur ce qui, publié, est derrière moi. Tout s'est ranimé, je me suis retrouvée de façon pressante et presque sans interruption confrontée à ma mémoire d'écriture et à des significations imprévues. Que je le veuille ou non, dans l'émotion ou la contestation, l'acquiescement ou la déstabilisation, j'ai *appris* beaucoup. Ce savoir ne peut pas influencer mon travail en cours, il ne m'est pas présent au moment où j'écris, toute conceptualisation – même celle qu'il m'arrive d'élaborer moi-même – est impuissante devant ce qui provoque l'écriture, le choix des mots. Mais je sens combien il me « porte » dans mon entreprise.

Annie Ernaux, août 2003.

AVANT-PROPOS
ANNIE ERNAUX :
UNE ŒUVRE DE L'ENTRE-DEUX

Fabrice Thumerel
CRELID

Dans son *Journal extime*, Michel Tournier rapporte que, invité à Cerisy-la-Salle en août 1990 pour un colloque sur son œuvre, il réagit d'abord « par un refus paniqué », avant d'accepter et de découvrir *sa* famille dans l'euphorie :

> Je me voyais en cadavre nu et disséqué entouré par les personnages funèbres chapeautés de noir de la *Leçon d'anatomie* de Rembrandt, ou encore comme un de ces saints Sébastien liés à un tronc que des archers criblent de traits. Il est vrai – me disait-on – que la présence « physique » de l'intéressé n'est nullement nécessaire à ce genre de débat. J'ai demandé à l'auteur du *Rivage des Syrtes* s'il se rendrait au colloque Julien Gracq annoncé pour l'an prochain : « Ah non, m'a-t-il répondu, j'aurais trop peur d'échouer à mon propre examen ! »
> Mais comment ne pas répondre à un pareil rendez-vous ? Peut-on laisser des gens venir à leurs frais des quatre coins du monde sans se déranger soi-même ?
> [...] La surprise fut pour moi la petite société de plus de soixante-dix personnes venues des six coins de l'Hexagone, mais aussi d'Australie, de Chine, du Brésil, de Norvège, de Nouvelle Zélande, que sais-je encore ! Je les ai bien regardées, cherchant l'air de famille qui les rapprochait, puisque c'était là *ma* famille. Et je l'écris comme je l'ai constaté : j'en suis fier et heureux de cette famille[1].

Celui sur l'œuvre d'Annie Ernaux, qui, organisé par le Centre de Recherches Littéraires « Imaginaire et Didactique », s'est tenu à l'Université d'Artois les

---

[1] Michel Tournier, *Journal extime*, La Musardine, 2002, p. 164.

18 et 19 novembre 2002, a rassemblé quelque deux cents personnes sur l'ensemble des deux journées ; quant à « la petite société » d'une vingtaine d'intervenants, elle provenait de divers horizons critiques et géographiques (du nord de la Loire, de quatre pays d'Europe : Grande-Bretagne, Belgique, Allemagne et Pologne, et même du Canada). L'« air de famille » qui réunissait tous les participants permet de comprendre l'ambiance extraordinairement conviviale qui y régna : la femme Annie Ernaux comme son œuvre ne laissant jamais indifférent, leurs fidèles – comme leurs ennemis, du reste – sont des inconditionnels. Comment expliquer, sinon, les nombreux témoignages de sympathie et l'empressement de certains à venir – parfois de loin, et à leurs frais – assister à cette manifestation qui a favorisé les échanges littéraires et amicaux ; comment expliquer qu'autant de chercheurs se soient manifestés de par le monde – et nous regrettons de n'avoir pu tous les accueillir –, et que, même parmi les plus connus et reconnus, ils se soient efforcés de se rendre disponibles ?

Le *sujet – AE –*, selon une formule dont le modèle est emprunté à M. Tournier, regroupe une immense famille de dizaines de milliers de lecteurs et de dizaines de critiques (journalistes et/ou écrivains et/ou universitaires). Ce public, la seule thèse achevée en France à ce jour nous aide à le connaître : majoritairement féminin, il est essentiellement constitué de professionnels de la culture (professeurs de lycée et d'université, bibliothécaires, ou encore critiques divers) ; plus généralement, les lecteurs d'Annie Ernaux sont des provinciaux diplômés, citadins d'origine rurale. Après avoir réalisé de multiples entretiens approfondis avec des bibliothécaires et des enseignants, et analysé statistiquement et qualitativement le courrier de plusieurs centaines de ces lecteurs, la sociologue Isabelle Charpentier montre qu'une telle « écriture de l'intime social » étant « l'expression d'un ethos de classe », l'identification à l'œuvre d'Annie Ernaux est facilitée par « l'effet de génération » et des propriétés sociales proches (habitus primaire et trajectoire socio-professionnelle) – « homologie relative de position » autorisant « une réception intense et "réussie" »[2]. Ressortent également de cette étude les effets libérateurs du *sujet – AE –*, qui déclenche des récits oraux, épistolaires – voire littéraires. De ce point de vue, l'échantillonnage des lecteurs présents à Arras était plutôt représentatif : eux-mêmes transfuges de classe ou lettrés sensibles à la trajectoire de l'auteure, aux singulières formes d'écriture qu'elle a inventées, à son regard critique sur le monde social ou la condition faite aux femmes... S'y trouvait même Patrice Robin, auteur de deux récits autobiographiques pleins d'humour, *Les Muscles* et *Mathieu disparaît* (P.O.L, 2001 et 2003) : celui dont les débuts littéraires

---

[2] Cf. Isabelle Charpentier, « Une intellectuelle déplacée. Enjeux et usages sociaux et politiques de l'œuvre d'Annie Ernaux (1974-1988) », Doctorat de Science Politique sous la direction de Bernard Pudal, Université de Picardie Jules Verne, 1998, chap. V et VI.

ont été encouragés par l'écrivaine réputée fit entrer en résonance avec l'univers de *La Place* ses souvenirs de fils de quincaillier.

Concernant le public universitaire, et les usages scientifiquement intéressés de cette œuvre, I. Charpentier souligne « la féminisation très nette » des études sur des récits « plus souvent reçus comme dénonçant la domination sexuelle que la domination sociale », tout comme « l'attention croissante des chercheurs littéraires anglophones et leur appropriation majoritairement "féministe" »[3]. Si le colloque d'Arras corrobore à peu près ces constatations de la sociologue, en revanche il en infirme une autre : « le désintérêt généralisé des universitaires français, toutes disciplines confondues »[3], que Lyn Thomas explique par la doxa académique dominante – l'inachèvement de l'œuvre chez les auteurs vivants – et l'absence d'institutionnalisation du féminisme en France – contrairement aux pays anglo-saxons[4] –, et auquel Isabelle Charpentier trouve des raisons d'ordre idéologique – « l'indignité des thèmes que l'écrivain entend ériger en objets littéraires (le "populaire", les comportements féminins "ordinaires"...) et [...] la platitude du style qui les sert » – et structurel (*cloisonnement* et *hiérarchisation* des sous-champs de la recherche scientifique)[5]. En effet, le nombre de chercheurs français présents à Arras était d'autant plus significatif que la plupart d'entre eux avaient déjà publié au moins un texte sur l'écrivaine. D'ailleurs, depuis quelques années, les travaux en langue française consacrés à Annie Ernaux se sont accrus de façon exponentielle, et l'accueil réservé au récent dossier de *L'Ecole des lettres* montre que son œuvre est beaucoup étudiée, dans le cadre de l'autobiographie, du lycée à l'université (cf. bibliographie). Reste enfin à préciser que s'est confirmé un dernier point important mis en relief par I. Charpentier : l'intérêt des sociologues pour une auteure qui, depuis *La Place*, entretient avec eux comme avec la sociologie une relation tout à fait privilégiée[6].

L'entre-deux qui se dégage ici se rapporte à la tenue même de ce premier colloque international sur Annie Ernaux : c'est autour de cette œuvre de l'entre-deux (cf. ci-après) que s'organisa le face à face entre l'auteure et ses exégètes, la confrontation entre discours critique et discours auctorial. Entre-deux qui *a priori* n'allait pas de soi, pouvait être ressenti comme impressionnant des deux côtés. D'autant que, dans son avant-dernier livre, l'écrivaine avait lancé un brûlot qui, pour avoir un contenu moins explosif que celui de Sartre dans *Situations, X* (« Je n'ai jamais rien appris d'un de mes commentateurs »[7]), était néanmoins susceptible d'occasionner quelques

---

[3] Id., *ibid.*, p. 182.

[4] Cf. Lyn Thomas, *Reading in the first person. An introduction to the work of Annie Ernaux*, Oxford et New York, Berg Publishers, 1999, chap. 6.

[5] I. Charpentier, *op. cit.*, p. 183.

[6] Cf. id., *ibid.*, chap. IV.

[7] Jean-Paul Sartre, *Situations, X*, Gallimard, 1976, p. 188.

ravages parmi ses destinataires : « Moi seule je peux éclairer ma vie, non les critiques »[8]. *Exit* toute tentative d'ingérence morale, philosophique, psychologique, psychanalytique, sociologique... Ce qui, à partir du moment où cette vie est exposée dans l'œuvre, n'est pas sans poser problème aux commentateurs de tous bords : pour être le maître d'œuvre et la matière même de son écriture, l'autobiographe est-il le seul interprète de ses écrits, est-il le seul propriétaire, le seul gardien du sens de cette vie devenue écriture ? N'y a-t-il d'autre *objectivation* que celle du *sujet de l'objectivation*, pour reprendre la célèbre formule de Bourdieu ? Mais ce qui pouvait apparaître comme une provocation s'éclaire grâce au credo : « L'ordre de la vérité ne peut être que dans l'écriture [...] »[8], au nom duquel, dans *L'Ecriture comme un couteau*, Annie Ernaux doute qu'aucun dialogue critique – fût-ce avec un autre écrivain – ne puisse l'entraîner *ailleurs*, à savoir dans un au-delà ou un en-deça de l'écriture. Radicale, elle n'accorde de pouvoir heuristique qu'à l'écriture, avouant sa réticence par rapport à tout discours métatextuel, qui n'a de prise ni sur la vie ni sur une expérience d'écriture indescriptible puisque nourrie par le désir : « Non, seule – avec l'amour, peut-être – la descente sans garde-fou dans une réalité qui appartient à la vie et au monde, pour en arracher des mots qui aboutiront à un livre, possède ce pouvoir. Ici, j'ai écrit sur l'écriture, le monde n'était pas là. Il y a quelque chose d'irréel à raconter une expérience d'écriture somme toute immontrable »[9]. Dans cette perspective, est écrivain celui qui n'a de relation au savoir que subjective et immédiate : pour le je scriptural, il ne saurait exister de savoir antérieur ou postérieur à l'écriture. *Nulla veritas sine scriptura*. Cette prise de position tend à instaurer une différenciation d'ordre axiologique entre écrivain et critique – entre l'acte d'*écrire* et celui de *critiquer* : le second, parce que produisant un discours médiatisé, ne permet pas d'accéder à la révélation (au monde de la lumière, devrait-on dire conformément à une vision ressortissant à une mystique de l'écriture). Révélateur, à cet égard, est le correctif qu'Annie Ernaux apporte à sa louange de la critique génétique : la démarche la plus apte à saisir le processus créateur « ne peut, toutefois, mesurer, percevoir même [...] l'influence du *présent*, de la vie, sur le texte »[9]. En somme, ce que manque toujours la critique, c'est le vivant, le vécu. Annie Ernaux, elle, a choisi l'écriture *et* la vie – autrement dit, l'aventure en solitaire.

Une telle conception de l'écriture justifie le parti pris de la réflexivité : pactes autosociobiographiques, parenthèses explicatives, commentaires sociologiques, ou encore indications de régie traduisant la prégnance de l'ordre démonstratif[10], témoignent d'une volonté d'auto-analyse, mais aussi,

---

[8] Annie Ernaux, *Se perdre*, Gallimard, 2001 ; rééd. « Folio », 2002, p. 99 et 44.

[9] Id., *L'Ecriture comme un couteau. Entretien avec Frédéric-Yves Jeannet*, Stock, 2003, p. 13-14 et 140.

[10] Cf. Fabrice Thumerel, « Littérature et sociologie : *La Honte* ou comment réformer l'autobiographie », in *Le Champ littéraire français au XXᵉ siècle. Eléments pour une*

comme l'a montré I. Charpentier, « d'autoconstruction et d'auto-orientation de sa réception par l'auteur elle-même »[11]. Arrêtons-nous un instant sur une autre forme de réflexivité qui consiste à mettre en scène le temps de la réception, de sorte que l'écriture ernausienne se caractérise par un double écartèlement temporel : entre le présent scriptural et, d'une part, le temps vécu de l'expérience, et, d'autre part, la projection dans un avenir où, une fois achevé, le livre relève de la temporalité des lecteurs. Un certain nombre d'interventions de l'auteure au futur – éventuellement suivi d'un futur antérieur –, qui envisagent le moment où les choses écrites « seront lues par les gens »[12] et où *elle n'aura plus aucun pouvoir sur son texte*[12], s'apparentent au procédé de la *captatio benevolentiae* : il s'agit d'attirer l'attention du lecteur en lui indiquant *la place* qu'il peut occuper. D'autres, essentiellement dans *Se perdre*, au futur mais surtout au futur antérieur, programment des effets de lecture concernant une vie (voire un épisode de cette vie) ou une œuvre close :

> Si on lit ce journal un jour, on verra que c'était exact « l'aliénation dans l'œuvre d'Annie Ernaux », et pas seulement dans l'œuvre, plus encore dans la vie.
> Toute ma vie aura été un effort pour m'arracher au désir de l'homme, c'est-à-dire au mien.
> Ce journal aura été un cri de passion et de douleur d'un bout à l'autre.
> Je ne sais pas ce que je vais commencer d'écrire, ni si même j'écrirai. De toute façon, une fois de plus, je l'aurai *payé* très cher[13].

Enfin, n'oublions pas le dispositif complexe d'autoréflexion qui assure l'autonomie de cette entreprise originale. Tout d'abord, certains écrits sont en miroir : aux deux *journaux du dedans* répondent d'autant mieux les deux *journaux du dehors* que, pour Annie Ernaux citant Rousseau, « notre *vrai moi* n'est pas tout entier en nous » (exergue au *Journal du dehors*) ; *Les Armoires vides* (1974) et *L'Evénement* (2000) évoquent la même expérience de vie et de mort que représente l'avortement, *La Place* (1984) et *Une femme* (1988) les figures parentales, *Une femme* et « *Je ne suis pas sortie de ma nuit* » (1997) la décrépitude d'une mère atteinte par la maladie d'Alzheimer, *Passion simple* (1992) et *Se perdre* (2001) la même passion aliénante pour un

---

sociologie de la littérature, Armand Colin, « U », p. 84, et « Les Pratiques autobiographiques d'Annie Ernaux », *L'Ecole des lettres II*, n° 9, février 2003, p. 10-19 et 26-28.

[11] Isabelle Charpentier, *op. cit.*, p. 332. On lira avec intérêt toute la section (jusqu'à la page 379).

[12] Annie Ernaux, *Passion simple*, Gallimard, 1992, p. 42, et *L'Evénement*, Gallimard, 2000, p. 95. Voir également *Passion simple*, p. 70 ; *L'Occupation*, Gallimard, 2002, p. 46, etc.

[13] Id., *Se perdre*, *op. cit.*, p. 77, 93, 133 et 211.

diplomate soviétique... En outre, c'est tout un jeu de glaces qui s'instaure entre, d'une part, romans du *je*, récits autosociobiographiques et journaux, et, d'autre part, les nombreux autocommentaires de l'auteure dans des dizaines d'interviews, d'articles et d'interventions diverses.

C'est alors qu'il convient de poser avec Isabelle Charpentier « la question de la capacité d'un auteur à produire ses propres critères de légitimation ». Car « cette prétention à dire de manière univoque le sens de l'œuvre, inscrite dans les textes mêmes, ou rationalisée et redoublée *a posteriori* dans des interviews, tend, si elle réussit, à déposséder les exégètes virtuels de leur compétence spécifique et distinctive »[14]. On comprend mieux maintenant la gêne qu'ont éprouvée certains participants au colloque, leur impression de passer un « grand oral », leur crainte d'*échouer à leur examen* : quelle place allait-elle leur être réservée ? quelle place occuper ? quel dialogue établir avec une écrivaine qui, dans *Se perdre*, confiait son sentiment de « toute l'imbécillité » qu'il y a à « parler littérature devant un public »[15] ? Certes, il est exact « que la présence "physique" de l'intéressé[e] n'est nullement nécessaire à ce genre de débat » ; cependant, il est tout aussi vrai que la critique actuelle ne décrète plus « la mort de l'auteur », que bon nombre de chercheurs – et notamment les généticiens – collaborent avec les écrivains contemporains et que l'institution universitaire leur ouvre de plus en plus souvent ses portes. Dans ce genre de rencontre, entre célébration et jugement – *cérémonie ou tribunal*, selon Annie Ernaux dans sa préface –, s'ouvre la voie qui naît, pour le dire à la manière de Starobinski, de l'intersection entre deux points de vue : celui de l'auteur, qui est relation, dans l'œuvre, d'une conscience créatrice au monde, et celui du critique, qui est relation doublement médiatisée (par l'œuvre de référence et le texte produit) à ces destinataires que sont les lecteurs de l'auteur et les siens.

C'est cette voie de la nécessaire circulation du sens entre auteur, textes et lecteurs – instances que la critique n'a que trop souvent disjointes – qui, je crois, fut empruntée au colloque d'Arras. Si le présent ouvrage polyphonique – qui offre à ses lecteurs un espace de confluences – atteste de la féconde confrontation entre la voix auctoriale (cf. préface et chapitre IV) et différentes *manières de critiquer*, cela ne revient pas à avancer qu'il en ait résulté une sorte de consensus mou : auteure et chercheurs furent fidèles à leurs démarches respectives et développèrent leurs vues sans complaisance ; les débats furent nourris d'explications, accords, désaccords, nuances... Consciente de l'enjeu – car ces jeux universitaires sont tout sauf *anodins*, ayant « de l'importance sur l'histoire littéraire »[16] –, mais sans renoncer au credo qui la fait écrire, Annie Ernaux participa activement à ces deux journées éprouvantes. Celle qui définit son identité dans l'altérité n'eut pas

---

[14] Isabelle Charpentier, *op. cit.*, p. 377.

[15] Annie Ernaux, *Se perdre*, *op. cit.*, p. 153.

[16] Cf. id., *ibid.*, p. 348.

l'impression d'être un « cadavre nu et disséqué entouré par [des] personnages funèbres », et, pour avoir voix au chapitre, n'en manifesta pas moins une curiosité et une ouverture d'esprit assez rares. Enfin, comble de raffinement, elle conforma ses réactions à l'enseigne du colloque : partagée entre adhésion et réticence, elle se dit, dans son activité d'écrivaine, transportée et non transformée par l'apport critique.

*
* *

Que l'œuvre d'Annie Ernaux soit placée sous le signe de la dualité n'a rien de bien surprenant. Il n'est toutefois pas inutile d'examiner de plus près les dimensions thématiques et formelles de l'entre-deux. Un entre-deux qu'il convient d'abord (mais est-ce bien « convenable » ?) de prendre au pied de la lettre. Dans cette œuvre que l'auteure elle-même divise en journaux, lieux d'une jouissance liée à la transcription spontanée du vécu, et en *textes concertés*, lieux de la transformation de ce vécu grâce à l'analyse[17], – œuvre trop fréquemment stigmatisée en raison d'« une double obscénité, sociale et sexuelle »[17] – l'action se déroule assez souvent, en effet, *inter feces*, qu'il soit question d'avortement, de film pornographique ou d'expériences sexuelles personnelles. D'autant que celle qui accorde une grande importance à l'ordre narratif affectionne un type de « début qui crève la page »[18] : son premier roman, *Les Armoires vides* (1974), s'ouvre sur le « serpent rouge » de la sonde ; *Passion simple* (1992) sur un film X ; *L'Evénement, Se perdre* et *L'Occupation* sur des souvenirs d'étreinte... Son dernier récit, en particulier, nous plonge, si l'on peut dire, *in medias res* : « Mon premier geste en m'éveillant était de saisir son sexe dressé par le sommeil et de rester ainsi, comme agrippée à une branche »[19]. Le précédent nous offrait un raccourci humoristique de sa vie sexuelle : « Ma vie se situe donc entre la méthode Ogino et le préservatif à un franc dans les distributeurs. C'est une bonne façon de la mesurer, plus sûre que d'autres, même »[20].

C'est ici qu'on perçoit, une fois de plus, l'enjeu de ce qu'à tort on a pu considérer comme de l'exhibitionnisme. Si d'emblée *Les Armoires vides* conjuguent honte sociale et honte sexuelle, l'incipit de *L'Evénement*, qui nous transporte dans une salle d'attente peu avant les résultats négatifs d'un test de dépistage du sida, associe désir et mort : « L'enlacement et la gesticulation des corps nus me paraissaient une danse de mort »[20]. Dans l'œuvre d'Annie Ernaux, ces expériences fortes que sont l'écriture et l'amour (jusque dans son prolongement ultime, l'avortement) sont vécues dans un entre-deux délimité par Eros et Thanatos. Fantasme explicité dans *Se perdre* :

---

[17] Id., *L'Ecriture comme un couteau, op. cit.*, p. 23-24 et 107.

[18] Id., « Journal d'écriture (extraits) », *Les Moments littéraires*, Anthony, second trimestre 2001 ; cf. 15 novembre 1989, p. 16.

[19] Id., *L'Occupation, op. cit.*, p. 11.

[20] Id., *L'Evénement, op. cit.*, p. 15-16 et 14.

« je suis dans le creux où fusionnent mort, écriture, sexe, voyant leur relation mais ne pouvant la surmonter »[21].A ce propos, extrayons deux images frappantes du journal : la première, tirée d'un rêve, la montre se masturbant dans la cave même où son père a tenté de tuer sa mère[21] ; la seconde établit un parallèle entre l'amant et la mère mourante, tous deux conduisant, en tant qu'objets d'attachement, à un « enfer adorable »[21]. Au reste, en régime ernausien, la passion est, comme l'écriture, une perte synonyme à la fois d'extase et de perdition, de liberté et d'aliénation. Aimer, écrire, c'est être *entre deux eaux* – image sur laquelle on reviendra un peu plus loin. Et entre l'écriture et la vie s'abolissent les frontières : celle qui s'efforce de faire entrer en littérature des réalités tenues pour triviales et obscènes « cherche toujours les signes de la littérature dans la réalité »[22], et si elle souhaite *faire de sa passion pour S. une œuvre d'art*[23], c'est pour mieux la vivre (son vœu le plus cher : « continuer d'écrire-vivre [sa] *belle* histoire »[23], « que l'événement devienne écrit » et « que l'écrit soit événement »[23]) ; puisque « le récit est un besoin d'exister »[24], chacun (se) vit au travers d'histoires, les clientes de l'épicerie maternelle comme les inconnus des journaux extérieurs[25] et la diariste elle-même, qui ne peut s'empêcher de « vivre [sa] vie comme un roman-feuilleton »[26].

Plus largement, l'œuvre d'Annie Ernaux oscille entre culture populaire et culture savante, objets d'écriture nobles et objets d'écriture *indignes*, langue orale et langue classique... Littérature (travail d'ordonnancement, réflexivité de l'écriture, inter- et intratextualité, procédés divers...) et anti- ou infra-littérature (rejet des formes romanesques et autobiographiques traditionnelles, écriture démétaphorisée, ouverture à la sociologie, l'ethnologie, l'histoire...) ; classicisme (rhétorique de l'expression visant à instaurer une adéquation entre les mots et les choses d'une part, et d'autre part entre les mots et les impressions ressenties) et modernité (mise en crise de la littérature et des langages constitués, métadiscursivité et dispositif autoréflexif entre les textes les plus divers)...

Mais surtout cette œuvre franchit les lignes de démarcation entre disciplines et genres : le décentrement opéré vers l'ethnologie et la sociologie la fait échapper aux formes autobiographiques traditionnelles. Le recours au modèle ethnologique est manifeste dans l'exergue au *Journal du dehors* et dans le pacte autobiographique de *La Honte* (cf. p. 40) : écrire de l'*ethnotexte* ou être ethnologue de soi-même, c'est se jouer de l'antinomie entre le Même

---

[21] Id., *Se perdre*, *op. cit.*, p. 211, 207 et 60.

[22] Id., *Journal du dehors*, Gallimard, 1993, p. 46.

[23] Respectivement, *Se perdre*, p. 281 et 308, et citation de Michel Leiris en exergue à *L'Evénement*.

[24] Id., *La Vie extérieure*, Gallimard, 2000, p. 10.

[25] Cf. *La Honte*, Gallimard, 1997, rééd « Folio », 1999, p. 66-68, et *Journal du dehors*, p. 45-46, 59-60 et 73.

[26] *Se perdre*, p. 311.

et l'Autre, c'est prendre acte que « notre *vrai* moi n'est pas tout entier en nous », citation de Rousseau, dont Lévi-Strauss fait le précurseur de l'anthropologie – qui présuppose deux attitudes complémentaires, l'« identification à autrui » et le « refus d'identification à soi-même »[27]. Ce mouvement d'extraversion est au principe des journaux extérieurs, mais aussi, d'une certaine façon, des textes auto-ethnobiographiques (ou autosociobiographiques). D'ailleurs, en forgeant la notion de *je transpersonnel*, Annie Ernaux théorise la tension qui anime son écriture : « Le *je* que j'utilise me semble une forme impersonnelle, à peine sexuée, quelquefois même plus une parole de "l'autre" qu'une parole de "moi" : une forme transpersonnelle, en somme. Il ne constitue pas un moyen de me construire une identité à travers un texte, de m'autofictionner, mais de saisir, dans mon expérience, les signes d'une réalité familiale, sociale ou passionnelle »[28]. Dans *La Honte* ou *L'Evénement*, par exemple, le *je* est *transpersonnel* dans la mesure où il se rattache à une communauté : celle de la famille, de l'école, ou d'une endogénie géographique, sociale, voire sexuelle. Dans le premier texte, le *je* se situe par rapport à un *nous* ou un *on* ; dans le second, à un *elles* : « Les filles comme moi gâchaient la journée des médecins » (p. 41) ; « Des milliers de filles ont monté un escalier [...] » (p. 70) ; « Je me sentais, pour la première fois, prise dans une chaîne de femmes par où passaient les générations » (p. 103)... On perçoit immédiatement l'aspect insolite et paradoxal d'un tel jeu pronominalement anthropologique. Car, si dans le dernier cas, la part de différence pourrait être jugée suffisante, le problème se pose pour bon nombre de ses *explorations*, dans lesquelles il ne s'agit pas de prendre pour objet une altérité exotique ou d'établir un va-et-vient entre lointain et proche – comme le fait Bourdieu entre société kabyle et société béarnaise, selon une « lecture en partie double » consistant à « "désexotiser" l'exotique »[29] et *exotiser* le familier –, mais d'emboîter le pas à Michel Leiris pour proposer une « ethnographie du familier »[30], *se faire le témoin extérieur de ce qui se déroule en elle*[31]. Si va-et-vient il y a, c'est entre social et individuel, distance et familiarité, soi et entre-soi – dans un monde populaire régi par une vitale distinction entre *eux* et *nous* (cf. Richard Hoggart, *La Culture du pauvre*, 1957). La singularité de ce projet ethnographique réside dans le fait de vouloir appréhender le Même dans l'Autre et l'Autre dans le Même, s'appréhender soi-même comme autre pour devenir un lieu d'ancrage du social – et notamment pour décrire le

---

[27] Claude Lévi-Strauss, *Anthropologie structurale 2*, Plon, 1973, p. 51.

[28] Annie Ernaux, « Vers un je transpersonnel », *RITM*, Université de Paris X, n° 6, 1994, p. 221. Voir également *L'Ecriture comme un couteau*, *op. cit.*, p. 80.

[29] Pierre Bourdieu, « Entre amis », *Awal*, n° 21, 2000, p. 9.

[30] Expression de J. Jamin commentant M. Leiris dans « Quand le sacré devient gauche », *L'Ire des vents*, n° 3-4, 1981, p. 98-118.

[31] Cf. Michel Leiris, « Titres et travaux » (1967), in *C'est-à-dire*, Jean-Michel Place, 1992, p. 61.

milieu endogène. Sans doute faut-il différencier ethnotextes et auto-ethnobiographies en fonction de leur objet propre : l'altérité identitaire pour les uns, l'identité altérisée pour les autres.

L'exosmose ernausienne se réclame également du modèle sociologique, de sorte qu'une autre barrière tombe, celle entre intime et social : « L'intime est encore et toujours du social, parce qu'un *moi* pur, où les autres, les lois, l'histoire, ne seraient pas présents est inconcevable »[32]. Si le problème posé à l'écrivain comme au sociologue est semblable : « comment donner une forme intelligible au témoignage vécu, au document brut, sans en altérer la saveur ? Comment faire passer le parler populaire, langue orale par excellence, dans cette langue doublement écrite qu'est la langue littéraire ? »[33], et si les *textes concertés* d'Annie Ernaux engendrent des *effets sociographiques*[34], il n'en demeure pas moins indubitable que, sur le plan nomothétique, le discours littéraire et le discours sociologique n'ont pas la même valeur : la modalisation du premier contraste avec la modélisation scientifique (construction de l'objet, vocabulaire conceptuel, méthodes quantitatives et qualitatives...). Dans les récits d'Annie Ernaux, l'authentification ressortit en effet au mode assertif ou suggestif (l'auteure en appelant alors à l'expérience du lecteur). Tout en renvoyant aux pactes autosociobiographiques, donnons deux exemples archétypiques, tirés de *L'Evénement* et de *La Honte* : « Je m'interdis d'écrire ici ces noms parce que ce ne sont pas des personnages fictifs mais des êtres réels » (p. 51) ; « Il y a ceci dans la honte : l'impression que tout maintenant peut *vous* arriver, qu'il n'y aura jamais d'arrêt, qu'à la honte il faut plus de honte encore »(nos italiques, p. 120). En fait, de la même façon que, dans la perspective bourdieusienne, il ne saurait y avoir d'objectivation scientifique sans prise en compte de la subjectivité du chercheur – c'est ce que le sociologue appelle « l'objectivation partici-pante »[35] –, pour Annie Ernaux la subjectivation littéraire passe par la « distance objectivante » d'une recherche empirique. (Car celle qui souhaite

---

[32] Annie Ernaux, *L'Ecriture comme un couteau, op. cit.*, p. 152.

[33] Claude Grignon et Jean-Claude Passeron, *Le Savant et le Populaire. Misérabilisme et populisme en sociologie et en littérature*, Seuil, 1989, p. 212.

[34] « Il suffit à un texte narratif de facture réaliste de réussir son effet sociographique [...] pour obtenir *de facto* le tout de l'effet sociologique, c'est-à-dire l'interprétation par le lecteur de tout ce que le roman dit du monde auquel il se réfère comme image vraie, typique, représentative de la figure du monde réel » (Jean-Claude Passeron, *Le Raisonnement sociologique. L'espace non poppérien du raisonnement naturel*, Nathan, 1991, p. 211).

[35] Les derniers travaux de P. Bourdieu témoignent du même souci de réflexivité qui anime toute l'œuvre : « Objectiver le sujet de l'objectivation », in *Science de la science et réflexivité,* éditions Raisons d'agir, 2001, p. 173-184 ; « L'Objectivation participante », *Actes de la recherche en sciences sociales*, n° 150, décembre 2003, p. 43-57 ; *Esquisse pour une auto-analyse*, éditions Raisons d'agir, 2004.

s'arracher du « piège de l'individuel »[36] « se pose toujours, en écrivant, la question de la preuve »[36]).

L'entreprise ernausienne, qui évite le double écueil du misérabilisme et du populisme, ne peut donc que s'éloigner de l'autobiographie traditionnelle : fortement marquée par Sartre et Bourdieu, elle ne croit pas en une possible analyse d'un moi stable dans un récit cohérent, critique les artifices romanesques et fait part de sa suspicion envers la psychanalyse ; faisant prévaloir l'exposition sur l'explication, elle cherche à appréhender un sujet vide en lui-même à travers des *signes objectifs*, à explorer son vécu familial (*La Place, Une femme* et *La Honte*) et passionnel (*Passion simple, L'Evénement* et *L'Occupation*) à l'aide d'une démarche objectivante qu'elle emprunte au sociologue. Dans ces autosociobiographies, afin de traduire littérairement une sociologie immanente, elle recourt à l'écriture plate et l'inventaire matériel ; à la note, l'italique et les guillemets, opérateurs de distanciation ou moyens de retranscrire le plus objectivement possible un sociolecte (patois normand et, plus généralement, langue populaire)[37].

Ainsi, parce qu'elle objective une expérience singulière et offre « des analyses sur le mode inpersonnel de passions personnelles »[38], l'œuvre concertée d'Annie Ernaux dépasse-t-elle les alternatives entre subjectif et objectif, individuel et collectif, autobiographie et récit de vie, fiction et diction, dénotatif et connotatif, narratif et argumentatif... Entre discours littéraire et discours sociologique (ou ethnologique), tels que définis par Pierre Lassave et Jean-Michel Berthelot : « transtexte poético-référentiel à vocation symbolique multiple » *vs* « intertexte référentiel à vocation probatoire systématique »[39]. Lequel Pierre Lassave montre que, dans un état du champ marqué par le retour du sujet en littérature comme dans ce que Wolf Lepenies nomme les trois cultures (histoire, ethnologie et sociologie), le brouillage transdisciplinaire et l'indétermination générique sont pratiques assez fréquentes : si la Nouvelle histoire a intégré les apports littéraires (mises en intrigue et procédés rhétoriques) et si, dans ses enquêtes compré-hensives, l'ethnographie s'est orientée vers l'autofiction, la sociologie, quant à elle, s'est interrogée sur les moyens de rendre compte de l'expérience sociale individuelle. P. Lassave distingue quatre schèmes sémantiques permettant de classer les écrits socio- ou ethnographiques suivant « les variations de distance ou de proximité de l'auteur vis-à-vis de ses sujets

---

[36] Annie Ernaux, *La Place*, Gallimard, 1984, rééd. « Folio », 1986, p. 45, et *L'Evénement, op. cit.*, p. 67.

[37] Dans ce paragraphe comme dans les trois précédents, les passages non développés renvoient à mes travaux déjà mentionnés.

[38] *L'Ecriture comme un couteau, op. cit.*, p. 21.

[39] Cf. Pierre Lassave, *Sciences sociales et littérature. Concurrence, complémentarité, interférences*, PUF, 2002, p. 49, et Jean-Michel Berthelot, « Le Texte scientifique, le cas des sciences sociales », in *Sciences, savoirs et sociétés*, Université Paris V – Sorbonne, 1999.

(objets ou personnages) » : « 1/La révélation ; 2/L'auto-interprétation ; 3/La transcription ; 4/La transfiguration »[40]. Relève de la première catégorie *Clochard. L'Univers d'un groupe de sans-abri parisiens* (Julliard, 1993) de Patrick Gaboriau, dans lequel la révélation est « produite par l'agencement de petits faits vrais enregistrés au cours des années de terrain » ; de la troisième, *La Misère du monde* (Seuil, 1993), volume collectif dirigé par Pierre Bourdieu, pour qui le travail de transcription doit narrativiser les entretiens et les informer par des titres et sous-titres. Des deuxième et quatrième ensembles, *The Uses of literacy* (1957 ; *La Culture du pauvre. Etude sur le style de vie des classes populaires en Angleterre*, Minuit, 1970) et *A local habitation* (1988 ; *33 Newport street. Autobiographie d'un intellectuel issu des classes populaires anglaises*, Seuil, 1991) : le premier ouvrage, dont la lecture a marqué Annie Ernaux, est une étude de l'ethos populaire à partir d'une expérience singulière, dans laquelle « l'objectivation naît [...] paradoxalement de l'interaction, au sein du même sujet, entre l'informateur et l'observateur, tout l'art du sociologue consistant à mettre à jour ce dialogue intérieur »[40] ; le second, « autoportrait conflictuel de l'écrivain issu des classes populaires, révèle en creux l'image de l'intellectuel divisé entre misérabilisme et populisme »[40] (dans sa présentation de la traduction française, Claude Grignon insiste sur l'habileté de l'auteur, qui, refusant tout *pittoresque social*, ne transforme pas ses proches en personnages et les lieux de son enfance en décor). P. Lassave met l'accent sur l'entre-deux original qu'offrent ces deux œuvres : « Après avoir analysé les diverses facettes de la "culture du pauvre" et objectivé les ambivalences de la domination culturelle, Hoggart ne résiste plus à se faire le héros intimiste du récit autobiographique qu'il nous livre sur le tard pour révéler la texture multiple et mobile de l'identité sociale »[40]. L'examen de ces quatre groupes de textes hybrides le conduit à « l'hypothèse du tropisme contemporain pour le témoignage de situation comme seul regard possible sur une réalité sociale difficile à dire ou à saisir »[40].

Hypothèse vers laquelle inclinait l'article de Régine Robin, « L'Ecrivain et le Sociologue », publié quelques années plus tôt dans les Actes d'un colloque intitulé « Ecrire la pauvreté » (Université de Montréal, 1993). Après avoir décrit comment, au travers de la micro-histoire, de l'ethnologie déconstructiviste et de la microsociologie – qui s'intéressent désormais au biographique –, les sciences humaines – dont les crises ont pour noms « linguistic turn » et « moment réflexif » – se renouvellent grâce à des paradigmes littéraires, la sociologue pose que l'écriture de la pauvreté, « à l'âge des sociétés multiculturelles, dans la pluralité des points de vue, des langues, des accents, des paroles, dans le brouhaha de l'anonymat des grandes villes », est « une des tâches » du « laboratoire commun » aux sciences sociales et à la littérature, qu'elle appelle « *une écriture de la*

---

[40] Pierre Lassave, *ibid.*, p. 201, 202, 207, 218 et 212.

déglingue/de la déglangue »[41]. Mettant en regard l'œuvre d'Annie Ernaux et trois textes de sociologues : *33 Newport Street* de Richard Hoggart, dans lequel « savoir de sociologue » et « écriture de la mémoire »[41] sont étroitement imbriqués, *Les Gens de peu* (PUF, 1991) de Pierre Sansot, narrativisation d'une sociologie compréhensive, et *La Misère du monde* de Pierre Bourdieu, « marqueterie de points de vue, de voix, de prises de parole », dans laquelle « l'objectivation participante remplace l'objectivation objectiviste »[41], elle explique que, si les autosociobiographies et les ethnotextes de l'écrivaine creusent « une distance par rapport au roman et au romanesque, se voulant au plus près du reportage, du récit neutre »[41], les sociologues – qui se situent dans le même « entre-deux incommode »[41], entretenant « des rapports d'ambivalence avec [le] milieu d'origine »[41] – « font le chemin inverse pour tenter de se retrouver dans le même espace, celui d'un hors-genre »[41].

Si, depuis plusieurs dizaines d'années, ce type d'écriture de l'entre-deux s'est développé, on peut se demander quels sont les écrivains qui ont cheminé vers ce *hors-genre* : Annie Ernaux est en effet le seul écrivain français contemporain, et l'un des rares depuis Zola, dont l'œuvre est à ce point travaillée par les sciences sociales. Or, comme, d'une part, Annie Ernaux cite l'œuvre de Pierre Bourdieu comme principale référence sociologique, que ses écrits peuvent être qualifiés de *confessions impersonnelles*[42] et qu'elle croit également au pouvoir libérateur de l'auto-analyse, et comme, d'autre part, viennent de paraître aux éditions Raisons d'agir deux textes intitulés « Esquisse pour une auto-analyse » (2001 et 2004) de celui qui, parmi les sociologues reconnus, était le plus attiré par la littérature, le parallèle s'impose entre autosociobiographie et auto-socioanalyse. Cette dernière, bien évidemment, se veut plus scientifique. Se prenant lui-même pour objet, le fondateur du structuralisme génétique veille à la construction rigoureuse de cet objet particulier en sélectionnant les traits pertinents à l'analyse de l'individu épistémologique ; à l'application d'une méthode selon laquelle il

---

[41] Régine Robin, « L'Ecrivain et le Sociologue », in Michel Biron et Pierre Popovic éds, *Ecrire la pauvreté*, Toronto, éditions du GREF, 1996, respectivement p. 30, 22, 25-26, 21,30, 27 et 21.

[42] Cf. Pierre Bourdieu, *Méditations pascaliennes*, Seuil, 1997, p. 44-53, et «Esquisse pour une auto-analyse», in *Science de la science et réflexivité, op. cit.*, p. 186. Voici comment, dans son « Post-scriptum 1 » à un premier chapitre intitulé « Critique de la raison scolastique », l'auteur des *Méditations pascaliennes* présente l'aspect dérangeant de ces *confessions impersonnelles* : « Celui qui prend la peine de rompre avec la complaisance des évocations nostalgiques pour expliciter l'intimité collective des expériences, des croyances et des schèmes de pensée communs, c'est-à-dire un peu de cet impensé qui est presque inévitablement absent des autobiographies les plus sincères parce que, allant de soi, il passe inaperçu et que, lorsqu'il affleure à la conscience, il est refoulé comme indigne de la publication, s'expose à blesser le narcissisme du lecteur qui se sent objectivé comme malgré lui, par procuration [...] » (p. 44-45).

lui faut d'abord décrire l'espace des possibles qui s'offrait à lui lors de son entrée dans un champ intellectuel caractérisé par l'hégémonie de la philosophie et le rang subalterne de la sociologie, mais aussi son positionnement dans l'espace scolastique, avant de mettre en relation sa perception du champ sociologique avec sa trajectoire sociale et scolaire, ses prises de position avec son *habitus clivé* de « transfuge fils de transfuge »[43] ; à l'utilisation d'un vocabulaire spécifique : *effet de champ, illusio, allodoxia,* etc.

Cela dit, tous deux, le sociologue et l'écrivain, dénoncent les travers de l'autobiographie traditionnelle : l'illusion biographique, l'analyse psycho-logique, la dimension souvent chronologique, voire linéaire, du récit... P. Bourdieu pousse le scrupule jusqu'à faire précéder son texte de cet avertissement : « *Ceci n'est pas une autobiographie* » ; à nous prévenir, dès l'entame de la première section, de l'aspect déceptif que peut avoir sa démarche : « [...] au risque de surprendre un lecteur qui s'attend peut-être à me voir commencer par le commencement, c'est-à-dire par l'évocation de mes premières années et de l'univers social de mon enfance, je dois, en bonne méthode, [...] »[43] ; et surtout, dans le préambule, à nous adresser une mise en garde contre une possible illusion sociobiographique, un éventuel effet épistémo-rétrospectif suivant lequel les étapes de sa trajectoire pourraient apparaître comme justifiés par une *nécessité sociologique*, comme la réalisation d'un *projet conscient de soi*. Menace sur laquelle il revient vers la fin : « Le fait que je sois ici à la fois sujet et objet de l'analyse redouble une difficulté, très commune, de l'analyse sociologique, le danger que les "intentions objectives", que dégage l'analyse, n'apparaissent comme des intentions expresses, des stratégies intentionnelles, des projets explicites [...] ».[43] On retrouve ici une pratique chère à Annie Ernaux, la réflexivité de l'écriture, dont on peut donner deux autres exemples, le premier se présentant sous la forme d'une pudique précaution oratoire et le second d'une discrète interpellation du lecteur : « – [...] comment le dire sans pose ni pathos ? »[43] ; « On pensera que je noircis le tableau. En fait, celui qui écrit ne sait plus ou ne sait pas dire tout ce qu'il faudrait pour rendre justice à celui qui a vécu ces expériences, à ses désespoirs, à ses fureurs, à ses désirs de vengeance »[43]. S'ajoutent au discours métadiscursif les indications de régie qui structurent ce triptyque encadré par un prologue et un épilogue. Comme l'auteure de *La Place* et de *La Honte*, il accorde la plus grande attention à l'ordonnancement du matériau biographique exposé – tous deux renonçant à l'exhaustivité – et s'appuie sur des photos (cf. p. 83 et 115).

Les notes préparatoires de P. Bourdieu expliquent l'orientation de cette écriture hybride : « je mets au service du plus subjectif l'analyse la plus objective »[43] – ce qui n'exclut pas « quelques mouvements d'humeur »[43]. La tension de l'objectif vers le subjectif se traduit d'emblée par l'évolution des

---

[43] Id., *Esquisse pour une auto-analyse, op. cit.,* p. 109, 15, 90, 93, 119, 8 et 7.

indications de régie. Après avoir annoncé qu'il allait « examiner d'abord l'état du champ au moment où » il y est entré, il indique qu'il lui « faut aussi essayer d'évoquer l'espace des possibles tel qu'il [lui] apparaissait alors » (p. 15), avant de confier dans une parenthèse : « (On aura compris que, dans cette évocation de l'espace des possibles philosophiques tel qu'il m'apparaissait alors, s'expriment les admirations, souvent très vives et toujours vivaces, de mes vingt ans, et le point de vue particulier à partir duquel s'est engendrée ma représentation du champ universitaire et de la philosophie) » (p. 24). C'est dans les très nombreuses parenthèses, qui incluent parfois elles-mêmes d'autres parenthèses, que s'effectue avant tout le retour du sujet empirique : parenthèses explicatives, illustratives, voire polémiques. Que ce soit ou non dans ces parenthèses, le surgissement des souvenirs est amorcé par des formules comme « je me souviens... », « je me rappelle... », « j'ai encore en mémoire... » Ces souvenirs sont constitués d'anecdotes érigées en paraboles (cf. p. 59) ou régies par des paradigmes littéraires comme le récit d'aventures (cf. p. 66) ou le *Bildungsroman* (cf. p. 78-82). Celui qui, adolescent, aimait s'identifier à Balzac et qui se réfère souvent à Flaubert, n'hésite pas à emprunter les voies du discours littéraire : celles de la confession (« je dois dire ici... », « je ne puis pas ne pas le dire ici... ») ; de l'image (« Autre "phare" (la métaphore est peut-être plate, malgré Baudelaire, mais elle dit bien ce que représentent, pour un nouvel entrant, certains personnages constitués sinon toujours en modèles, du moins en repères) » – p. 40 – ; « paradoxalement, l'historicisation, bien qu'elle mette à distance, donne aussi les moyens de rapprocher et de convertir un auteur embaumé et emprisonné dans les bandelettes du commentaire académique en un véritable alter ego [...] » – p. 142) ; de l'analogie (cf. p. 99, entre le mouvement de résistance, dans le champ intellectuel des années cinquante, aux institutions académiques, et celui de Manet et des impressionnistes) ; de l'anaphore (p. 83 : la puissance d'évocation du mélancolique « je pense à ... » rappelle le Baudelaire du « Cygne »)...

Il reste que les objectifs du sociologue ne sont pas ceux de l'écrivaine : sur le plan épistémologique, il s'agit de *maîtriser le rapport subjectif à l'objet*[44], et du point de vue personnel, de dissuader les biographes de toute *tentative d'objectivation plus ou moins sauvage* et de léguer une sorte de testament intellectuel aux jeunes générations[44]. Annie Ernaux, quant à elle, cherche à s'objectiver pour désubjectiver la honte, sentiment négatif dont elle veut se délivrer en faisant une place *objective* – c'est-à-dire sans misérabilisme ni populisme – au monde des dominés dans le monde des Belles-Lettres, et en le réfractant vers les lecteurs de l'autre bord (d'où ce goût pour une transgression totale qui consiste à se constituer en objet d'horreur, à se rendre immonde pour *faire honte* au « monde d'en haut », à le choquer en faisant entrer en littérature des réalités considérées comme

---

[44] Cf. id., « Esquisse pour une auto-analyse », *op. cit.*, p. 183, et *Esquisse pour une auto-analyse*, p. 140-141.

triviales et obscènes). En effet, plus encore pour Annie Ernaux que pour tout autre, le positionnement dans le champ littéraire est indissociable de la trajectoire sociale. S'étant inéluctablement éloigné du monde d'origine, mais mal à l'aise dans celui d'accueil, elle adopte une posture héritée de Rousseau, la seule viable pour elle : jouant à « qui perd gagne », elle tire sa légitimité d'un double handicap – son origine sociale et sexuelle – pour devenir une figure emblématique de l'antidomination – se révoltant contre la domination capitaliste et masculine, et contestant la littérature officielle. Dans la lignée de Simone de Beauvoir, elle contribue à faire en sorte que la littérature de l'intime ne soit plus un exercice gratuit qui est l'apanage d'une élite sociale masculine. Son expérience et de femme et de transfuge la conduit à récuser l'intellectualisme pour privilégier le sensible ; à construire une position caractérisée par *l'impur* : impur le refus du « beau style » et des distinctions génériques, impur le thème de la honte sociale et sexuelle... Cette posture permet de comprendre ce qu'il convient d'appeler *une éthique et une esthétique du neutre* : il s'agit de renoncer à la langue et la culture dominantes par fidélité à son milieu d'origine et, plus généralement, son vécu – c'est-à-dire les « choses de la vie » dans leur réalité objective et subjective. Dans cette perspective, *l'authenticité* consiste à dire la vérité crue dans une écriture épurée, à inventer une écriture effilée comme un couteau pour tailler un réel à vif (autosociobiographies) ou sur le vif (ethnotextes).

Ainsi, pour une « déclassée par le haut », la totalisation de soi par l'écriture ne peut qu'aboutir à une œuvre de l'entre-deux : ses livres étant « la forme vraie » de sa personnalité[45], ils portent la trace d'un *habitus clivé* – « produit d'une "conciliation des opposés" qui incline à la "conciliation des opposés" »[46]. En elle, comme en Pierre Bourdieu, coexistent « d'un côté, la docilité, voire l'empressement et la soumission du bon élève », et, « de l'autre, une disposition rétive »[46] ; comme lui, elle vit son ascension sociale à la fois dans la fierté et la culpabilité, fait un « lien magique » entre la mort de son père et une étape importante dans sa réussite professionnelle (l'admission au CAPES de lettres pour l'une, l'accession au Collège de France pour l'autre) – « succès ainsi constitué en transgression-trahison »[46] –, et nourrit « le sentiment d'avoir toujours à payer tout très cher »[46] ; comme lui encore, elle entretient un rapport de distance et de proximité au monde intellectuel, se lance dans une entreprise « à la fois ambitieuse et "modeste" »[46] et se trouve « toujours à contresens ou à contre-pente des modèles et des modes dominants dans le champ »[46]. On pourrait poursuivre ce portrait d'une auteure de l'entre-deux : celle qui vit entre ville et campagne et oscille entre savoir et désir, dans *Se perdre*, donne d'elle-même une image contrastée (la belle femme mûre qui assure le rôle de l'initiatrice est aussi un sujet vide et aliéné, une midinette superstitieuse) ; se place également sous le signe de la

---

[45] Annie Ernaux, *Se perdre, op. cit.*, p. 164.
[46] Pierre Bourdieu, *Esquisse pour une auto-analyse, op. cit.*, p. 130, 128, 138, 139, 131 et 135.

dualité sa vision de l'écrivain (simple métier et statut social valorisant)...
L'entre-deux revêt parfois des aspects paradoxaux. Dans *L'Ecriture comme
un couteau*, par exemple, celle qui rejette la psychanalyse utilise des formules
comme « le refoulé de la lecture » (p. 84), « ma névrose des débuts »
(p. 120), « besoin compulsif » (p. 127)... Celle qui a lutté pour conquérir son
indépendance matérielle, sexuelle, morale et intellectuelle, n'en reconnaît pas
moins qu'elle demeure imprégnée du discours catholique, dont elle a
« transféré certaines représentations » sur sa « pratique d'écriture » : « Par
exemple, penser l'écriture comme un don absolu de soi, une espèce
d'oblation, et aussi comme le lieu de la vérité, de la *pureté* même [...]. Ou
encore éprouver les moments où je n'écris pas comme une faute, *la* faute, le
"péché mortel" (quel gouffre que cette expression !) » (p. 149).

L'œuvre d'Annie Ernaux inscrit textuellement l'entre-deux dispositionnel
du transfuge de classe – qui, selon Bernard Lahire, est souvent pénible à
supporter, dans la mesure où l'*homme pluriel* devient *homme clivé* : « le
multiple est cantonné à la figure du double et à l'opposition binaire »[47]. La
dualité interne du transfuge se traduit par une bipolarisation des répertoires
de schèmes intériorisés dans des situations et des contextes sociaux divers.
L'ambivalence des matrices socialisatrices est vécue conflictuellement, selon
toute une série de couples antinomiques : dominant/dominé, liberté/
aliénation, haut/bas, légitime/illégitime, prestigieux/dévalorisé... C'est ainsi
que l'auteure ressent comme irréductibles les pratiques culturelles de
l'étudiante puis de la professeure et celles de la fille de douze ans qui lit
Confidences, L'Echo de la mode, Lisette, etc.[48] A cette double culture fait
écho, dans l'œuvre, la cohabitation de *deux séries séparées* – comme celles
qu'évoque l'écrivaine dans *La Honte*, qui concernent l'année 1952 : « Au
moment où je lisais *Brigitte jeune fille* et *Esclave ou reine* de Delly, que
j'allais voir *Pas si bête* avec Bourvil, sortaient en librairie *Saint Genet* de
Sartre, *Requiem des innocents* de Calaferte, au théâtre *Les Chaises* de
Ionesco. Les deux séries restent à jamais séparées pour moi »[49]. Cette
bipartition entre culture légitime et culture populaire structure le système de
références propre à chacun de ses textes. Ainsi, dans *La Vie extérieure*, est-il
question de Giotto, Sartre, Molière, Van Gogh, Sade, etc., mais également de
Piaf, Dalida, Aznavour, la série télévisée *X-files*... De même, dans *Se perdre*,
Michel-Ange, Botticelli, Racine, Proust, Breton, Sartre, Beauvoir, ou encore
Doubrovsky avoisinent Piaf, Moreno, Bourvil, Dalida, Hallyday, etc. Y sont
entremêlés chefs-d'œuvre littéraires (*Tristan et Yseut, Anna Karénine*...) et

---

[47] Bernard Lahire, *L'Homme pluriel. Les ressorts de l'action*, Nathan, 1998, p. 47. A
noter que, dans cette section sur «le cas des traversées de l'espace social» (p. 46-52),
le défenseur d'une sociologie psychologique cite Annie Ernaux.

[48] Cf. Guillemette Tison, « La Lecture dans les romans autobiographiques d'Annie
Ernaux », *L'Ecole des lettres*, n° 6, décembre 2003, p. 23-37. Concernant l'impact de
la revue *Confidences* sur l'auteure, voir ci-après l'intervention de Lyn Thomas.

[49] Annie Ernaux, *La Honte, op. cit.*, p. 113, et *Se perdre, op. cit.*, p. 336.

titres de chansons (« Histoire d'un amour » de Moreno, « San Francisco » de Leforestier, « Lambada »...), d'émission de télévision (« Le Juste Prix », TF1) ou de best-seller mondial (*Autant en emporte le vent*, qui a formé sa « vision des sentiments avant l'âge de dix ans, pour toujours »[49]).

Il n'est pas jusqu'aux schèmes d'appréciation du corps qui n'aient été affectés : la *belle femme mûre* ne saurait se reconnaître dans l'enfant de douze ans qu'elle découvre sur deux photos de 1952, l'une où elle est en tenue de communiante – « habit de petite bonne sœur »[50] – et l'autre en maillot de bain[50] ; quant à la petite Annie, décrite comme gauche et empesée, à la silhouette informe, elle sait ce qui la sépare des « crâneuses »[50], ces *mignonnes* filles de bonne famille qui habitent le centre ville d'Yvetot, elle saisit à quel point son visage triste et blafard jure avec celui, bronzé et épanoui, d'une adolescente rencontrée dans un restaurant de Tours, qui, attablée avec son père, en robe décolletée, manifeste « aisance et liberté ».[50] En voyage, à Tours ou à Biarritz, comme au contact de la bourgeoisie cultivée (élèves de l'institution privée d'Yvetot, étudiants de Rouen, belle-famille...), elle connaît de nombreuses situations de désajustement social (« Il y avait beaucoup d'usages que nous ne connaissions pas »[50]) : à cette fille d'épicier qui doit laisser son « vrai monde à la porte » de l'école, où elle ne sait pas se conduire[51], cette « pauvre fille bourrée d'humiliations »[51], cette « arriviste de la culture »[51] qui « condamne [ses] manières » sans savoir comment se comporter[51], il faut du temps pour « être relaxe comme les autres filles, balancer [son] porte-documents à bout de bras, parler l'argot des collégiens, connaître les Platters, Paul Anka et l'Adagio d'Albinoni », pour ne plus être *lourde* et *maladroite* devant les héritiers, et se faire une « vraie place »[51] dans un monde où elle entre « par effraction »[52] ; de même, comment aurait-elle pu ne pas se sentir déplacée dans sa belle-famille, où, « si l'on cassait un verre, quelqu'un s'écriait aussitôt, "n'y touchez pas, il est brisé" (Vers de Sully Prud'homme) »[53] ? Ces effets d'*hysteresis*, qui renforcent la honte, sont liés à un mode de vie[54] sur lequel elle porte un regard dépréciatif à cause de l'événement rapporté dans *La Honte*, qui lui fait prendre clairement conscience de son appartenance sociale : « Tout de notre existence est devenu signe de honte » (p. 139). L'autre catalyseur de la honte est celui que l'écrivaine appelle *l'événement*, précisément: dans *Les Armoires vides* (1974) comme dans *L'Evénement* (2000), on assiste à une sorte

---

[50] Id., *La Honte*, p. 24, 121, 98, 132 et 129.

[51] Id., *Les Armoires vides*, Gallimard, 1974 ; rééd. « Folio », 1984, p. 62, 169, 168, 127 et 173.

[52] *Ibid.*, p. 129. Dans *L'Ecriture comme un couteau*, celle qui se dit « être une "émigrée de l'intérieur" de la société française » (p. 35) revient sur « le sentiment d'avoir conquis le savoir intellectuel par effraction » (p. 34).

[53] Id., *La Place*, *op. cit.*, p. 97.

[54] Cf. ci-après l'article de Gérard Mauger.

d'incorporation de l'échec social, le corps véhiculant la fatalité sociale – se faisant, au sens propre, l'agent de la reproduction...

Devenue agrégée des lettres et écrivaine reconnue, c'est bien en raison de son *hexis* et de son *ethos* originels qu'elle se passionne pour S., « si merveilleusement homme russe, accordé donc à la paysanne [qu'elle est] toujours au fond [d'elle-même] »[55], ou qu'elle ne peut supporter la femme d'un conseiller culturel qui élève sa fille « dans les principes bourgeois jusqu'à la caricature » : « Haine de classe. Non. Lutte du vulgaire (moi) et de la distinction (elle, la femme du conseiller) qui fait les coupures irréductibles »[55]. Autrement dit, ce qui est premier, ce n'est pas l'antagonisme politique, mais l'opposition d'habitus. La prégnance de cet habitus primaire est telle qu'elle la fait se ranger du côté du vulgaire et des dominés, lui fait préférer la vie à la vie culturelle : « Je ne suis pas culturelle, il n'y a qu'une chose qui compte pour moi, saisir la vie, le temps, comprendre et jouir »[55] ; « La vie extérieure demande tout, la plupart des œuvres d'art, rien »[56]... Lui fait critiquer la culture dominante :

> Quant je lis Proust ou Mauriac, je ne crois pas qu'ils évoquent le temps où mon père était enfant. Son cadre à lui c'est le Moyen Age[56].
>
> Il se trouve des gens pour apprécier le « pittoresque du patois » et du français populaire. Ainsi Proust relevait avec ravissement les incorrections et les mots anciens de Françoise. Seule l'esthétique lui importe parce que Françoise est sa bonne et non sa mère. Que lui-même n'a jamais senti ces tournures lui venir aux lèvres spontanément[56].
>
> Je ne crois pas qu'il existe un *Atelier de la faiseuse d'anges* dans aucun musée du monde[56].

C'est le prix à payer pour être passée de l'autre côté, dans le « monde d'en haut » ou, du moins, « dans le monde dominant des mots et des idées »[57] :

> Je vois d'autres raisons à ce désir d'écrire « quelque chose de dangereux », très liées au sentiment de trahison de ma classe sociale d'origine. J'ai une activité « luxueuse » [...] et l'une des façons de la « racheter » est qu'elle ne présente aucun confort, que je paye de ma personne, moi qui n'ai jamais travaillé de mes mains. L'autre façon est que mon écriture concoure à la subversion des visions dominantes du monde[57].

---

[55] Annie Ernaux, *Se perdre, op. cit.*, p. 222, 160 et 105-106.

[56] Id., *La Vie extérieure, op. cit.*, p. 128 ; *La Place, op. cit.*, p. 29 et 62 ; *L'Evénement, op. cit.*, p. 82.

[57] Id., *Une femme*, Gallimard, 1988, rééd. «Folio», 1989, p. 106, et *L'Ecriture comme un couteau, op. cit.*, p. 52.

Venger sa race[58], c'est s'attaquer aux « visions dominantes du monde » et de la littérature en faisant *entrer par effraction* les réalités de ses parents : « quelque chose de dur, de lourd, de violent même, lié aux conditions de vie, à la langue du monde qui a été complètement le [sien] jusqu'à dix-huit ans »[58] – une langue « lourde de choses réelles »[58]. On voit tout ce que peut avoir d'inconfortable la position du transfuge : dominé parmi les dominants, il ne peut s'empêcher de les critiquer, mais dominant parmi les dominés, il ne peut se reconnaître en eux... On comprend sa situation insupportable, dont rend compte la sociologie psychologique de Bernard Lahire : son clivage interne le soumet à un incessant va-et-vient entre chaque pôle régissant les stocks de dispositions.

Cependant, comme le remarque Annie Ernaux elle-même : « le sentiment de culpabilité n'est pas simple, pas réductible au passage d'une classe sociale dans une autre. Je dirais qu'il est fait, en ce qui me concerne, de social, de familial, de sexuel et de religieux, en raison d'une enfance très catholique »[58]. Il faut donc chercher ailleurs une explication à cette souffrance incomparable à celle d'autres « déclassés par le haut ». Sans doute du côté de la psychanalyse, avec laquelle l'écrivaine entretient un rapport de dénégation, notamment dans ses journaux intimes, où, preuve qu'elle lui accorde une valeur heuristique – peut-être *à son insu* (expression qui revient souvent sous sa plume) –, elle nous offre de nombreux récits de rêves, et même certaines clés interprétatives. C'est le cas, dans « *Je ne suis pas sortie de ma nuit* », des deux lignes qui concluent l'entrée du 23 septembre 1984 : « Je suis née parce que ma sœur est morte, je l'ai remplacée. Je n'ai donc pas de moi »[59]. Comment trouver *sa place*, en effet, quand on est *ravisé* – « nom qu'on donne à une espèce particulière d'enfants nés d'un vieux désir, d'un changement d'avis des parents qui n'en voulaient pas ou plus »[60] –, quand on n'existe que par rapport à l'autre – ici, en l'occurrence, à la sœur morte de diphtérie à sept ans (1938) –, quand le *moi* est hanté par l'Autre ; comment ne pas se croire « éternellement l'enfant abandonnée »[61], ne pas avoir le sentiment d'être « interchangeable dans une série »[61] – série des femmes mères, des femmes avortées, des femmes mûres ? Ce qui est certain, c'est qu'elle appartient à la « série » des *enfants de remplacement* qui ont trouvé dans la création un moyen de sublimation, une façon de se différencier de l'Autre, la seule issue possible, en fait : Chateaubriand, Stendhal, Beethoven, Van Gogh, Dali... (« Le génie n'est pas un don mais l'issue qu'on invente dans les cas désespérés », note Sartre à propos de Genet[62]). *L'enfant de remplacement* éprouve un sentiment de culpabilité diffus vis-à-vis d'un

---

[58] Id., *Se perdre, op. cit.*, p. 220, et *L'Ecriture comme un couteau*, p. 35, 124 et 63.

[59] Id., « *Je ne suis pas sortie de ma nuit* », Gallimard, 1997 ; rééd. « Folio », 1999, p. 44.

[60] Id., *La Femme gelée*, Gallimard, 1981 ; rééd. « Folio », 1987, p. 13.

[61] Id., *Se perdre, op. cit.*, p. 265, et *L'Occupation, op. cit.*, p. 49.

[62] Jean-Paul Sartre, *Saint Genet, comédien et martyr*, Gallimard, 1952, p. 645.

défunt par rapport auquel il est défini par les parents, qui valorisent un objet d'amour perdu dont ils n'ont pas fait le deuil : « le récit qu'elle fait de la mort de ma sœur me terrifie : j'ai l'impression que c'est en mourant à mon tour qu'elle m'aimera, puisqu'elle dit, ce jour-là, en parlant de moi, "elle est bien moins gentille que l'autre" (ma sœur) »[63]. Se rejoue ici le jeu entre Eros et Thanatos : pour que la petite Annie soit objet d'amour maternel, il lui faut rejoindre la morte. Cet imaginaire thanatographique lié à l'imago maternelle se retrouve dans un récit de rêve où l'« enfant flottant » ne renvoie probablement à personne d'autre que l'Absente de la famille, *via* le fœtus avorté : « [...] dans la transparence de l'eau, on aperçoit un enfant flottant. Cette femme répète toujours que ce n'est pas sa faute. J'ai bien peur que cette femme ne représente ma mère (j'avais l'impression qu'elle me laisserait mourir) et moi-même (peur que mes enfants meurent, mon avortement) »[63]. L'absence d'existence autonome et la tendance dépressive[64] sont les manifestations de l'« effet "fantôme" » qu'ont théorisé Maria Torok et Nicolas Abraham[65] : le poids du secret – qualifié, dans *Une femme*, de « silence de la neurasthénie » (p. 43) – qui pèse sur des parents incapables d'*introjecter* l'objet de la perte affecte également l'*enfant de remplacement*[65], qui partage la même *identification endocryptique* à la défunte (dans un autre rêve rapporté dans *Se perdre*, n'est-il pas permis de considérer comme emblématique du couple sororal cette histoire de petite fille disparue et *vivante* ?[66]).

En point d'orgue à cette réflexion sur l'entre-deux, ajoutons que celle qui, sur le plan sociologique, a *le cul entre deux chaises*[67] – contrairement à l'héritier qui, lui, se meut dans l'espace social comme « un poisson dans l'eau »[67] –, du point de vue psychologique, évolue *entre deux eaux*. Troublement révélateur s'avère, à cet égard, un même rêve évoqué sensiblement de la même façon dans *Une femme* et « *Je ne suis pas sortie de ma nuit* » :

> Une fois, j'étais couchée au milieu d'une rivière, entre deux eaux. De mon ventre, de mon sexe à nouveau lisse comme celui d'une petite fille partaient des plantes en filaments, qui flottaient, molles. Ce n'était pas seulement mon sexe, c'était aussi celui de ma mère[68].

---

[63] Annie Ernaux, « *Je ne suis pas sortie de ma nuit* », *op. cit.*, p. 81, et *Se perdre*, p. 343.

[64] Cf. *Se perdre*, p. 220.

[65] Cf. Maria Torok et Nicolas Abraham, « Notes sur le fantôme », *Etudes freudiennes*, n° 9-10, 1975, et *L'Ecorce et le Noyau*, Flammarion, 1987 ; Maurice Porot, *L'Enfant de remplacement*, éditions Frison-Roche, 1993.

[66] Cf. Annie Ernaux, *Se perdre*, *op. cit.*, p. 363.

[67] Id., *Les Armoires vides*, *op. cit.*, p. 181 et 169.

[68] Id., *Une femme*, *op. cit.*, p. 104 ; « *Je ne suis pas sortie de ma nuit* », *op. cit.*, p. 56-57 ; *Se perdre*, *op. cit.*, p. 210.

> [...] je suis dans une rivière, entre deux eaux, avec des filaments sous
> moi. Mon sexe est blanc et j'ai l'impression que c'est aussi le sexe de
> ma mère, le même[68].

L'image de cette Ophélie dérivant entre vie et mort symbolise certaine-ment
la double identification entre les deux sœurs, d'une part, et d'autre part, entre
la petite Annie et sa mère. A moins que n'affleure ici la figure de
l'androgyne, incarnée, dans un rêve légèrement postérieur à cette époque, par
S. « (qui est grand, mince et blond, lisse comme une femme ?) »[68] : celle qui,
élevée dans un milieu où l'on ne fait pas de différences entre virilité et
féminité[69] et où c'est un honneur et une chance que d'appartenir au sexe
féminin, s'est toujours sentie aussi libre qu'un garçon, conformément au
modèle maternel, se caractérise par un *sexe blanc*, c'est-à-dire à la fois
féminin et masculin (ces *filaments* sont bel et bien spermatozoïdiformes)...

*
* *

Les pages précédentes – consacrées à la réception de l'œuvre, ses
caractéristiques thématiques et formelles, et sa relation avec les sciences
humaines contemporaines –, comme les articles ci-après, posent le problème,
que soulève Tiphaine Samoyault, de l'objectivation critique d'une œuvre
inachevée dont le sens est en suspens : « Par certains aspects, le discours
journalistique, aussi insatisfaisant soit-il, pourrait paraître mieux convenir au
contemporain pour l'analyse de lui-même que le discours universitaire. Le
présent, en effet, ne peut être l'objet d'un savoir théorisé et clos ; le
journalisme, lui, prend en charge le présent, et non l'histoire du présent : s'il
analyse le présent, il le fait en tant qu'il nous concerne et non dans l'espoir
d'en faire un objet de savoir distancié ». Universitaire, écrivaine et critique
(*La Quinzaine littéraire*, *Les Inrockuptibles*,...), celle qui, dans le volume
inaugural de la collection « Manières de critiquer », nous avait proposé ses
critères d'évaluation du contemporain[70], décide de « prendre en compte le
présent pour penser les temps de l'œuvre plutôt que d'isoler ce présent
comme objet d'étude autonome qui oblige [...] à tricher sur la perspective et
sur sa propre position dans ce temps ». Son travail sur l'œuvre d'Annie
Ernaux – qui, pour le sociologue Christian Baudelot, *brise les solitudes* – se
situe donc au croisement de deux solitudes, c'est-à-dire deux temps de vivre
et d'écrire (les siens et ceux de l'auteure). Ajoutons que cette rencontre
présuppose une intersection entre le champ littéraire et le champ universitaire, dont les problématiques imprègnent différemment et l'auteur et les
chercheurs. Si, dans un siècle, les exégètes bénéficieront d'autres outils

---

[69] Cf. id., *La Femme gelée, op. cit.*, p. 32.
[70] Cf. Tiphaine Samoyault, « Prise et emprise : fonction critique et évaluation du
contemporain », in Francis Marcoin et Fabrice Thumerel éds, *Manières de critiquer*,
Artois Presses Université, 2001, p. 285-297.

d'investigation et du relativisme historique, en revanche ils auront perdu de vue cet horizon de valeurs et de significations communs aux lettrés contemporains d'Annie Ernaux. Aussi faut-il accepter l'acte de critiquer dans son incomplétude même : il s'agit d'élaborer un discours interprétatif qui naît – avec un léger décalage temporel, donc – de la relation entre les deux mondes en présence, ceux, historiquement, sociologiquement et psychologiquement définis, de l'auteur et du lecteur.

Dans ce volume, les principaux modes de lecture ayant permis d'explorer diverses dimensions de l'entre-deux sont au principe de la division en chapitres. L'ensemble des contributions se partage entre les approches sociologiques (chap. III) et les approches textuelles (chap. I), lesquelles offrent des ouvertures sur les aspects philosophiques, psychologiques et sociologiques de l'entre-deux (chap. II). La dernière partie, qui est la transcription et l'approfondissement des propos tenus lors d'une table ronde, porte sur ces formes particulières de l'entre-deux que constituent les écritures journalières.

Avec Françoise Simonet, auteure d'un récent ouvrage sur le journal intime (Nathan, « 128 », 2001), on pénètrera tout d'abord dans les coulisses de l'écriture : après avoir présenté le dossier génétique de *L'Evénement*, elle met au jour quelques caractéristiques de l'écriture ernausienne, notamment grâce à l'« étude microgénétique de l'enclenchement du récit » (principes d'*économie*, d'*exactitude référentielle*, de *rupture* et d'*effacement*). Loraine Day montre qu'en cette même œuvre se mêlent étroitement histoire et Histoire, honte et fierté, temps vécu et temps de l'écriture – cette dernière réactualisant l'expérience passée. Parce que, des *Armoires vides* à *L'Evénement*, le récit de l'avortement conduit Annie Ernaux à la « découverte rétrospective » d'une *scène nucléaire*, ce texte tardif est fondamental : « Au fil des années, dans et par sa pratique d'écriture, l'auteure comprend que l'avortement représente une expérience concentrée des conflits qui se trouvent au centre de tous ses écrits ». Se focalisant sur *Se perdre*, plutôt que la coïncidence entre présent et passé, Tiphaine Samoyault souligne la différenciation entre temps internes au texte et temps du texte, qui rend compte de la distinction générique entre journal intime et autobiographie : la première forme se définit par la conjonction entre temps de vivre et temps d'écrire, la seconde par leur disjonction. Pour elle, « ce jeu des temps fonde et explique l'instabilité générique de l'œuvre d'Annie Ernaux ». Quant à Catherine Douzou, spécialiste des formes brèves, elle démontre que « l'effort le plus abouti d'Annie Ernaux pour échapper à l'effet négatif de la représentation semble être l'écriture fragmentaire ». Pour ne pas tomber dans la représentation continue et conventionnelle de soi, elle s'oriente vers « une littérature au-delà du "littéraire" », se lançant dans une entreprise à la fois de subversion artistique et de *désaliénation* psychologique et sociologique. Le pouvoir de suggestion des formes brèves choisies par Annie Ernaux les fait tendre vers la poésie. D'autant que, selon Jerzy Lis, le va-et-vient entre individuel et collectif au sein d'une écriture de la quotidienneté fait songer à la poésie sociale des unanimistes : « La poésie désignerait donc le moment où il est possible d'exprimer un état émotionnel qu'Ernaux appelle "l'effroi de la réalité vécue" ». L'*écriture plate* serait alors « l'un des moyens pour exprimer les sensations élémentaires et originaires ».

Dans le prolongement de ses *Récits indécidables* (Presses Universitaires du Septentrion, 2000) et de ses *Fictions singulières* (Prétexte éditeur, 2002), Bruno Blanckeman analyse la tension entre identité et altérité dans une œuvre autobiographique où la « vérité de soi » se situe entre intériorité et extériorité. Pour lui, trois procédures régissent le travail formel de l'écrivaine sur son matériau autobiographique : « un effet de désubjectivation, un phénomène de réappropriation trans-subjective, une volonté de figuration interpersonnelle ». Pierre-Louis Fort, jeune chercheur spécialisé dans l'« autobiographie au féminin » (Yourcenar, Beauvoir, Ernaux), aborde différemment la relation du sujet à l'écriture : nous conduisant sur l'autre scène, celle de l'inconscient, il met en évidence l'oscillation de l'œuvre entre *vie* et *mort*, ainsi que la façon dont l'*écriture du deuil* consiste « à sortir de l'entre-deux rives, à abandonner ce milieu du gué qui est le centre même de l'entreprise *thanatographique* ». Autre manière encore de concevoir les rapports entre sujet et écriture : se plaçant dans le cadre des « gender studies », Barbara Havercroft s'intéresse, dans cette œuvre dynamisée par un perpétuel mouvement entre individuel et collectif qui témoigne de la *conscience féministe* de son auteure, à la construction littéraire du sujet féminin, entre euphémisme et exposition, au moyen de la citation, de la critique des stéréotypes et du métadiscours. Lyn Thomas et Jacques Dubois, quant à eux, appréhendent chacun un texte (respectivement, *Les Armoires vides* et *La Place*) dans sa relation à un contexte social ou un savoir sociologique : l'auteure d'une monographie sur Annie Ernaux qui fait référence (cf. bibliographie) dévoile le rôle ambigu qu'a joué la revue *Confidences*, informant la vision du monde de l'enfant et servant de repoussoir à l'écrivaine (c'est ainsi que son premier roman est la « version inversée » d'« Une expérience », récit paru en octobre 1949 : « Autant le style des *Armoires vides* constitue le rejet total et violent de la politesse conventionnelle et du français correct de *Confidences*, autant la ressemblance des thèmes et du milieu évoqué indique qu'Ernaux a réussi le projet qu'elle n'expliquera que plus tard de montrer tout le poids du contexte social dans la formation de l'individu et dans sa trajectoire ») ; le disciple de Bourdieu, dont le dernier livre paru avant le colloque traitait des *romanciers du réel* (Seuil, « Points », 2000), se penche sur le *réalisme critique* d'Annie Ernaux, examinant les procédés grâce auxquels la fiction retraduit un savoir sociologique (mise en intrigue et en espace, stylisation des « procédures d'objectivation »...).

Les approches sociologiques, plus ou moins externes, nous permettent de comprendre en quoi l'œuvre d'Annie Ernaux est sous-tendue par une sociologie immanente qui offre un pendant pratique aux théories de Pierre

Bourdieu (Christian Baudelot et Gérard Mauger), mais aussi sa réception contrastée (Isabelle Charpentier) et, plus largement, la singularité d'une trajectoire au cours de laquelle, contrairement à d'autres auteures plus militantes, et bien que dotée d'une conscience féministe, l'écrivaine a toujours fait prévaloir l'engagement littéraire (Delphine Naudier). En premier lieu, le réputé disciple de Bourdieu met l'accent sur le fait que la fille de petits commerçants, « ces travailleurs de l'entre-deux », manifeste un *sens pratique* qui à la fois la rapproche et la sépare du sociologue : « Une chose est de l'identifier, de l'analyser et le formaliser, une autre d'en décrire les modalités et les catégories concrètes qui ne sont *totalement* accessibles qu'à la très rare fraction de ceux qui les mettent en œuvre *et* qui sont en même temps capables de les objectiver ». Et de soulever le paradoxe d'Annie Ernaux : c'est sur un mode personnel qu'elle parvient à décrire les rapports de classes dans leur réalité quotidienne – à dénoncer ce phénomène collectif qu'est la violence symbolique. Gérard Mauger, lui, présente la trajectoire de l'écrivaine comme archétypique de l'intellectuel de première génération : à partir d'une minutieuse analyse de l'œuvre, il montre comment l'« ethnographe des classes dominées », pour qui l'écriture est un acte politique, met en scène les *conditions sociales de son ascension sociale* et nous livre la *socio-genèse d'un habitus clivé*. Cette trajectoire, Delphine Naudier choisit de l'observer du point de vue des relations ambivalentes que les écrivaines entretiennent avec le féminisme dans le dernier quart du XXe siècle : pour Annie Ernaux, qui propose « une vision des rapports sociaux de sexe », la voie de la reconnaissance littéraire passe par le refus de l'étiquette « féministe », qui a ôté toute légitimité à des auteures comme Xavière Gauthier ou Christiane Rochefort. Enfin, la prudence de cette « conscience féministe » semble justifiée au regard de la réception journalistique de l'œuvre, qui, d'après l'étude d'Isabelle Charpentier – dont il a été question dans le premier volet de ce triptyque –, varie selon des facteurs d'ordre politique, sociologique et sexuel : à partir de *Passion simple*, condamnée pour « obscénité sexuelle » et/ou « obscénité sociale », des critiques, y compris parmi ceux qui étaient jusque là bienveillants, reconsidèrent négativement l'œuvre antérieure... D'où la posture de l'entre-deux qu'occupe l'auteure : « le "double jeu/je" entre littérature autobiographique et pré-tension socio-analytique fait qu'Annie Ernaux sert la sociologie en se servant, qu'elle est "dans le jeu" littéraire, mais sans réellement "jouer le jeu" ».

On s'attardera, pour terminer, sur trois dialogues différents avec Annie Ernaux, ayant trait à ces formes de l'entre-deux que sont le journal intime et le journal extime : le premier invite l'auteure à se positionner vis-à-vis d'une écriture de soi dont les deux pôles extrêmes sont l'esthétisation et l'authenticité ; le second, mené par Philippe Lejeune – maître reconnu de l'autobiographie –, nous plonge dans un jeu de glaces étourdissant entre vécu et écrits intimes ; le dernier, précédé d'une présentation établie par la sociologue Marie-Madeleine Million-Lajoinie, nous donne encore à réfléchir, à propos des ethnotextes, sur les rapports entre individuel et social, littérature et sociologie.

CHAPITRE I
APPROCHES TEXTUELLES
DE L'ENTRE-DEUX

« A63 » OU LA GENÈSE DE L'« ÉPREUVE ABSOLUE »

Françoise Simonet-Tenant
Université de Paris XIII

La longue maturation du récit *L'Evénement*
Repères chronologiques

DATE	VIE	ECRITURE	FEMINISME
1963	Obtention de la licence. Rencontre avec Philippe Ernaux.	Refus du premier roman (influencé par le Nouveau Roman) par les éditions du Seuil. A.E. tient jusqu'en décembre un agenda auquel elle se référera pour écrire *L'Evénement*.	
1964	Diplôme d'Etudes Supérieures (mémoire portant sur la femme dans le surréalisme). Inscription complémentaire en Sociologie. 20-21 janvier : avortement.	A.E. tient un journal.	
1972-73		Rédaction des *Armoires vides* (fin : 30 septembre). Résumé : Denise Lesur, la narratrice de vingt ans, étudiante, après une visite chez la faiseuse d'anges, attend toute seule dans sa chambre à la Cité U que l'avortement réussisse, et c'est alors qu'elle pense à sa famille dans un monologue intérieur. A.E. avoue n'avoir pu commencer de parler de son enfance, de déchirure sociale que	A.E. milite activement entre 1972 et 1975 au sein de la section du Mouvement pour la Libération de l'Avortement et de la Contraception (M.L.A.C.) et au groupe « Choisir » d'Annecy.

		lorsqu'elle a évoqué l'avortement, ce qui fut d'une certaine manière une façon d'expulser l'enfance.
1974		Publication des *Armoires vides* (Gallimard).
1975	Déménagement à Cergy	Lorsqu'elle déménage, la loi Veil vient d'être votée, et A.E. dit ne pas trouver dans la ville nouvelle une organisation comparable à celle connue à Annecy.
1982		Octobre : écriture d'un court fragment qui fait référence à l'avortement. Ce fragment peut être considéré comme la première pièce du dossier pré-rédactionnel de *L'Evénement*[1]. Novembre : début de la rédaction de *La Place*.
1984	La mère d'A.E. entre au service de gériatrie de l'hôpital de Pontoise.	Janvier : publication de *La Place*.
1985-86		Novembre 85-avril 86 : rédaction d'un manuscrit consacré à la figure de la mère (présente dans ce manuscrit, la scène du « passage Cardinet »).
1986	Avril : mort de la mère.	Début de la rédaction d'*Une Femme*.
1988		Publication d'*Une Femme*.
1988-89	Liaison avec « A », diplomate marié des pays de l'Est.	
1990		Rédaction d'un fragment consacré à la scène du « passage Cardinet » : « a servi pour *Passion Simple* ».
1991		Janvier : décision d'organiser un ensemble de fragments épars dans la perspective d'un récit qui sera *Passion simple*.

---

[1] Extrait de ce premier fragment (transcription linéarisée codée. Code : < > = ajouté en interligne) :
Cette année-là, je venais d'avorter et je n'arrivais pas à rembourser le couple ~~de ami~~, Nadine et Jean, qui m'avaient fourni à la fois les fonds et l'adresse, une garde-malade bien ~~soigneuse~~ <régulière, résultat garanti>, mais un peu chère, rue Ste-Croix-des-Pelletiers. […] Il me semblait être au-delà du langage < dans des limbes lumineuses>. De temps en temps je voyais une brosse à cheveux posée à côté d'un speculum et d'une cuvette d'eau bouillante et un bébé mort, très blanc, ~~dix fois plus grand que le~~ <modèle agrandi du petit baigneur de 3 mois> qui s'était balancé longtemps au bout du cordon ombilical parce que je ne savais pas <à quel endroit> s'il fallait couper ~~le cordon~~.

1992	Janvier : parution de *Passion simple*.
1993	Rédaction d'un fragment consacré au test du dépistage du sida (A.E. donnera ce texte à la *N.R.F.* en 1998 avant de se raviser).
1995	Signature d'une pétition lancée en novembre à l'initiative de *Marie-Claire*, en vue de protéger le droit à l'avortement, menacé par les actions des commandos anti-IVG.
1998	Le journal d'écriture témoigne que le projet d'écriture de *L'Evénement* s'impose peu à peu à A.E.
1999	Février : prise de décision de la rédaction de *L'Evénement*.
2000	Printemps : parution conjointe de *L'Evénement* et de *La Vie Extérieure* comme un diptyque de l'intime et de l'extime. Cette double publication permet à certains journalistes de passer sous silence la sortie de *L'Evénement*.

Le dossier de genèse et l'avant-texte de L'Evénement

Le dossier génétique, autrement dit « l'ensemble matériel des documents et manuscrits se rapportant à la genèse qu'on entend étudier[2]», comprend l'agenda tenu en 1963, le journal tenu en 1964, les documents proprement génétiques et le journal d'écriture (constitué de feuillets non reliés) qui donne des renseignements précieux sur la chronologie de l'écriture et le travail de maturation. Pour comprendre les documents strictement génétiques et « donner à voir l'enchaînement des opérations qui ont fait évoluer la rédaction jusqu'à sa forme définitive, encore faut-il avoir inventorié, classé, daté et déchiffré toutes les pièces du dossier génétique qui, à l'état brut, ne sont ni lisibles, ni ordonnées, ni interprétables. La notion d'avant-texte désigne le résultat de ce travail d'élucidation tel qu'il devient accessible à travers un dossier de genèse analysé[3]. » Ce travail d'élucidation a été grandement facilité dans le cas présent par Annie Ernaux.

Quels sont les supports et instruments d'écriture utilisés pour les documents génétiques ? Annie Ernaux écrit au stylo ou au feutre, au verso de feuillets déjà utilisés (brouillons de lettres, traductions de ses textes, cours…), ce qui, pour l'écrivain, est une façon de conjurer la hantise de la page blanche et de rester fidèle à certains principes d'économie, ce qui, pour le généticien, peut aider à la datation. Sur les brouillons (les manuscrits consacrés au travail de textualisation), les corrections sont souvent nombreuses, faites aux feutres de couleurs verte, rouge et noire (le texte-

---

[2] P. M. de Biasi, *La génétique des textes*, Nathan, 2000, p. 30.
[3] *Ibid.*

support étant en bleu), et les feuillets prennent alors l'allure de pages stratifiées qui rendent compte des hésitations, repentirs et réécritures de l'écrivain. Vient encore compliquer les brouillons un système d'appels de notes et de notes : ces dernières sont rejetées le plus souvent au recto du feuillet, dans les marges inutilisées, et comportent de courts segments ajoutés ou remplacés. Le traitement de texte intervient tard quand le manuscrit est achevé mais il joue cependant un rôle non négligeable. Il offre en effet une grande liberté de déplacement des paragraphes dans le texte dont use Annie Ernaux. Le passage au tapuscrit ne se réduit donc pas à une simple saisie informatique mais remplit une fonction dans le montage de l'œuvre.

L'avant-texte de *L'Evénement* comprend plusieurs dizaines de feuillets scrupuleusement classés par Annie Ernaux. Deux chemises cartonnées sont regroupées dans un même dossier : la première (C1) abrite ce qui constitue pour l'écrivain des « annonces » de *L'Evénement* (écrites entre 1982 et 1988) ; la deuxième chemise (C2), verte, a un contenu très hétérogène (fragments de rédaction exploratoires, notes de régie, brouillons d'incipit, ébauches de plan… consignés entre 1990 et 1999). Une chemise rouge (C3), sur laquelle s'inscrit la recherche du titre et de l'épigraphe, contient les brouillons proprement dits, quatre-vingt-dix feuillets (dont quatre-vingt-quatre ont été numérotés par Annie Ernaux et correspondent aux manuscrits de rédaction, précédés de six feuillets essentiellement métadiscursifs). Un dernier dossier enserre quatre serviettes vertes où se répartissent les feuillets tapuscrits. Trois des quatre serviettes portent une mention : « Ordinateur début /fin », « 1er tirage », « 2e tirage » (sur ce dernier ensemble de feuillets tapuscrits, de nombreuses ratures et corrections manuscrites).

Premières observations

La maturation du récit fut longue, avec une montée progressive du désir d'écrire jusqu'à ce qu'il devienne irrépressible :

> Pendant des mois, j'ai tourné autour de < lutté avec mon désir> cette période <mon désir d'écrire> entreprise d'écrire sur (cette période) de) mon avortement. <Peut-être avais-je peur de m'immerger dans celui-là / cet événement> <ou d'être taxée de mauvais goût>[J'étais en train J'écrivais un livre pour lequel j'ai accumulé des quantités de notes. et je ne voulais pas l'abandonner.] Souvent le désir Souvent le désir me traversait de l'abandonner et de me mettre à écrire sur cet x de « cela ». < raconter cet événement d'une vie> Je résistais <luttais> sans pouvoir m'empêcher d'y penser, comme < (on le fait ?) pour > un désir sexuel[4].]

---

[4] Code : X = mot illisible.
Nous nous référerons à la pagination autographe de l'auteur. Passage cité : brouillon 4 bis (C3).

L'écriture de *L'Evénement* finit donc par s'imposer et vient même interrompre la réalisation d'un projet d'écriture plus vaste, dessein d'autobiographie totale ou globale, provisoirement désigné par l'auteur sous les appellations « Autobiographie », « Génération », « Le livre de la génération », « Une femme dans le siècle », « Passage »… L'on peut noter que la phase pré-rédactionnelle comporte essentiellement des notes d'idées, des fragments de rédactions exploratoires. L'unique trace d'un plan figure en C2 : sur deux grands feuillets à petits carreaux, Annie Ernaux s'essaie à l'organisation d'ensemble de son ouvrage et s'interroge sur la place à donner au texte-clef du retour passage Cardinet (à savoir le lieu de l'avortement). La phase rédactionnelle est riche en observations métadiscursives, et le brouillon présente beaucoup d'additions interlinéaires et marginales ainsi que des notes, souvent développées au dos du feuillet. Les corrections importantes de ce manuscrit l'opacifient parfois. Globalement on peut conclure que la textualisation est cumulative et progressive et qu'Annie Ernaux se rattache aux écrivains à structuration rédactionnelle.

De même que *L'Evénement* vient provisoirement suspendre la réalisation du projet « Génération », l'on peut remarquer un chevauchement des genèses. C'est particulièrement net en ce qui concerne l'écriture de la scène du passage Cardinet. Une première occurrence de cette scène figure en C1 dans le manuscrit de vingt-sept feuillets, rédigé de novembre 1985 à avril 1986 et consacré à la figure de la mère :

> Ma mère a perdu la tête. Elle est entrée l'année dernière dans le service de gériatrie de l'hôpital de P., à la fin du mois de mai.
> En attendant l'heure d'aller avorter, il y a 20 ans, chez une vieille femme qui demeurait passage Cardinet, j'ai bu un thé dans un café d'une rue voisine. C'était le milieu de l'après-midi, des étudiants, seuls clients, jouaient au 421, le patron plaisantait avec eux. Je regardais tout le temps ma montre, je ne pensais à rien sauf « ce n'est pas possible » ou « je ne vais pas supporter ».

Une deuxième occurrence du passage se trouve en C2 avec la mention « servi pour <u>P.simple</u> [5] ». Ce n'est sans doute pas un hasard si les trois récits

---

[5] Voir *Passion simple*, Gallimard, 1991, p. 64-65 :
Une fois, le désir violent m'est venu d'aller passage Cardinet, dans le XVIIᵉ, là où j'ai avorté clandestinement il y a vingt ans. Il me semblait que je devais absolument revoir la rue, l'immeuble, monter jusqu'à l'appartement où cela s'était passé. Comme espérant confusément qu'une ancienne douleur puisse neutraliser l'actuelle.
Je suis descendue à la station Malesherbes sur une place dont le nom sans doute récent ne m'évoquait rien ; j'ai dû demander mon chemin à un marchand de légumes. La plaque indiquant le passage Cardinet est à moitié effacée. Les façades sont ravalées, blanches. Je suis allée au numéro dont je me souvenais et j'ai poussé la porte, l'une des rares à ne pas avoir de digicode. Il y avait au mur le tableau des résidents. La vieille femme, aide-soignante, était morte, ou partie dans une maison de retraite en banlieue, ce sont des gens de classe supérieure qui habitent la rue maintenant. En avançant vers le

Une femme, *Passion simple* et *L'Evénement*, considérés par Annie Ernaux comme des récits initiatiques, sont comme noués entre eux par la scène du passage Cardinet. On peut d'ailleurs donner à cette scène un véritable statut de scène matricielle. Elle hante les écritures préparatoires de *L'Evénement*, ce qu'Annie Ernaux appelle le « dossier A63 » dans son journal d'écriture (3 novembre 1998) : six occurrences ou mentions de la scène dans C1 et C2, sans compter une réflexion sur la signification à donner au retour passage Cardinet dans les six feuillets métadiscursifs qui accompagnent le brouillon :

> **Troisième occurrence** :
> Hier je suis retournée passage Cardinet (là où je suis allée pour me faire avorter. <me faire avorter il y a vingt-cinq ans> Une adresse qui m'avait été fournie par un couple étudiant[6][…]
>
> **Quatrième occurrence** :
> Il m'est ~~aussi~~ arrivé <une fois> pour déclencher l'écriture — ou plutôt savoir quoi écrire— de retourner passage Cardinet, ~~dans~~ là où je suis allée me faire avorter dans les années 60. (Non, en réalité, je ne sais pas ce que je suis venue chercher là.) Qu'est-ce que je suis venue chercher là [7]?
>
> **Cinquième occurrence** :
> Je suis retournée passage Cardinet, dans le XVIIe, pour revoir le lieu où j'ai avorté <quand j'avais> à vingt-trois ans. ~~J'y suis retournée une première fois.~~<cette fois> ~~C'était la seconde fois~~ < ~~troisième fois~~> [J'y suis retournée ~~déjà deux ou trois~~ deux fois déjà, mais X que j'ai trouvé ne m'a laissé aucun souvenir, sinon celui d'une incrédulité, c'est moi qui étais là[8]].
>
> **Sixième occurrence** :
> J'ai pensé que je devais retourner passage Cardinet, dans le XVIIe, là où j'ai avorté quand j'étais étudiante. […]
> [Depuis une semaine], j'étais dans l'excitation. J'avais peur d'être obligée, pour une raison quelconque, de reporter mon projet. (Devoir bouleverser mon projet le lendemain pour une raison quelconque m'aurait été pénible. Rien ne me donnait plus de désir. J'avais l'impression de me rendre à un rendez-vous illicite, dont il était

---

Pont-Cardinet, je me revoyais marchant à côté de cette femme qui avait tenu à m'accompagner jusqu'à la gare proche, sans doute pour s'assurer que je n'allais pas m'écrouler devant chez elle avec sa sonde dans le ventre. Je pensais « j'ai été ici un jour ». Je cherchais la différence entre cette réalité passée et une fiction, peut-être simplement ce sentiment d'incrédulité, que j'aie été là un jour, puisque je ne l'aurais pas éprouvé vis-à-vis d'un personnage de roman.
J'ai repris le métro à Malesherbes. Cette démarche n'avait rien changé mais j'étais satisfaite de l'avoir accompli, d'avoir renoué avec une déréliction dont l'origine était aussi un homme.

[6] Incipit de la scène telle qu'elle figure sur deux feuillets de format A4 agrafés (C2), approximativement datés « vers 90 ».

[7] Feuillet de format A4 (C2) qui porte la mention « sans doute après 97 ».

[8] Passage (autographe) qui figure sur le premier (format A4) de quatre feuillets agrafés datés décembre 1998 (C2).

interdit (je ne devais) de parler à personne. (C'était comme si la fille de cette époque (ce jour-là) en manteau vert, jupe et bottes noires, pull à col roulé gris, continuait de vivre passage Cardinet et que j'allais la rejoindre (me fondre en elle), passer <u>réellement</u> dans un autre temps (en deçà du temps)[9].

Brouillon (C3) :
→ Pourquoi suis-je retournée rue Cardinet ?
   → <u>qu'il m'arrive quelque chose</u> ?
   → il ne m'arrive « rien ».

> <u>Seule l'écriture fait arriver qq chose</u>
> <u>apporte l'épreuve du réel</u>
>   mais pas pour soi ?

[…]
J'aurais beau <u>revenir plusieurs fois</u>
je <u>ne reviendrai jamais</u> dans ce <u>corps</u>-là
et <u>il n'y aura rien.</u>

Si la première occurrence fait référence au souvenir du temps d'attente qui a précédé en 1964 l'avortement, les occurrences suivantes mettent en scène des retours ultérieurs sur le lieu de l'avortement ou une interrogation sur leur signification. Les écritures préparatoires montrent clairement qu'il y a eu plusieurs retours, l'un en 1990 (troisième occurrence) associé à l'écriture de *Passion simple*, un autre en 1998 (cinquième et sixième occurrences) qui précède la rédaction de *L'Evénement*[10]. Au souvenir s'est donc ajouté un retour sur les lieux de l'événement comme si le trajet dans l'espace pouvait mimer l'anamnèse, voire redoubler l'intensité vécue de l'événement, et par là même déclencher l'écriture. Il est remarquable que la rédaction de *Passion simple* comme de *L'Evénement* soit précédée du retour sur le lieu d'une épreuve physique et morale comme un rituel nécessaire à l'entrée en écriture. Biographème et scène matricielle, la scène du passage Cardinet est à ce point importante qu'Annie Ernaux, lors de la rédaction de *L'Evénement*, envisagea un temps d'en tirer le titre de son récit. La question de sa place suscite également des interrogations répétées : longtemps prévue en tête du récit, elle est finalement choisie pour constituer son épilogue.

Il semble intéressant de mettre en rapport la conclusion de la scène du retour passage Cardinet, telle qu'elle figure dans *Passion simple*, avec un extrait du fragment consacré au test du dépistage du sida, écriture prépara-toire datant de 1993 du futur prologue de *L'Evénement* :

---

[9] Passage (dactylographié) qui figure sur le deuxième (format A4) des quatre feuillets datés décembre 1998 (C2).

[10] Interrogée à ce propos, Annie Ernaux nous a confirmé l'existence des deux retours passage Cardinet en décembre 1990 et fin 1998, précédés d'un premier en septembre 1974, au cours d'un voyage à Paris à l'occasion d'une émission sur *Les Armoires vides*.

> J'ai repris le métro à Malesherbes. Cette démarche n'avait rien changé
> mais j'étais satisfaite de l'avoir accomplie, d'avoir renoué avec une
> déréliction dont l'origine était aussi un homme[11].
> Souvent, j'ai fait l'amour pour m'obliger à écrire. Je voulais trouver
> dans la fatigue, la déréliction, qui suivent, des raisons de ne plus rien
> attendre de la vie — que la satiété physique et tout de l'écriture[12].

Apparaît un lien entre désir, déréliction et écriture. L'écriture semble
naître d'un état de déréliction qui suit inéluctablement la satisfaction du désir
parce que l'éphémère complétude ressentie par le corps à l'extrême de
l'amour ne lui fait éprouver que plus durement sa solitude essentielle. Le
choix du terme « déréliction » ne saurait être anodin. Cet état d'absolue
solitude de l'homme privé de tout secours divin — qu'évoque superbement la
parole du Christ sur la croix dans l'*Evangile selon saint Matthieu* : « Mon
Dieu, mon Dieu, pourquoi m'as-tu abandonné ? » — évoque la Passion, la
mort du Fils mais aussi la douleur de la mère, et ce sont également les
Passions de Bach qui accompagnent les écritures préparatoires de
L'Evénement :

> Central
> La P. selon St Jean entendue le 4 avril.
> Départ David. // Douleur 1964, immense alors. Sensation d'un horizon
> sans limite contenant toute la souffrance humaine.
> Maintenant encore, je ne peux pas expliquer cette souffrance, qui est
> la douleur d'avoir « perdu » un enfant et celle de l'humanité (comme
> le bonheur avec S. était la confusion heureuse pour le reste de la
> terre). Avoir rompu une chaîne passée au milieu de mon corps. La
> chaîne de générations
> [Je ne regrette pas : si je n'avais pas connu cet avortement, je n'aurais
> jamais su cela[13].]
> J'écoute la passion selon St Matthieu, comme en 63, 67, 84 etc. Il me
> semble saisir <sentir>, ensemble, tous les gens que j'ai aimés, et les
> filles différentes que j'ai été, dans une grande lumière. Comme si tout
> cela était dans un lieu sur la terre, lointain et beau, pour toujours[14].

Que *L'Evénement* ait une dimension politique et féministe, cela ne fait
aucun doute, mais au-delà, il est l'écriture d'une expérience métaphysique du
temps et du corps. Dans des lignes saisissantes qui mêlent une image de
l'enfance au souvenir du passage éprouvant de l'âge adolescent à l'âge
adulte, Annie Ernaux recourt une nouvelle fois au terme de « déréliction »,

---

[11] *Passion simple, op. cit.*, p. 65.
[12] Extrait figurant sur le deuxième des cinq feuillets, de format A4, datant de 1993, où
figure l'écriture préparatoire du test du Sida (C2).
[13] Feuillet de format A4 (papier à lettres bis) daté d'avril 1993 (C2).
[14] Feuillet de format A4 (papier à lettres bis) daté de septembre 1993 (C2).

suggérant que la détresse qui fut la sienne n'était pas seulement circonstancielle mais lui fit éprouver de façon presque palpable le mystère de la vie et de la mort mêlées :

> Aujourd'hui, vu enfin une métaphore ancienne : l'avortement, le fœtus emballé dans un paquet de biscotte vidé, semblable au petit Jésus de guimauve rose que je n'aimais pas et que j'avais à demi mangé et caché dans un papier dans le buffet du cabinet de toilette. D'où cette ressemblance de l'avortement avec la naissance de Noël, la déréliction de Bethléem, l'étable, c'était la chambre de la cité. C'était aussi la révélation que j'étais une femme, ce qui jusqu'ici était purement abstrait simple # physique.
> L'Epreuve absolue (du sida)[15].

Dans le texte définitif publié, la dimension métaphysique de l'épreuve apparaît moins soulignée que dans les écritures préparatoires, le terme de « déréliction » n'est pas employé, et l'on compte une seule référence religieuse explicite :

> J'écoutais dans ma chambre *La passion selon saint Jean* de Bach. Quand s'élevait la voix solitaire de l'Evangéliste récitant, en allemand, la passion du Christ, il me semblait que c'était mon épreuve d'octobre à janvier qui était racontée dans une langue inconnue . Puis venaient les chœurs. *Wohin ! Wohin !* Un horizon immense s'ouvrait, la cuisine du passage Cardinet, la sonde et le sang se fondaient dans la souffrance du monde et la mort éternelle. Je me sentais sauvée (p. 118[16]).

Ce paragraphe se situe vers la fin du récit et survient, telle une respiration, dans un récit tendu, au fort pouvoir dramatique, qui « a le rythme implacable d'un compte à rebours et d'une course d'obstacles[17]».

Comment et par où commencer ?

La structure du récit abouti

On l'a vu, la position du retour passage Cardinet a été longtemps incertaine. Pour mieux comprendre l'économie du texte, sans doute n'est-il pas inutile d'en récapituler les grands mouvements. Dans le prologue (p. 11-16), Annie Ernaux raconte le moment des résultats d'un test V.I.H. subi quelques années avant l'écriture de *L'Evénement*. Suit alors l'enclenchement

---

[15] Feuillet de format A4 à la datation incertaine (fin 1983 ou 1984 ou 1989) (C1). Dans la marge des lignes qui font référence à Bethléem, une inscription : « oui, très fort ».

[16] En ce qui concerne *L'Evénement*, les références de page renvoient à l'édition suivante : *L'Evénement*, Gallimard, coll. Folio, 2000.

[17] A. Thébaud, *La Quinzaine littéraire*, 16-31 mai 2000.

du récit (p. 17-27) : le souvenir de la découverte en octobre 1963 de la grossesse non désirée précède la formulation d'une « espèce de discours de la méthode[18]» où l'écrivain énonce son projet d'écriture. Une page blanche marque alors (p. 28) une manière de césure dans le récit. Centrée sur la page suivante figure une citation du *Nouveau Larousse Universel, édition de 1948* (ouvrage possédé par Annie Ernaux) qui énonce les différentes mesures de répression contre l'avortement. Commence ensuite le corps du récit (p. 30-125), constitué d'une succession de paragraphes plus ou moins brefs. On peut y distinguer deux étapes : d'abord, la quête incertaine et difficile d'une solution pour échapper à l'état de fille-mère (p. 30-76), puis le passage à l'acte (les différents rendez-vous avec la faiseuse d'anges les 8, 15 et 18 janvier, l'expulsion du fœtus dans la nuit du 20 au 21, l'hémorragie, l'hospitalisation et la convalescence). Un épilogue clôt le récit (p. 127-130), consacré à un retour passage Cardinet, contemporain de l'écriture de *L'Evénement*. Le prologue et l'épilogue apparaissent comme des unités textuelles quasiment autonomes à l'efficacité narrative certaine. La conclusion du prologue établit, dans une formule synthétique et provocatrice par sa simplicité même, une sorte de pont entre l'épisode du test V.I.H. et l'événement de l'avortement : « Je me suis rendu compte que j'avais vécu ce moment à Lariboisière de la même façon que l'attente du verdict du docteur N., en 1964, dans la même horreur et la même incrédulité. Ma vie se situe donc entre la méthode Ogino et le préservatif à un franc dans les distributeurs ; c'est une bonne façon de la mesurer, plus sûre que d'autres, même » (p. 16).

Etude microgénétique de l'enclenchement du récit et dégagement de quelques caractéristiques d'écriture

Nous allons nous intéresser plus particulièrement aux lignes qui succèdent, dans le texte publié, au dernier paragraphe cité : elles constituent le début de ce que nous avons appelé l'enclenchement du récit et figurent dans le brouillon (C3) sur la première page numérotée par Annie Ernaux :

Brouillon :
Au mois d'octobre <(1963 ?)> de l'année où j'ai eu vingt-trois ans, j'ai attendu pendant plus d'une semaine que mes règles arrivent . C'était un mois ensoleillé et chaud. Je me sentis lourde et moite sous <dans> mon manteau ressorti trop tôt, surtout dans les grands magasins où j'allais flâner, acheter des collants, en attendant que les cours reprennent <à la fac>. Dans ma chambre de la cité universitaire des filles, déjà chauffée et exposée plein sud, je restais en chemisier, jambes nues. J'ai commencé d'écrire ~~sur~~<dans> mon agenda, tous les soirs, en majuscules et souligné : RIEN. (~~et ds~~ mes lettres à P. je n'en

---

[18] Entretien avec Annie Ernaux (par Jacques Pécheur), *Le français dans le monde*, mai-juin 2000.

parlais pas[19].). La nuit, je me réveillais et je savais aussitôt qu'il n'y avait « rien ». L'année d'avant, à la même époque, j'avais entrepris un roman, cela me paraissait très lointain et ~~je me sentais~~ comme ne devant jamais se reproduire. [(Je ne me sentais pas coupable de quoi que ce soit). Même la (seule perspective de ~~rédiger~~ <faire> <d'avoir à rédiger mon>mon mémoire de diplôme d'études supérieures me décourageait (m'effrayait ?) fatiguait par avance[20]].

Texte publié (p. 17-18) :
Au mois d'octobre 1963, à Rouen, j'ai attendu pendant plus d'une semaine que mes règles arrivent. C'était un mois ensoleillé et tiède. Je me sentais lourde et moite dans mon manteau ressorti trop tôt, surtout à l'intérieur des grands magasins où j'allais flâner, acheter des bas, en attendant que les cours reprennent. En rentrant dans ma chambre, à la cité universitaire des filles, rue d'Herbouville, j'espérais toujours voir une tache sur mon slip. J'ai commencé d'écrire sur mon agenda tous les soirs, en majuscules et souligné : RIEN. La nuit je me réveillais, je savais aussitôt qu'il n'y avait « rien ». L'année d'avant, à la même époque, j'avais commencé d'écrire un roman, cela m'apparaissait très lointain et comme ne devant jamais se reproduire.

L'étude comparée de ces deux extraits nous permet de dégager quelques caractéristiques d'écriture que nous complèterons par la référence à d'autres passages.

Principe d'économie : le texte est resserré avec la suppression définitive de détails superflus (« à la fac », « je restais en chemisier, jambes nues ») ou la suppression temporaire d'éléments qui seront énoncés plus tard dans le récit (lettres à P., mémoire de diplôme d'études supérieures).

Principe d'exactitude référentielle : alors que la mention de la date est encore en suspens dans le brouillon et que les références au lieu manquent, les données temporelles et spatiales (1963, Rouen, rue d'Herbouville) sont présentes dans le récit publié. Tout au long de *L'Evénement*, l'on peut noter qu'Annie Ernaux indique avec précision le quantième de plusieurs épisodes, la présence des dates répondant à sa volonté de certification du réel.

Principe de rupture : l'asyndète apparaît dans le texte publié (« La nuit, je me réveillais, je savais aussitôt qu'il n'y avait "rien". »). La tendance à la segmentation au niveau phrastique, manifeste dans le texte publié, se retrouve au niveau de la présentation typographique. Le texte se présente en effet comme une suite de paragraphes isolés les uns des autres par des sauts de lignes. L'insularité des paragraphes, absente du manuscrit, est visible seulement dans le tapuscrit. Ce refus du jointoiement n'est certes pas spécifique à *L'Evénement* : il s'affirme dès *La Place*. Néanmoins ce choix d'un montage

---

[19] Cette ligne entre parenthèses est écrite au crayon de papier tandis que le reste du texte est à l'encre bleue.

[20] En face de ces trois dernières lignes, dans la marge de gauche et au crayon de papier, la mention suivante : « pas forcément déjà ».

(analogue à ce qui pourrait être au cinéma un montage *cut*) s'affiche nettement ici et s'avère particulièrement bien adapté au sujet du récit : la rupture par l'avortement de la chaîne des générations. On peut également remarquer l'utilisation intensive des parenthèses. Des paragraphes entiers sont ainsi mis entre parenthèses, ce qui semble accentuer encore leur isolement. Ces paragraphes ou phrases ont généralement une teneur spécifique : métadiscours, réflexions *a posteriori* sur le comportement du personnel médical, citations de l'agenda ou du journal tenus à l'époque de l'avortement comme si l'auteur éprouvait le besoin de fournir des attestations d'exactitude informative : « Je veux m'immerger à nouveau dans cette période de ma vie, savoir ce qui a été trouvé là. Cette exploration s'inscrira dans la trame d'un récit, seul capable de rendre un événement qui n'a été que du temps au-dedans et au-dehors de moi. Un agenda et un journal intime tenus pendant ces mois m'apporteront les repères et les preuves nécessaires à l'établissement des faits » (p. 26). Le recours fréquent aux parenthèses, révélateur de la démarche scrupuleuse de l'écrivain, endigue également le cours du récit : « Je m'oblige à résister au désir de dévaler les jours et les semaines, tâchant de conserver par tous les moyens – la recherche et la notation des détails, l'emploi de l'imparfait, l'analyse des faits – l'interminable lenteur d'un temps qui s'épaississait sans avancer, comme celui des rêves » (p. 48). La brièveté des paragraphes et la fragmentation du texte sont là comme une méfiance à l'égard de la propension de tout un chacun à narrativiser son passé au risque de le fabuler ; elles permettent enfin de désamorcer tout pathos, de « résister au lyrisme de la colère ou de la douleur » (p. 95).

Principe d'effacement : l'examen des écritures préparatoires met en évidence le traitement que l'écrivain réserve à certaines références intertextuelles :

Avant-texte :
C1 (« Annonces » de *L 'Evénement*) :
Lu dans le Journal d'A. Nin le récit de sa grossesse avortée. L'enfant mort (id. J. <u>Rhys</u>). Pour moi rien de plus terrible[21].
C3 (brouillon) :
A chaque fois que j'ai pensé à cette période, <cet événement ?> <de X ?>, j'ai utilisé (2) des expressions telles que « la traversée des apparences », « le voyage au bout de la nuit », « par delà le bien et le mal », etc.
(2) il m'est venu en tête des ~~titres~~ expressions telles que « la traversée des apparences », le « voyage au bout de la nuit », « par delà le bien et le mal », qui sont aussi des titres de livres très connus (V. Woolf – Céline – Nietzsche)[22].

---

[21] Notation qui figure sur une feuille de format A4, datée de 1988.
[22] Feuillet de brouillon numéroté par Annie Ernaux 4bis. La note 2 figure au verso du feuillet.

Texte publié (p. 24-25) :
A chaque fois que j'ai pensé à cette période, il m'est venu en tête des expressions littéraires telles que « la traversée des apparences », « par-delà le bien et le mal », ou encore « le voyage au bout de la nuit ». Cela m'a toujours paru correspondre à ce que j'ai vécu et éprouvé alors, quelque chose d'indicible et d'une certaine beauté.
Depuis des années, je tourne autour de cet événement de ma vie. Lire dans un roman le récit d'un avortement me plonge dans un saisissement sans images ni pensées, comme si les mots se changeaient instantanément en sensation violente. De la même façon, entendre par hasard *La javanaise*, *J'ai la mémoire qui flanche,* n'importe quelle chanson qui m'a accompagnée durant cette période, me bouleverse.

Les références intertextuelles, si elles ne disparaissent pas totalement du texte publié, sont cependant présentées de façon vague (« **des** expressions littéraires », « **un** roman »). S'exprime ainsi le refus manifeste d'afficher la maîtrise de la culture des « dominants » véhiculée par l'Institution scolaire et universitaire. Annie Ernaux s'interdit d'établir avec les lecteurs une connivence culturelle qui serait, pour beaucoup d'entre eux, synonyme d'exclusion. Reste la citation de titres de chansons, mention d'une mémoire populaire qui va dans le sens d'un projet autosociobiographique et qui répond également au dessein de renouer avec l'émotion profonde procurée par des airs familiers, sorte d'écume sonore d'une époque[23]. On peut également observer dans le passage de l'avant-texte au texte publié une autre forme d'effacement, celui de la glose interprétative. Les éléments d'interprétation, très présents dans l'avant-texte, sont éliminés au profit des notations qui ont suscité les impressions. Le texte définitif a quelque chose de l'épure.

Le choix du titre

Le titre est pour le lecteur le premier contact avec un texte, ce par quoi souvent l'expérience d'une lecture commence. Toutefois, le temps de la genèse, dont les étapes s'entremêlent, n'est pas nécessairement celui du texte écrit, et l'invention du titre n'intervient qu'assez rarement au début. Dans le cas de *L'Evénement*, les tâtonnements qui entourent les choix du titre et de l'épigraphe ont laissé une trace écrite au verso de la chemise rouge (C3) qui abrite les brouillons. Les titres ont donc été notés pendant la phase

---

[23] Dans un entretien donné à Michel Zumkir dans *Libre essentielle / La Belgique* (15 avril 2000), Annie Ernaux revient sur la mention dans ses textes de chansons populaires : « On me le reproche parfois. Notamment d'avoir écrit dans *Passion Simple* que je pouvais ressentir la même chose que ce que chantait Sylvie Vartan dans "C'est fatal, animal". On ne m'aurait rien dit si j'avais cité une chanson de Barbara. Ce n'aurait pas été la même chose. Une chanson simple procure parfois une émotion bien plus profonde qu'une chanson élaborée. L'objet de l'émotion est indépendant de sa valeur esthétique. »

rédactionnelle. Une liste de six titres est dressée, accompagnée de commentaires métadiscursifs qui analysent leurs mérites comparés :

Titres

L'épreuve ? Marivaux déjà et trop solennel
- Pont-Cardinet   Passage Cardinet
                                   (pont, passage…)
                                       (les deux sont bien, pont, passage)

- L'occupation (?)
- L'événement   L'avortement

L'événement est plus mystérieux (surtout si je parle très vite du
passage Cardinet)
Passage Cardinet plus familier, plat (pas de « sens »)[24]

« L'occupation », titre apparemment abandonné aussitôt qu'envisagé, sera promis à un autre avenir ; il entre cependant en résonance avec une phrase du brouillon non retenue dans la version définitive : « j'étais une fille au ventre occupé[25]. » L'écrivain délaisse le titre explicite, « L'avortement », renonce au titre spatial et métonymique, « Pont-Cardinet » ou « Passage Cardinet », rejette « L'épreuve », titre trop chargé d'intertextualité. Le vague sémantique de « L'événement » en fait une expression intéressante. L'avortement apparaît en effet comme « un événement au sens plein du terme dans toutes ses facettes : physique, psychologique, social…[26] », un événement personnel mais également un événement historique (la manière de malédiction qui menace la femme, non véritablement maîtresse de son corps jusqu'en 1975) et un événement social. La frontière de classe, traversée grâce aux études universitaires, est dramatiquement poreuse : « ni le bac ni la licence de lettres n'avaient réussi à détourner la fatalité de la transmission d'une pauvreté dont la fille enceinte était, au même titre que l'alcoolisme, l'emblème. J'étais rattrapée par le cul et ce qui poussait en moi c'était, d'une certaine manière, l'échec social » (p. 32). La portée générale du substantif « événement » plaide également en sa faveur : « Mon entreprise dans L'Evénement est bien celle-ci : faire d'une expérience qui ne peut être que celle d'une femme, quelque chose qui dépasse cette singularité, faire de cet avortement ce qu'il a été réellement pour moi pendant des semaines : "la mesure de toute chose". Mesure du temps, de la loi, du rapport aux autres. […] D'où le choix, aussi, du titre, "l'événement", et non "l'avortement" : entre les deux il y a la distance entre l'universel et le singulier[27]. » Ce titre, enfin, pourrait être une

---

[24] Ces deux dernières lignes figurent en fait dans la marge de gauche, en face des titres.

[25] Phrase inscrite sur feuillet 4 (C3).

[26] Entretien donné par Annie Ernaux à Page (avril-mai 2000).

[27] A. Ernaux, « Comment L'Evénement a été reçu par lectrices et lecteurs », La Faute à Rousseau, n° 24, juin 2000, p. 33.

façon de détourner ironiquement l'expression stéréotypée « un heureux événement ». Les choix de l'épigraphe et du titre semblent s'être faits de concert et se font écho. Figurent en effet également au revers de la chemise rouge six citations (de Vian, Freud, Tsushima, Breton, Genet, Leiris) qui sont autant d'épigraphes possibles. Trois d'entre elles comprennent le terme « événement [28]» qui hantera d'ailleurs le texte même par la fréquence de ses occurrences. Annie Ernaux tranchera en faveur des citations de Leiris et de Tsushima. La phrase de Leiris est une entrée de son journal, datée du 4 novembre 1979 : « Mon double vœu : que l'événement devienne écrit. Et que l'écrit soit événement ». Ce souhait met clairement en évidence la transfusion de la vie dans l'œuvre et de l'œuvre dans la vie qui caractérise le projet d'Annie Ernaux. De cet « événement inoubliable » (p. 27), elle a fait un événement d'écriture, de cette épreuve initiatique un récit initiatique.

Un événement initiatique

Une épreuve initiatique

Dans l'avant-texte comme dans l'épitexte journalistique, Annie Ernaux insiste sur la dimension initiatique de l'avortement. « C'est un événement inoubliable, une véritable épreuve initiatique qui m'a révélé tout à la fois mes rapports avec ma mère, mon pouvoir de reproduction et le fait que j'étais porteuse de vie et de mort[29]. » Dans les écritures préparatoires, l'écrivain s'interroge sur la signification de l'avortement : n'est-il pas « l'acte par lequel je me détache de ma mère ? [30]» Par cette interrogation, Annie Ernaux retrouve spontanément une des caractéristiques de l'initiation telles que Simone Vierne les met en évidence dans son ouvrage, *Rite, roman, initiation*[31]. Les trois phases du scénario initiatique sont en effet une phase d'attente et d'angoisse, pendant laquelle s'effectue la séparation voire l'arrachement d'avec l'univers maternel, suivie d'un voyage dans l'au-delà qui est aussi la confrontation à la mort et d'une nouvelle naissance. Dans une note elliptique, Annie Ernaux présente plus abruptement encore l'avortement dans le rapport qu'il entretient avec l'élimination de la mère :

> l'avortement, la « f. noire [32]». (ma mère ?)
> j'ai tué ma mère à ce moment-là
> présenter comme 1 voyage initiatique[33]

---

[28] Outre la phrase de Leiris, Annie Ernaux consigne une phrase de Freud (« Aucun événement n'est vécu en pure perte. Rien. Sauf la mort ») et une citation de *Nadja* de Breton (« L'événement dont chacun est en droit d'attendre la révélation du sens de sa propre vie »).

[29] Entretien donné par Annie Ernaux à *L'Express* (13 avril 2000).

[30] Feuillet (C2) sans date qui porte dans un coin gauche la mention « A63 ».

[31] S. Vierne, *Rite, roman, initiation*, Presses Universitaires de Grenoble, 1973.

[32] La « femme noire » désigne l'avorteuse.

[33] Feuillet de format A4 (C1) intitulé « Débuts ».

L'avortement confronte à l'énigme essentielle, l'origine de la vie, en même temps qu'il supprime une mère en devenir, épreuve initiatique parce qu' « expérience humaine totale, de la vie et de la mort » (p. 124), événement oxymorique : « Je ne pourrai jamais raconter les <2 seuls> événements qui comptent dans ma vie, dans toute vie, la <ma> naissance et ma mort ; je peux au moins raconter celui-ci (j'ai pu...), qui participe de l'une et de l'autre[34]. » Le lieu même où a été effectué l'avortement, le « passage Cardinet », semble symboliquement approprié à l'événement : lieu de passage, de franchissement d'une frontière, de changement d'état. Que l'avortement présente les caractéristiques du rite de passage ou de l'épreuve initiatique, cela ne fait aucun doute. Néanmoins quand Annie Ernaux fait référence à *L'Evénement* comme événement initiatique, c'est également, et avant tout, à l'expérience d'écriture qu'elle pense.

Une écriture initiatique

> Quand je parle de ce texte [*L'Evénement*] et de *Passion simple, Une femme*, comme les trois récits initiatiques, je ne l'entends pas du point de vue du contenu (même si c'est vrai aussi pour *L'Evénement*). Je parle de l'expérience d'écriture, de ce qui se passait en écrivant et juste après avoir terminé, quand personne n'avait encore eu ces textes sous les yeux. Le sentiment d'avoir franchi des limites, d'avoir par l'écriture atteint quelque chose, d'avoir créé de « l'être » à partir de l'absence et de la mort, de ce qui a été. Je ne sais vraiment pas parler en termes clairs de tout cela[35]...

L'écriture initiatique revêt, à mon sens, trois aspects essentiels : une écriture du nouveau qui suscite un sentiment d'effroi voire de sidération, une écriture sans garde-fou, une écriture des limites.

Annie Ernaux explore par l'écriture un événement qui, jusque-là, n'avait guère droit de cité en littérature, *a fortiori* dans une littérature autobiographique. Elle essaie de dire ce qui n'a pas été encore dit et ce que l'on n'ose pas formuler. Si l'avortement clandestin en 1964 était une transgression de la loi, l'écriture de cet avortement est répétition de cette transgression parce qu'effraction du silence social. Ecrire sur l'avortement, c'est également écrire sur quelque chose de spécifiquement féminin qui n'appartiendra jamais à l'expérience de l'homme. Annie Ernaux suggère, dans un entretien accordé à *Libre essentielle*, qu'il y a peut-être là une façon d'échapper à la domination masculine du monde : « Si dans les années 70, on a beaucoup parlé de la parole des femmes, le sexe des femmes en dehors de l'érotisme est

---

[34] Notation qui figure sur le dernier feuillet d'une liasse de dix-sept feuillets (C2), écrits majoritairement au feutre bleu et qui semblent être des notes consignées pendant le temps même de la rédaction.

[35] Extrait d'un courriel d' Annie Ernaux, daté du 15 juillet 2002, qui répondait à mes questions.

resté une chose obscure à cause de la difficulté de le dire. Aujourd'hui l'érotisme n'est plus du tout une transgression mais le sexe comme lieu de vie et de mort, le sexe dissocié de sa fonction sexuelle, oui. C'était important de le dire. Car jusqu'à nouvel ordre, c'est à la femme que revient le pouvoir de vie et de mort d'un enfant ; ce pouvoir fait peur aux hommes. Il les fascine aussi[36]. » L'écrivain ose s'approprier un radicalement nouveau qui était jusqu'alors de l'ordre de l'indicible.

Ecrire le radicalement nouveau, c'est accepter l'Inconnu, une expérience sans garde-fou : « Je ne sais pas encore quels mots me viendront. Je ne sais pas ce que l'écriture fait arriver » (p. 76). S'engager dans l'écriture, c'est dominer la peur de l'inconnu qui étreint et retient : « Ce qui me retient pour 58 comme 63, c'est l'absence de structure, l'inconnu, peur de ne pas savoir continuer ». Cette crainte, exprimée dans le journal d'écriture à la date du 28 janvier 1999, peut expliquer la longue maturation du récit avant la décision de sa mise en œuvre. Dans cette perspective, l'on comprend pourquoi le mode d'écriture d'Annie Ernaux est une écriture à structure rédactionnelle, écriture qui n'obéit pas à un plan, n'est pas balisée par des repères, ne peut se programmer, écriture en marche, en quête.

Parce qu'elle a la sensation d'être allée avec l'avortement « jusqu'au bout du réel[37] » et qu'elle est sortie de l'épreuve, traversée dans la solitude complète, avec un sentiment de fierté « d'être allée jusque-là[38] », elle éprouve le besoin impérieux de transmuer l'expérience des limites en écriture :

> Sentiment – certitude que tout ce qui m'est arrivé ne l'a été que pour que je l'écrive. Non pas pour le raconter simplement, du genre « Tu ne sais pas ce qu'il m'arrive ? » mais pour en faire une matière à explorer, la pâte même du vivant.
> (avec cette idée que je ne suis qu'un lieu de passage) [...]
> Peut-être pourrai-je <vais-je pouvoir> continuer cette expérience d'écriture quand j'aurai cessé d'avoir peur. (Peur de quoi ? Ou ce qui va s'écrire, qui s'impose comme une vérité une nécessité et ne pourra pas être caché, conservé[39].)

Ecriture aventureuse qui se fraie son chemin à travers peur et désir, écriture en quête et en exploration d'un lieu au-delà du dicible et de la pudeur, écriture à processus inlassablement retravaillée pour tendre à une densité cristalline, telle est l'écriture de *l'Evénement*, titre polysémique pour

---

[36] Entretien donné par Annie Ernaux à *Libre essentielle / La Belgique* (15 avril 2000).

[37] Feuillet de brouillon numéroté par Annie Ernaux 4ter (C3).

[38] Notation qui figure sur l'avant-dernier feuillet d'une liasse de dix-sept feuillets (C2), écrits majoritairement au feutre bleu et qui semblent être des notes consignées pendant le temps même de la rédaction.

[39] Premier des six feuillets non numérotés qui accompagnent les brouillons proprement dits (C3).

un récit initiatique, politique et féministe, récit d'une expérience radicale de l'entre-deux, celle de la vie et de la mort.

L'ÉCRITURE DANS L'ENTRE-DEUX
TEMPOREL : UNE ÉTUDE DE *L'ÉVÉNEMENT*[1]

Loraine Day
Université de Southampton

Dans *La Honte*, Annie Ernaux affirme sa conviction que la mémoire de la honte se trouve au centre de son écriture. Il est évident que, comme la violence familiale et l'alcoolisme, la grossesse des filles célibataires et l'avortement clandestin étaient une source de honte sociale dans la France des années 50 et 60. D'une part, il est clair que les réactions à sa grossesse de la jeune protagoniste de *L'Evénement* sont motivées par la terreur de la dérogation sociale et que la nécessité de subir un avortement clandestin était une expérience profondément humiliante. Cependant, et bien qu'elle évoque la honte qui affligeait régulièrement les femmes qui s'étaient fait avorter (43), la narratrice soutient qu'à l'issue de sa propre épreuve, elle « se sentait dans la lumière » (108), elle « éprouvait de la fierté » (107). D'ailleurs, la narratrice affirme que la fierté suscitée par la traversée de l'épreuve est devenue une source durable de force intérieure, et que cette même fierté a eu sa part dans la décision d'écrire *L'Evénement*[2]. En plus, comme Annie Ernaux a expliqué à Marianne Payot de *L'Express*, en écrivant ce livre, elle a « plongé au fond de [sa] mémoire, non pas dans la souffrance mais dans l'exaltation ». L'euphorie de l'écrivaine profondément engagée dans l'élaboration d'un livre est sans doute un phénomène complexe qui n'est pas spécifique à un texte donné. On peut néanmoins hasarder l'hypothèse que l'exaltation a été particulièrement marquée dans le cas de *L'Evénement*, grâce

---

[1] Cette étude reprend et développe certains thèmes qui sont abordés sous un angle différent dans mon article « The Dynamics of Shame, Pride and Writing in Annie Ernaux's *L'Evénement* ». Je tiens à remercier *The Leverhulme Trust,* dont le soutien financier (sous la forme d'une bourse de recherches) m'a permis de me consacrer à des recherches qui ont alimenté ces deux articles.

[2] « C'est sans doute quelque chose de cette fierté qui m'a fait écrire ce récit » (Ernaux, 2000, 107).

à la fierté talismanique qui était, selon Annie Ernaux, l'héritage durable de son avortement traumatique.

En considérant le récit fait par la narratrice de la « courbe d'apprentissage » : entre le moment où elle se rend compte qu'elle est enceinte et le moment où elle reprend une vie plus ou moins normale, il faudra prendre en compte la nature cumulative, évolutive et instable de l'évaluation de soi. La crise personnelle subie par l'auteure en 1963-64 n'a pas été interprétée de la même façon à différentes périodes de sa vie, par exemple au moment de vivre la crise et huit ans plus tard, quand elle a traité le sujet dans *Les Armoires vides*, ou à la fin des années 90, de son point de vue de femme de cinquante-neuf ans. En fin de compte, *L'Evénement* communique la façon de voir l'avortement de la narratrice en train d'écrire, trente-cinq ans après l'expérience traumatisante. De ce point de vue, le texte (comme tous les écrits ernausiens) explore la manière dont la subjectivité en cours lit le passé afin de mieux comprendre le moment que la conscience est en train de vivre.

Dans cette communication, j'essaierai de mettre en relation l'exaltation fébrile que la narratrice se souvient d'avoir ressentie à la suite de son avortement, et l'exaltation qu'elle a de nouveau ressentie en racontant l'événement trente-cinq ans plus tard. L'argument que je vous présenterai se développera à travers une structure bipartite : d'abord, je commenterai le jeu de la honte et de la fierté autour du drame de l'avortement, en faisant référence à *L'Evénement, Les Armoires vides, Ce qu'ils disent ou rien* et *Se perdre*. Ensuite, je me pencherai sur l'idée que les expériences biographiques datant de périodes très espacées dans le temps peuvent être simultanément présentes et actives dans la conscience d'un sujet à un moment donné (Eakin, 1992 : 60). Dans son livre *Touching the World*, Eakin cite à ce propos les mots de Howard Feinstein : « earlier crises are constantly reexperienced and earlier solutions perpetually reworked » (« les crises vécues, et les solutions ou les issues auxquelles on a eu recours, sont constamment susceptibles d'être réactivées et retravaillées »)[3]. D'une manière plus générale, on peut dire que l'imbrication du passé et du moment actuel est axiomatique pour Annie Ernaux, qui se dit « tournée vers l'histoire du présent et plongée dans la mémoire du passé » (Ferrand, 139).

Je reviens maintenant à la dynamique de la honte et de la fierté qui se manifeste à travers les inscriptions textuelles de l'avortement dans les écrits ernausiens, en commençant par *L'Evénement*. La lutte contre la honte menée avec acharnement par la protagoniste au cours de sa grossesse non souhaitée est une lutte pluridimensionnelle, ayant des manifestations physiques, affectives, intellectuelles et surtout sociales : « J'étais rattrapée par le cul et

---

[3] Eakin, 60 ; Feinstein, 299. Ici, comme dans le cas d'autres traductions de l'anglais qui figurent dans cette étude, c'est moi qui traduis. Dans ce passage de son texte, Feinstein glose d'une manière explicite la perspective eriksonienne sur l'histoire de vie (voir Erikson, 1958 et 1968).

ce qui poussait en moi c'était, d'une certaine manière, l'échec social » (30). Pourtant, à l'issue de son épreuve, l'humiliation qui l'avait menacée se transforme, comme je l'ai noté, en fierté. Les limites imposées par la longueur des contributions m'empêchent de commenter comme il faudrait la place de la honte et de la fierté dans la conscience de soi et dans la prédisposition de l'individu à la dépression et à l'exaltation. Pour raccourcir (et simplifier à l'extrême), je retiendrai seulement cinq propositions :

> ▪ que la honte et la fierté sont inséparables, comme l'envers et l'endroit d'un vêtement ;
> ▪ que dans la honte comme dans la fierté, on a une conscience aiguë de soi, et que les deux affects sont étroitement liés au sens d'identité de l'individu (je mets l'accent sur le *sens* d'identité, pour éviter toute présupposition quant à l'existence d'une identité essentielle à l'individu)[4] ;
> ▪ que la honte et la fierté sont des polarités dans le processus instable et oscillant de la réflexion sur soi, des polarités qui sont liées à ce que les psychologues appellent la dépression et l'exaltation ou (dans une forme extrême) la manie ;
> ▪ que la honte et la fierté jouent un rôle fondamental dans la réglementation du corps social, par le jeu de l'inclusion et l'exclusion[5],
> ▪ que la honte « performative » peut permettre aux sujets blessés par la honte (qu'ils soient créateurs ou témoins de la performance) de réparer la fierté endommagée[6].

Dans *Les Armoires vides*, la nécessité d'avorter est accompagnée d'une surcharge de honte. La narratrice a honte en se disant que sa grossesse non souhaitée révèle ses vraies filiations sociales, elle a honte d'avoir « trahi » ses parents (par son mépris et par le fait qu'elle s'est montrée indigne de leur confiance), et elle a honte de sa soumission à l'égard des normes bourgeoises de goût social (dans le dernier paragraphe du texte, elle devient ainsi le double de l'écrivaine au moment d'écrire, sur le point de réussir à se faire publier). En écartant les joies de l'enfant Denise, on peut dire que sauf dans un moment de triomphe fugitif et illusoire (178), la fierté échappe à la protagoniste. En fait, dans *Les Armoires vides*, la narratrice conçoit

---

[4] Donald Nathanson a écrit abondamment sur ce qu'il appelle « the shame/pride axis » (« l'axe de la honte et de la fierté ») et sa place dans la construction de l'identité.

[5] Le corpus théorique auquel je fais référence ici s'est développé à partir des découvertes de Silvan Tomkins et de Helen Lewis. Le livre collectif édité par Melvin Lansky et Andrew Morrisson s'inspire de toute une gamme d'approches qui se basent sur l'idée que la honte détruit les liens sociaux. Robert Karen a publié une vue d'ensemble de théories qui visent le rôle de la honte dans la réglementation des rapports intersubjectifs.

[6] Voir par exemple les études de E. Kosofsky Sedgwick, R. Dalziell et L. Kritzman.

l'avortement en termes de punition (14-15, 122, 144), punition qu'elle a fait
tomber sur elle par son arrogance à se croire *différente*, supérieure à ses
parents (157-8, 174), libre à satisfaire impunément ses désirs liés à la quête
du plaisir sexuel et de la distinction sociale (163-4, 173-4). Dans *Les
Armoires vides*, la fierté et l'orgueil sont associés à une faute ; ils mènent à la
honte et débouchent sur l'avortement comme châtiment. Par contre, dans
l'Evénement, la honte est bridée et la narratrice assume la fierté et l'orgueil
comme des qualités légitimes et enrichissantes. La narratrice se sent justifiée
dans sa fierté pour avoir réussi dans une entreprise difficile.

L'orgueil que la narratrice de *L'Evénement* avoue avoir ressenti lors de sa
deuxième rencontre avec l'étudiant hyperbourgeois Jacques S., quand elle lui
fait comprendre qu'elle s'est fait avorter, repose ainsi sur la conviction
qu'elle a tout osé pour rester – ou plutôt devenir – telle qu'elle se veut : elle a
inventé les règles du jeu, accepté de payer le prix et gagné la partie.... Son
assurance, sa combativité et son goût du défi lui permettent de venger
l'humiliation qu'elle avait subie à l'occasion de sa première rencontre avec
ce jeune homme riche (20). Même si on ne peut nier que cet orgueil
ressemble beaucoup à un mécanisme de défense (en agrandissant le moi, il
érige une barrière contre le retour d'un sentiment d'humiliation), je dirais
qu'il trouve son origine dans la volonté de travailler sur la honte et de la
transformer, plutôt que dans une tentative d'évasion. Comme l'écrivaine, qui
sélectionne, raconte et accorde une place à cet incident dans l'économie de
son texte, la jeune protagoniste emploie une stratégie rhétorique qu'on
pourrait désigner comme un orgueil « offensif ». C'est-à-dire que cet orgueil
représente une provocation, parce qu'il est assumé et affiché dans un but
politique, celui de troubler le rapport de force entre deux adversaires dans
l'opposition des classes. De ce point de vue, l'orgueil est mis au service d'un
règlement de comptes qui est une contestation symbolique du statu quo.
Effectivement, tout porte à croire que le défi et la provocation par rapport au
public bourgeois, sûr de ses droits et convaincu de sa supériorité, restent des
éléments clefs des écrits ernausiens.

Les « versions » de l'avortement qu'on trouve dans *Les Armoires vides* et
dans *L'Evénement* ne se contredisent pas, puisque le premier texte se termine
au moment où l'expulsion commence, tandis que *l'Evénement* raconte aussi
le rétablissement de la narratrice, abordant donc une période où les affects
positifs sont plus aptes à se montrer. De toute façon, la question de la
concordance de textes rédigés à des moments différents est beaucoup moins
intéressante que l'idée que l'avortement se prête à des interprétations diverses
selon le point de vue adopté. Le traitement de l'avortement dans des textes
successifs est en grande partie fonction de l'état d'esprit et des
préoccupations de l'écrivaine au cours de la rédaction d'un texte spécifique,
ainsi que de la portée et du centre d'intérêt du livre dont il s'agit. Par
exemple, on trouve dans *Ce qu'ils disent ou rien* un détail que l'on peut
interpréter (après la publication de *L'Evénement*) comme une référence

indirecte à l'avortement de 1964. La narratrice, Anne, pense au mariage d'Alberte, autrefois sa copine et co-conspiratrice contre la respectabilité et la médiocrité. Anne fait son deuil de la copine aux aspirations extravagantes, qui riait aux éclats en déclarant : « quand j'aurai des enfants, je les mettrai dans le trou des chiottes » (142). Or, bien que le ton de cette remarque la distancie du récit sobre de l'avortement dans *L'Evénement*, il est frappant que la méthode de se débarrasser de bébés non souhaités imaginée par Alberte corresponde à la solution qui sera décrite dans *L'Evénement*. On pourrait soutenir aussi que les deux textes présentent la capacité de poursuivre le désir et l'intérêt personnels, d'une manière implacable, comme une qualité féminine légitime, admirable même, et dont on peut être fière.

Au moment d'écrire *Ce qu'ils disent ou rien*, Annie Ernaux se sentait piégée par sa vie de plus en plus bourgeoise. Elle se sentait aussi de plus en plus aliénée des aspirations (personnelles, sociales et littéraires) dont elle s'était nourrie quelques années auparavant[7]. A quoi bon, se dit Anne (la narratrice de *Ce qu'ils disent ou rien*), se convaincre qu'on est prête à livrer des bébés imaginaires à un destin ignominieux, afin de poursuivre une carrière séduisante (Alberte voulait devenir hôtesse de l'air et s'appeler Cendra), si, quelques années plus tard, rêves et ambitions sont troqués contre un mariage raisonnable et un emploi régulier de bureau. La déception d'Anne, par rapport à Alberte, traduit peut-être le jugement que l'écrivaine porte sur elle-même : ayant réalisé le fantasme transgressif d'Alberte et en ayant souffert les conséquences traumatisantes, elle se trouve, dix années plus tard, coincée par une existence aliénante qui demande que l'on immole toute créativité sur l'autel de le reproduction du statu quo, sous la forme de la famille ou du système d'éducation bourgeois. Dans ces conditions, la fierté se range peut-être plutôt du côté de nouvelles transgressions, susceptibles de briser le carcan d' une vie « rangée » et par trop bourgeoise.

Ayant considéré la charge affective associée à l'avortement dans *Les Armoires vides* et *Ce qu'ils disent ou rien*, il serait aberrant de ne pas faire mention de *Se perdre*, où les références à l'avortement et aux événements de 1963 et 1964 se multiplient. Dans ce texte publié en 2001, l'avortement sert de point de repère qui permet à la narratrice, abandonnée par S., de mesurer l'étendue de sa déréliction. Ici, l'avortement est un souvenir douloureux, le point le plus bas dans une existence que la narratrice conçoit comme une lutte permanente pour ne pas sombrer dans « la terreur sans nom » – il s'agit d'un état de déréliction qui trouve ses racines dans l'effroi qui envahit le nourrisson en l'absence de sa mère, quand il est encore trop jeune pour garder en lui l'image de la mère absente (224-25)[8]. Aucune trace donc, dans *Se*

---

[7] Voir L. Day, 1992.

[8] Quand je lui ai demandé des renseignements sur la provenance de l'article psychanalytique auquel elle fait référence dans *Se perdre*, Annie Ernaux m'a dit qu'elle n'avait gardé le souvenir ni du nom de l'auteur ni du titre de l'article. Le

perdre, de l'exaltation et de la fierté par rapport à l'avortement qui sont évoquées dans *L'Evénement*. On voit que dans des récits successifs, Annie Ernaux évoque son avortement, une expérience corporelle intime, dangereuse et transgressive, en privilégiant soit la face noire de l'expérience (trahison, doute de soi, dépression, honte), soit la face – disons, faute de meilleur mot – plus positive (l'accession à l'âge adulte, la force intérieure, l'exaltation, la fierté). Quelle est la place de cette gamme d'émotions dans les structures évolutives de la subjectivité, chez les narratrices ernausiennes, et en fait chez l'écrivaine elle-même ?

Dans une vue d'ensemble perspicace des interprétations philosophiques de la honte et de la fierté depuis l'époque d'Aristote jusqu'à nos jours, Karen Hanson démontre la variabilité énorme des tentatives philosophiques pour définir la honte et la fierté et pour élucider le rôle de ces affects dans les processus de la réflexion et du développement moraux. Dans une formulation très succincte, Hanson affirme que « pride and shame seem symmetrical. The point in each case is not to become impaled by the feeling but to let it work as a spur » (166) (« la fierté et la honte semblent symétriques. Il s'agit dans les deux cas d'éviter de se laisser empaler par le sentiment, et de faire en sorte que le sentiment soit une incitation à l'action »). Comme le suggère Hanson, il est probable que des variantes de la honte et de la fierté soient universelles, au moins dans la culture occidentale, mais les individus diffèrent par leur aptitude à tolérer l'alternance de ces affects, et surtout par leur aptitude à les mettre au service du développement psychique. Ces idées sont proches des aperçus de Michael Chayes au sujet des traumatismes, qui par définition font souffrir, et qui sont souvent source de honte, mais qui peuvent être aussi une source de force intérieure (et donc de fierté) pour ceux qui savent cultiver l'aptitude «à transformer le traumatisme en incitation à l'évolution psychique, afin de prendre le dessus dans la lutte contre le malheur » (95).

L'Evénement démontre très bien l'aptitude de la narratrice à utiliser le traumatisme de manière constructive, dans la mesure où, à la suite de l'épreuve, elle est munie d'une confiance nouvelle en ses propres ressources, et d'une volonté accrue de faire face aux circonstances malencontreuses entraînées par ses désirs et ses choix. Bref, elle a le sentiment d'avoir atteint l'âge adulte et l'autonomie, surtout par rapport à sa mère (faute de temps, je ne parlerai pas ici de cette dimension très importante de *L'Evénement*). Sans

---

concept de « la terreur sans nom » est utilisé pour la première fois par Karin Stephen, qui parle de « nameless dread » dans un article sur l'agression infantile publié en 1941. Dans les années soixante, Wilfred Bion élabore le concept (voir par exemple *Réflexion faite,* 132). Il faut pourtant signaler que l'explication de « la terreur sans nom » fournie par Annie Ernaux évoque plutôt les propos de Donald Winnicott dans *Playing and Reality* (voir surtout « The Location of Cultural Experience », 97), où il parle de « l'angoisse impensable » (« unthinkable anxiety ») provoquée chez l'enfant par l'absence prolongée de sa mère.

vouloir déprécier l'idée que l'épreuve a permis à la jeune fille de faire de grands pas vers l'âge adulte, je tiens à suggérer que pour la narratrice de cinquante-neuf ans, les éléments dont j'ai fait mention jusqu'ici s'éclipsent comme points de repère dans l'évolution de son être, et comme source de fierté et d'exaltation, devant un autre héritage de l'avortement centré sur une interprétation différente de l'expression « using trauma creatively ».

Le lendemain de l'insertion de la deuxième sonde, la narratrice a noté dans son journal que les douleurs qu'elle commençait à ressentir (il s'agissait des premières contractions), tout comme les bruits divers (et plutôt joyeux) d'un dimanche après-midi à la cité universitaire de Mont Saint Aignan, font partie de la vie (« Et tout cela, c'est la vie » [88]). Tout de suite après, dans un passage entre parenthèses et typographiquement mis à part, la narratrice mûre note ses réflexions sur son aptitude à être, à vingt-trois ans, plutôt philosophe à propos de ce que la vie lui apporte, y compris le traumatisme de l'avortement : « (Ce n'était donc pas le malheur. Ce que c'était vraiment serait peut-être à chercher dans la nécessité que j'ai eue de m'imaginer à nouveau dans cette chambre, ce dimanche-là, pour écrire mon premier livre, *Les Armoires vides*, huit ans plus tard. Dans le désir de faire tenir, dans ce dimanche et dans cette chambre, toute ma vie jusqu'à vingt ans) » [88]. Annie Ernaux a constaté que son désir d'écrire sur ses sentiments d'avoir trahi sa classe d'origine remonte à 1967, plus particulièrement à la mort de son père, conjuguée avec sa nomination à un poste de professeur diplômée du CAPES, moins de 3 mois plus tard. Ayant essayé sans réussir deux façons différentes d'entrer dans son sujet et dans son premier roman, Annie Ernaux a trouvé une troisième voie, un troisième point de départ. La décision de situer son récit (qui deviendrait *Les Armoires vides*) dans sa chambre d'étudiante à la cité universitaire, au moment où l'avortement se met en cours, l'a rapidement conduite à sonder les frustrations et le doute de soi qu'elle voulait explorer par l'écrit depuis 1967.

En abordant le récit de son avortement, dans *Les Armoires vides,* l'écrivaine a trouvé un mécanisme qui lui a fourni une entrée en matière, une pratique d'écriture (l'analyse de l'expérience vécue et de ses liens avec le moment présent) et une forme d'action symbolique (la contestation de l'élitisme par le biais de la transgression des conventions littéraires). Le récit de l'avortement a permis à Annie Ernaux de découvrir rétrospectivement une scène « nucléaire » (j'emprunte ce concept à Silvan Tomkins, connu pour ses travaux sur l'affect), un réceptacle pour les nœuds affectifs qu'elle serait portée à explorer, inlassablement, dans la vie et dans l'écriture. Ironique retour des choses, alors même que la protagoniste de *L'Evénement* redoute que sa grossesse non souhaitée ne mette fin à ses ambitions littéraires (et qu'un roman, commencé une année auparavant ne reste inachevé et sans suite), l'avortement (ou plutôt l'inscription textuelle de celui-ci) apparaîtra par la suite comme la clef qui a ouvert la voie à sa carrière littéraire.

Il s'est donc trouvé que l'avortement a donné le coup d'envoi à son premier texte « réussi » – je soutiendrai aussi que cela ne tient pas du hasard, même s' il faut éloigner également l'hypothèse contraire : que l'adéquation de l'événement à la tâche dont il est question (rendre compte d'une vie) soit le fruit d'une stratégie élaborée en pleine connaissance de cause. Au fil des années, dans et par sa pratique d'écriture, l'auteure comprend que l'avortement représente une expression concentrée des conflits qui se trouvent au centre de tous ses écrits. L'état d'exaltation auquel l'auteure a accédé en écrivant *L'Evénement* se nourrit sans doute, non seulement du souvenir de la force intérieure engendrée au cours de cette épreuve, mais aussi, et peut-être surtout, de la conscience rétrospective de la fonction de l'avortement comme germe et déclencheur de son travail littéraire. La fierté ressentie par la jeune femme d'avoir surmonté une dure épreuve se trouve donc relayée et intensifiée par l'investissement de l'écrivaine reconnue dans un événement qui représente pour elle à la fois son être divisé et son avènement à l'écriture.

Pour terminer, je poserai la question : « pourquoi maintenant ? » Dans quelle mesure peut-on établir le contexte du choix d'Annie Ernaux de raconter son avortement en 1999? Notons tout de suite qu'il s'agit d'un choix de se laisser aller à un désir tenace qui hante l'imaginaire de l'écrivaine, et qui est devenu plus urgent dans le contexte d'un projet littéraire en cours. Le désir d'écrire sur l'avortement survient ainsi dans le contexte de la pratique quotidienne de l'écriture. Vers le milieu de son récit, la narratrice, qui s'interroge sur ses raisons de vouloir raconter l'avortement, constate : « Je ne sais pas ce que l'écriture fait arriver » (69). S'il est vrai que les découvertes et les impératifs que l'écriture dévoile restent imprévisibles, on ne peut pourtant nier qu'une chose au moins est sûre : ce que l'écriture « fait arriver » infailliblement, c'est le désir et la nécessité de recommencer, de continuer à écrire. De ce point de vue, les textes d'Annie Ernaux établissent le programme de son évolution littéraire ultérieure. Juste avant d'entrer dans le détail de ses tentatives pour contourner la loi sur l'avortement, la narratrice note :

> Depuis des années, je tourne autour de cet événement de ma vie... [...] Il y a une semaine que j'ai commencé ce récit, sans aucune certitude de le poursuivre. Je voulais seulement vérifier mon désir d'écrire là-dessus. Un désir qui me traversait continuellement à chaque fois que j'étais en train d'écrire le livre auquel je travaille depuis deux ans. Je résistais sans pouvoir m'empêcher d'y penser. M'y abandonner me semblait effrayant. Mais je me disais aussi que je pourrais mourir sans avoir rien fait de cet événement (24).

En février 1999 (quand Annie Ernaux a commencé à écrire le texte), elle avait 58 ans et 5 mois, et en se mettant à écrire au mois de février, elle suivait de près la date qui aurait été le trente-cinquième anniversaire de l'expulsion du fœtus en 1964[9]. L'intervalle considérable entre l'avortement et la composition du texte qui le décrit fait comprendre la remarque de l'écrivaine : « je pourrais mourir sans avoir rien fait de cet événement » (24).

Parmi les nécessités et les désirs qui ont mené Annie Ernaux à entreprendre le récit de son avortement se trouve sans doute l'angoisse de franchir un cap d'âge que l'on craint d'approcher[10]. En faisant le récit de la crise qui l'a fait accéder à l'âge adulte, et qui est intimement lié à sa venue à l'écriture, Annie Ernaux puise dans la mémoire de sa propre force intérieure, qui lui a permis de surmonter une si dure épreuve et de s'en nourrir, jusque et surtout dans la poursuite de son rêve de devenir écrivain. A travers l'écriture, l'auteure retrouve l'exaltation qu'elle avait connue à l'issue de son avortement et en retire la force pour aller toujours plus loin, pour « accueillir toute la vie, comme [elle a] toujours fait », pour pouvoir continuer à écrire « vrai et juste » (2001, 244). Il faut néanmoins souligner que dans *L'Evénement*, comme dans ses autres textes, Annie Ernaux affronte et assume son âge, sans pour autant y faire de concession. La narratrice mûre de *L'Evénement* s'annonce d'emblée comme une femme qui mène une vie sexuelle active; dans un commentaire métatextuel, elle s'interroge sur les modalités (les fins, les incertitudes, les exigences) de sa pratique littéraire toujours en pleine évolution (24, 37, 44, 53, 55, 67-8, 86, 88, 94, 95, 100-01), reconnaît que son texte peut être jugé de mauvais goût, sans songer à se censurer (53), et affirme son désir que le livre soit reçu comme une intervention sociale et politique (26, 53, 83, 97). Bref, la narratrice manifeste un dynamisme extraordinaire, et participe pleinement à la vie de son époque, tout comme l'écrivaine dont elle est un avatar, même si l'engagement social

---

[9] On notera aussi que la composition du texte lui a demandé neuf mois de travail.

[10] L'angoisse (et je dirais volontiers la honte) de vieillir a tôt marqué l'œuvre d'Annie Ernaux. A la fin de *La Femme gelée*, la narratrice d'une trentaine d'années (tandis que l'écrivaine en a une quarantaine) évoque « ces têtes marquées, pathétiques, qui [lui] font horreur au salon de coiffure » ; elle poursuit (et ce sont les derniers mots du livre) : « Au bord des rides qu'on ne peut plus cacher, des affaissements. Déjà moi ce visage » (185). Dans *Une femme,* Annie Ernaux constate, très raisonnablement, qu'à la suite de la mort de sa mère, c'est à elle de s'approcher de la barrière : « J'ai pensé aussi qu'un jour, dans les années deux mille, je serais l'une de ces femmes qui attendent le dîner en pliant et dépliant leur serviette, ici ou autre part » (103-4). L'écrivaine a d'ailleurs évoqué, dans *Se perdre*, le rapport entre l'adolescente et la femme d'une cinquantaine d'années, en termes qui ne laissent aucun doute quant à l'appréhension qu'elle ressent devant les déchéances de la vieillesse : « Il faudrait sans doute dire un jour combien une femme de quarante-huit à cinquante-deux ans se sent proche de son adolescence. Les mêmes attentes, les mêmes désirs, mais au lieu d'aller vers l'été, on va vers l'hiver » (271-72). Ces phrases ont été écrites en 1990; même si à cette époque Annie Ernaux vivait un moment très difficile qui assombrissait tout, on peut supposer que neuf ans plus tard, à l'époque où elle a commencé à écrire *L'Evénement*, elle risquait de se sentir encore plus vulnérable devant la marche implacable du temps.

de celle-ci passe par l'acceptation de « la partie noire de l'art », qui fait que l'artiste plongé dans l'obsession de la création « peut préférer son travail à la vie humaine » (Argand, 43).

En fin de compte, pour être en mesure de répondre à la question « pourquoi maintenant ? », par rapport à la composition de *L'Evénement*, il faut essayer de saisir d'une manière plus globale la situation de l'écrivaine à la fin des années 90, en tenant compte des dimensions pleinement sociales et politiques de la vie intime. S'il est vrai que l'écriture se nourrit de l'humeur et des préoccupations de l'écrivaine au moment d'écrire (et que l'écriture influence à son tour les dispositions de celle-ci), il ne faut pas négliger le fait que ces préoccupations, et le texte qui les véhicule, s'enracinent dans un moment historique spécifique. L'acte d'écrire est donc non seulement un événement biographique, mais également un acte historique (Eakin, 1985, 25 ; 1992, 58-9). A travers sa pratique d'écriture, l'auteure se pose les questions qu'elle ne peut (ni ne veut) esquiver en tant que femme et écrivaine, située dans une conjoncture historique dont son écriture porte l'empreinte, et qu'à son tour elle essaie d'exprimer et d'influencer. Ainsi, en explorant l'interdit personnel, ce qui dérange dans la vie intime, Annie Ernaux vise l'interdit social, ce qui dérange au niveau des croyances et des pratiques sociales.

Le récit de l'expérience intime d'un avortement clandestin dans les années 60 met à nu la domination symbolique qui pesait alors sur les « petites gens » qui n'avaient pas les moyens, par exemple, de se payer un avortement clandestin dans une clinique privée à l'étranger, ou de prendre à la légère des études financées par des proches qui acceptaient de voir leurs enfants s'aliéner de leurs origines en passant dans une classe sociale plus élevée. Le fait que beaucoup de critiques médiatiques ont choisi de passer sous silence la portée sociale du récit de l'avortement, dans ses dimensions « rapport de classes »[11], suggère qu'à la veille du vingt-et-unième siècle, les divisions de classe sont loin d'être abolies, même si les gens aisés, ou ceux qui pensent être à l'abri de la déréliction, préfèrent penser que l'existence d'une « sous-classe » relève de la criminalité (immigration clandestine, délinquance, drogue) ou du défaitisme devant la compétitivité du marché de l'emploi. *La Vie extérieure*, texte publié simultanément, conforte cette observation quant à la perpétuation de l'inégalité sociale, tout en impliquant une réflexivité douloureuse de la part de l'écrivaine, puisque la jeune protagoniste de *L'Evénement*, tiraillée entre deux classes, est devenue une écrivaine reconnue, une intellectuelle installée, qui, dans les années 90, sachant qu'elle a partie liée avec les classes dominantes (même si ses affiliations électives

---

[11] Sur quarante-sept comptes rendus de *L'Evénement* qui sont classés dans des dossiers de presse chez Gallimard, vingt-cinq ne font pas mention du fait que la loi interdisant l'avortement frappait beaucoup plus les femmes pauvres que les femmes bourgeoises. Je tiens à remercier Madame Liliane Phan, responsable des archives chez Gallimard, de son accueil chaleureux lors de ma visite en octobre 2002.

sont tout autres), se fait la chroniqueuse de la misère qui prolifère aux interstices de l'économie marchande de l'ère contemporaine. Si l'existence de catégories sociales déshumanisées fait partie du refoulé social, il en est de même pour certains aspects de l'expérience féminine. En parlant de *L'Événement*, Annie Ernaux a relevé le refoulement social du corps procréatif des femmes et la peur qui s'associe au pouvoir des femmes de donner ou de refuser la vie, pouvoir qui a sans doute appartenu aux femmes depuis que la science a dévoilé les rôles procréatifs féminins et masculins, mais qui prend un essor prodigieux grâce aux nouvelles technologies de reproduction[12]. On pourrait mettre en avant aussi la vitalité des femmes mûres qui refusent de se mettre à l'écart ou de renoncer à quoi que ce soit, et qui sont souvent ridiculisées, sans doute parce qu'elles demandent d'être prises en compte et reconnues au lieu d'accepter d'être invisibles comme le voudrait la société patriarcale. Ces manifestations du changement dans les rapports entre les hommes et les femmes, survenu entre l'époque où se situe *L'Événement* et le nouveau millénaire, témoignent du « gender trouble » (Butler), qui ne peut que suivre son cours encore longtemps.

On pourrait appliquer à *L'Evénement* (comme aux autres textes d'Annie Ernaux) l'impératif que Joseph Bristow relève dans l'œuvre de Raymond Williams: « to make feeling thought and thought felt » (Bristow, 120) (« que le senti soit pensé et que le pensé soit ressenti »). La narratrice de *L'Evénement* poursuit minutieusement l'analyse du vécu, en utilisant les ressources de la mémoire (pour arriver au plus près de la sensation vécue), de l'intelligence (pour trouver l'expression la plus juste) et de la raison (elle objective sa propre expérience en corrigeant parfois les impressions et les jugements qui lui semblent maintenant naïfs ou trop subjectifs)[13]. La dénonciation de la domination symbolique dans *L'Evénement,* que les femmes ou les « petites gens » en soient victimes, repose sur cette analyse « objective » de la situation de la jeune protagoniste, mais elle repose aussi

---

[12] Annie Ernaux a parlé de « l'effort pour étouffer» *L'Evénement*, attribuant ce phénomène au dégoût des critiques pour «tout ce qui se passe dans le corps d'une femme » (voir J.-C. Renard), et à l'angoisse que peut provoquer le fait que « c'est à la femme que revient le pouvoir de vie et de mort d'un enfant » (voir M. Zumkir). Dans son livre récent *La Famille en désordre*, Elisabeth Roudinesco évoque elle aussi « l'ordre procréatif… entièrement dévolu à la puissance des mères », mais note que « cette puissance-là ne met pas fin à l'inégalité sociale entre les hommes et les femmes. La science privilégie le droit des mères au sein de la famille (quelle que soit sa forme) plus que celui des femmes dans la société » (206). Sans vouloir contester la justesse des réflexions d'Annie Ernaux concernant les réserves des critiques (et des lecteurs, puisque *L'Evénement* s'est moins bien vendu que la plupart des livres ernausiens) quant à un texte qui traite sans ménagement l'expérience de l'avortement clandestin, on peut ajouter que de nombreux critiques ont évoqué *L'Evénement* sans relever la vulnérabilité particulière des femmes des classes inférieures devant la loi (voir la note précédente).

[13] Voir p. 54, 72, 76, 78, 79-80, 85, 100, 110.

sur l'émotion, sur la volonté de l'écrivain de ne pas trahir la jeune femme qu'elle a été, et sur son désir de transmettre à ses lecteurs et d'assumer dans la fierté (et l'exaltation) ce qui a été vécu dans la gêne et la honte.

Il existe donc toute une gamme d'entre-deux que l'on peut analyser dans les textes d'Annie Ernaux : l'entre-deux du senti et du pensé, de la vie « intérieure » et « extérieure », du privé et du social, ou encore du psychologique et du sociologique. Ce que j'ai voulu mettre en lumière ici, en parlant de l'entre-deux temporel, c'est l'idée que l'exploration du passé et du moment actuel se poursuit d'une manière complémentaire dans l'écriture ernausienne, et que cet investissement réciproque du passé dans le moment actuel, et du moment actuel dans le passé, s'opère également, et indivisiblement, sur les plans de la vie intime et des structures socio-politiques qui en constituent le fond.

Etudes citées

ARGAND, Catherine, « Entretien avec Annie Ernaux », *Lire,* avril 2000, p. 38-45.

BION, Wilfred, *Réflexion faite.* Paris, PUF, 1983. Tr. de *Second Thoughts.* London, Heinemann, 1967.

BRISTOW, J, « Life Stories: Carolyn Steedman's History Writing », *New Formations,* 13, printemps 1991, p. 113-131.

BUTLER, Judith, *Gender Trouble: Feminism and the Subversion of Identity,* London et New York, Routledge, 1990.

CHAYES, Michael, « Concerning Certain Vicissitudes of Denial in Personality Development ». Voir Edelstein, Nathanson et Stone, p. 87-105.

DALZIELL, Rosamund, *Shameful Autobiographies : Shame in Contemporary Australian Autobiographies and Culture,* Melbourne University Press, 1999.

– « Shame and Life Writing », *Encyclopedia of Life Writing: Autobiographical and Biographical Forms,* Éd. M. Jolly, London et Chicago, Fitzroy Dearborn Publishers, p. 807-809.

DAY, Loraine, « Fiction, Autobiography and Annie Ernaux's Evolving Project as a Writer : a Study of *Ce qu'ils disent ou rien* », *Romance Studies,* 17.1, 1999, p. 89-103.

– « The Dynamics of Shame, Pride and Writing in Annie Ernaux's *L'Evénement* », *Dalhousie French Studies,* 61, hiver 2002, p. 75-91.

EAKIN, Paul John, *Touching the World : Reference in Autobiography,* Princeton, New Jersey, Princeton University Press, 1992.

– *Fictions in Autobiography,* Princeton, New Jersey, Princeton University Press, 1985.

EDELSTEIN, E.L, DONALD, L. NATHANSON et A. M. STONE, éds, *Denial : a Clarification of Concepts and Research.* New York et London, Plenum Press, 1989.

ERIKSON, E.H., *Young Man Luther : A Study in Psychoanalysis and History.* Nouvelle édition. New York, Norton, 1962.

– « On the nature of Psycho-Historical Evidence : in Search of Ghandi », *Daedalus,* 97, 1968, p. 695-730.

ERNAUX, Annie, *Les Armoires vides,* Gallimard, 1974.

– *Ce qu'ils disent ou rien,* Gallimard, 1977.

– *Une femme,* Gallimard, 1988.

– *Journal du dehors,* Gallimard, 1993.

– *La Honte,* Gallimard, 1997.

– *L'Evénement,* Gallimard, 2000a.

– *La Vie extérieure,* Gallimard, 2000b.

– *Se perdre,* Gallimard, 2001.

– *L'Occupation,* Gallimard, 2002.

FEINSTEIN, Howard, *Becoming William James,* Ithaca, Cornell University Press, 1984.

FERRAND, Christine, « Annie Ernaux en profondeur », *Livres hebdo,* 3 mars 2000, p. 138-39.

HANSON, Karen, « Reasons for Shame, Shame Against Reason ». Voir Lansky et Morrison, p. 155-79.

KAREN, Robert, « Shame », *The Atlantic,* 269. 2, 1992, p. 40-70.

KRITZMAN, L, « Ernaux's Testimony of Shame », *L'Esprit Créateur,* XXXIX. 4, hiver 1999, p. 139-149.

LANSKY, MELVIN, R. et ANDREW P. MORRISON, *The Widening Scope of Shame,* Hillsdale, New Jersey et London, The Analytic Press, 1997.

LEWIS, Helen Block, *Shame and Guilt in Neurosis,* New York, International Universities Press, 1971.

– Éd., *The Role of Shame in Symptom Formation,* Hillsdale, New Jersey, Lawrence Erlbaum Associates, 1987.

NATHANSON, Donald, « The Shame/Pride Axis ». Voir Lewis, 1987, p. 183-205.

– *Shame and Pride : Affect, Sex and the Birth of the Self,* New York et London, W.W. Norton, 1992.

PAYOT, Marianne, « Entretien avec A. Ernaux », *L'Express,* 2545, 13-19 avril 2000, p. 20.

RENARD, Jean-Claude, « Entretien avec Annie Ernaux », *Politis,* 640, 15 mars 2001.

ROUDINESCO, Elisabeth, *La Famille en désordre,* Paris, Fayard, 2002.

SEDGWICK, Eve Kosofsky, « Shame and Performativity : Henry James's New York Edition Prefaces ». Voir *Henry James's New York Edition : The Construction of Authorship,* éd. D. McWhirter, Stanford University Press, 1995, p. 206-239.

STEPHEN, Karin, « Aggression in early childhood », *British Journal of Medical Psychology,* 18, 1941, p. 178-90.

TOMKINS, Silvan, *Affect, Imagery, Consciousness,* vol. I : *The Positive Affects,* New York, Springer, 1962.

– *Affect, Imagery, Consciousness,* vol. II : *The Negative Affects,* New York, Springer, 1963.

– *Affect, Imagery, Consciousness,* vol. III : *The Negative Affects : Anger and Fear,* New York, Springer, 1991.

WINNICOTT, Donald, *Playing and Reality,* London, Tavistock, 1971.

ZUMKIR, Michel, « Entretien avec Annie Ernaux », *La Libre essentielle,* 15, 15 avril 2000.

AGENDA, ADDENDA : LE TEMPS DE VIVRE, LE TEMPS D'ÉCRIRE

Tiphaine Samoyault
Université Paris VIII - Vincennes-Saint-Denis

Pour proposer une réflexion sur la fiction et la diction du temps dans les textes d'Annie Ernaux, j'aimerais situer d'abord la réflexion dans le cadre qui est le sien, le nôtre, et qui prend la forme d'un excès de présent. L'actualité de notre lecture est aussi celle de l'œuvre et j'appelle excès de présent cette nécessité où nous nous trouvons de circuler dans un présent commun, où écrire, lire et commenter se font dans un cercle temporel qui n'est pas celui d'une exacte simultanéité (qui serait un point) mais d'une sorte de point agrandi où nous sommes confrontés aux limites mêmes du présent : nous sommes en effet paradoxalement contraints d'élaborer un discours avec des outils qui dénaturent l'essentielle valeur de présent qu'a cette œuvre pour nous – on ne saurait mesurer l'autre, celle de sa mémoire future, sans faire d'inutiles prophéties –, sa mobilité, sa continuité, la surprise qu'elle peut susciter, qui sont autant des qualités du présent que de l'œuvre au présent. Par certains aspects, le discours journalistique, aussi insatisfaisant soit-il, pourrait paraître mieux convenir au contemporain pour l'analyse de lui-même que le discours universitaire. Le présent, en effet, ne peut être l'objet d'un savoir théorisé et clos ; le journalisme, lui, prend en charge le présent, et non l'histoire du présent : s'il analyse le présent, il le fait en tant qu'il nous concerne et non dans l'espoir d'en faire un objet de savoir distancié. L'imperfection, l'inachèvement de l'œuvre dans le présent de son apparition sont ainsi des données que le contemporain doit prendre en compte d'un point de vue critique où ils sont toujours, par-delà l'évidence, limitation de point de vue en même temps que travail actif du temps dans l'œuvre. Pour autant, est-il nécessaire de donner à cet inachèvement une validation théorique ? Ne peut-on simplement considérer qu'en cette matière, une mémoire ultérieure pourra seule compléter la perspective ? Il y a une actualité du contemporain qui est très différente de ses actualisations ultérieures parce que l'œuvre du temps y est plus forte que l'œuvre elle-même. S'il est alors vain d'attendre du critique du contemporain une appréciation définitive d'un texte littéraire, plus intéressante paraît l'analyse qu'il peut mener du décalage éventuel entre lui et l'époque, et la reconnaissance incertaine, ou condition-nelle, de ce qui dérange des conventions de lecture. C'est dans cet *ethos* que je propose de lire le temps dans les textes d'Annie Ernaux, dans la mesure où l'entrelacement des temps y croise le nôtre et que ce temps de vivre que j'évoque dans mon titre, nous sommes pris dedans. Je choisis de prendre en compte le présent pour penser les temps de l'œuvre plutôt que d'isoler ce présent comme objet d'étude autonome qui oblige, me semble-t-il, à tricher sur la perspective et sur sa propre position dans ce temps.

Le temps comme travail de l'écriture et comme œuvre des jours et de la vie est l'hypothèse que je pose pour dire quelque chose de l'écriture d'Annie Ernaux dans son actualité propre. De l'agenda de la notation au présent aux *addenda* qu'une main plus tardive vient apporter à l'événement précédent, l'écriture superpose plusieurs temps auxquels viennent s'ajouter ceux de la publication et de la lecture. Dans *L'Événement*, par exemple, on compte au moins quatre strates de la vie coupée en épaisseur : le moment actuel où la narratrice écrit autour de l'événement (« il y a une semaine que j'ai commencé ce récit, sans aucune certitude de le poursuivre[1] »), sorte de journal intime creusant au cœur de l'écriture et qui permet de suivre une autre gestation ; l'agenda de l'époque, où elle avait noté, jour après jour, ses petites ou grandes impressions : « je notais dans l'agenda : "Malaises constants." – "À 11 heures, dégoût à la B.M. [bibliothèque municipale]." – "Je suis toujours malade." » Il y a, encore et surtout, le récit linéaire de cette période noire, de la conception à l'avortement, octobre 1963 – janvier 1964, où l'on suit la jeune fille dans son parcours difficile, avec sa décision certaine, dans sa quête d'un médecin, tentant de surmonter les hypocrisies, les réprobations et la légalité. Et au récit se superpose enfin l'analyse de la narratrice, sobre et douloureuse – « c'est une scène sans nom, la vie et la mort en même temps. Une scène de sacrifice » –, qui est aussi son langage, réunissant tout ce qui tourne. Ces quatre lieux entrecroisés et devenus communs fondent la perturbation qu'exerce ce livre et permettent d'y lire l'œuvre du temps, la différence entre la vie qui s'écrit et la vie qu'on écrit. Mais pour distinguer les temps des textes d'Annie Ernaux, je voudrais centrer mon analyse sur cet autre événement qu'a représenté la publication de *Se perdre*, dans son temps propre et hors de lui en quelque sorte. Plus tard, les dates de publication seront là pour rappeler la chronologie et placer l'ultériorité de *Passion simple* dans l'antériorité du geste de l'écrivain. Mais cette distance sera devenue relative ; elle ne pourra sans doute plus être ressentie comme une telle tension du temps de la vie sur le temps de l'écriture et comme l'engagement humain qu'un tel geste représente.

---

[1] Annie Ernaux, *L'Événement*, Gallimard, 2000, p. 24.

À l'exclusion du titre et d'un court prologue écrit à l'automne 2000, *Se perdre* est en effet tout entier constitué des cahiers où Annie Ernaux a consigné, au jour le jour pendant un an, les mouvements intérieurs et les aléas extérieurs de sa passion pour un attaché de l'ambassade d'URSS en France, d'octobre 1988 à novembre 1989. Il entretient avec *Passion simple*, le court récit issu de cette histoire fulgurante, des rapports de proximité aussi étroits que ceux d'une matière à une forme, d'une sculpture à son marbre, par exemple. Le journal de l'époque a servi de matière à *Passion simple*, il devient la forme de *Se perdre*. Ce qui frappe, d'abord, est bien sûr ce que cette publication nous confirme du travail d'Annie Ernaux sur les strates temporelles et les jeux de leur emboîtement dans l'écriture que je signalais à propos de *L'Événement*. Ce qui est nouveau, dans ce livre, c'est la séparation cette fois radicale de la matière et de la forme, un retour sur des traces qui n'est pas reprise d'écriture mais reprise de temps et d'existence. « Je me suis aperçue qu'il y avait dans ces pages une "vérité" autre que celle contenue dans *Passion simple*. Quelque chose de cru et de noir, sans salut, quelque chose de l'*oblation*. J'ai pensé que cela aussi devait être porté au jour.[2] » Ici, Annie Ernaux livre de ses cahiers non plus la vie extérieure, mais l'intime le plus intérieur, ce qu'on garde généralement pour soi, qu'on hésite à brûler ou qu'on laisse aux bons soins de la postérité. C'est une sorte d'œuvre « anthume » qu'elle propose au lecteur et c'est aussi la raison pour laquelle *Se perdre* est geste social autant qu'écriture, et geste libre. L'adjectif peut sembler paradoxal s'agissant d'une histoire aussi accomplie d'aliénation amoureuse. Mais il s'agit d'une aliénation consentie, où l'être se soumet à cette « figure de l'absolu », à la « *terreur sans nom* » que représente la passion, où tout se laisse littéralement altérer. Rien ne peut mieux exprimer l'ampleur du désastre, dans cette conjonction de l'amour et de la douleur, que cette écriture de la notation, au plus près de l'événement ou de son absence : aujourd'hui il m'appelle, aujourd'hui il est venu, il ne viendra pas, il ne m'a pas appelée depuis trois jours, quatre jours, huit jours, je ne le reverrai plus… Le monde extérieur semble ramené exactement aux dimensions de cette histoire, chaque jour ramassé sur un appel, sur l'attente d'une brève rencontre. Rien d'autre ne relie au temps, pas même l'écriture dont l'obligation disparaît momentanément. « Je ne fais pas l'amour comme un écrivain, c'est-à-dire en me disant que "ça servira" ou avec distance. Je fais l'amour comme si c'était toujours – et pourquoi ne le serait-ce pas – la dernière fois, en simple vivante. » Lu en perpétuel retour sur *Passion simple*, *Se perdre* permet ainsi de proposer une grammaire des temps inscrits dans et par l'œuvre d'Annie Ernaux. Puisqu'il ne m'est pas possible à moi de distinguer entre le temps de vivre et le temps d'écrire, je commencerai par rappeler la diction que les textes font de leur dissociation, puis j'analyserai un à un tous les temps que les textes enferment ou ouvrent en allant toujours du

---

[2] Annie Ernaux, *Se perdre*, Gallimard, 2001, p. 14.

présent vers le passé, avant de conclure sur la concordance de ces temps avec le temps de l'œuvre au présent qui est selon moi une chance de notre lecture.

1. « Le temps de l'écriture n'a rien à voir avec celui de la passion[3] » : La phrase figure dans *Passion simple* et elle pose une distinction entre le temps de vivre et le temps d'écrire qui n'est pas une simple relation de postériorité. Le décalage entre les deux n'est pas seulement temporel et quantifiable, il est aussi qualitatif. Chacun des deux temps est occupation définitive, entêtement, obstination et il empêche l'autre d'advenir. Le ressassement d'une incapacité à écrire scande ainsi *Se perdre* avec quelque chose de tragique parce que deux nécessités se heurtent. « Je ne sais pas ce que je vais commencer d'écrire, ni si même j'écrirai.[4] » « Je ne fais rien – presque naturellement.[5] » La *nécessité absolue d'écrire* est mise à mal par l'absolu de la passion et l'un des deux temps manque. Le texte pose littérairement la dissociation radicale de la vie comme elle va, de la vie quand on écrit et de la vie qui s'écrit. Le temps du journal n'est pas encore le temps de l'écriture (puisque aussi bien il dit l'impossibilité d'écrire) et il n'est pas tout à fait non plus le temps de la vie puisqu'il est déjà retour d'écriture sur le passé immédiat, qu'il s'écrit dans le manque, dans les lacunes d'une passion amoureuse qui pourtant ne laisse guère de place pour autre chose. Cependant, par rapport à *Passion simple* (si l'on considère que les deux textes racontent la même histoire ce qui n'est pas une évidence textuelle), *Se perdre* est plus proche du temps de vivre : « Si on lit ce journal un jour, on verra que c'était exact, "l'aliénation dans l'œuvre d'Annie Ernaux", et pas seulement dans l'œuvre, plus encore dans la vie.[6] » Les réactions suscitées par le livre au moment de sa première réception le prouvent : ce journal est un objet complexe, hybride, dont la difficulté tient sans doute à son indistinction. Le dégoût éprouvé par certains provient moins du caractère forcément et exclusivement sexuel de la vérité contenue dans cette histoire, qu'à sa forme même, fragmentaire et indécise, soustraite au travail de l'art. Le deuxième problème posé au lecteur contemporain tient au renversement des ordres temporels qui bouleverse les certitudes acquises et impose un questionnement naïf : pourquoi, alors que l'histoire avait déjà été écrite dans *Passion simple*, l'auteur en propose-t-elle une autre version moins réussie, moins « écrite » ? Si *Se perdre* est plus proche de la vie que *Passion simple*, qu'en est-il de la vérité autobiographique de *Passion simple* ? L'intérêt de cette publication, de fait, tient moins à la distinction entre fiction et autobiographie qu'à l'exposition des différents espaces de l'autobiographique. Une même histoire donne lieu à deux formes

---

[3] Annie Ernaux, *Passion simple*, Gallimard, 1991, p. 61.

[4] Id., *Se perdre*, p. 166.

[5] *Ibid.*, p. 151.

[6] *Ibid.*, p. 63.

autobiographiques dont l'une est arrachée directement au temps de vivre quand l'autre, composée dans le temps d'écrire, en est détachée. En faisant le geste de publier la première, Annie Ernaux propose une sorte de genèse à rebours : elle inscrit quelque chose que seuls perçoivent généralement les analystes ultérieurs qui mettent en relation les textes publiés du vivant de l'auteur avec les posthumes et, surtout, elle choisit d'écarter le travail de l'art et l'attente de ses lecteurs pour inscrire, dans un présent déplacé, le travail de la vie. Il s'agit bien d'un présent *déplacé* parce qu'il présuppose une distance affective ainsi que d'autres présents de la vie d'écrivain qui ne sont pas ceux de l'histoire racontée : le temps de la relecture d'abord[7], mais surtout le temps d'une ressaisie qui n'est pas processus de remémoration mais qui correspond au geste matériel de la saisie du texte sur l'ordinateur. Seul le volume vient concrètement relier cet empilement de présents, cette grammaire de la juxtaposition, sans syntaxe. Le présent grammatical de *Se perdre* apparaît alors comme le degré zéro de la syntaxe.

2. *Le temps de l'agenda.* Prise dans le simple filet des jours, la consignation modeste de *Se perdre*, qui laisse peu de place aux images, aux descriptions ou aux propos rapportés, renforce encore l'absurde nécessité de l'amour fou. Le lecteur est ainsi placé dans un présent pur, alourdi par l'attachement viscéral porté par une femme à un homme dont elle ne sait même pas s'il l'aime, qui porte des sous-vêtements soviétiques et qui voue à Staline une véritable vénération. Le présent est ici le lieu d'une vérité qui est moins vérité de l'écriture que vérité textuelle et sexuelle ; d'une vérité qui est moins généralité que durée (qu'exprime aussi l'infinitif « se perdre », une certaine durée du présent, à la fois ce qui, dans le présent, perd l'être et ce qui, dans l'écriture, se laisse perdre). Le présent de ce livre est différent de celui de *Journal du dehors* ou de *La Vie extérieure* parce qu'il n'a pas l'universalité de la notation ethnographique. Il est différent encore du présent des évocations de *La Place*, par exemple, parce qu'il n'a pas non plus la généralité du temps travaillé dans et par l'écriture. Il est un présent à soi, foncièrement irrécupérable parce qu'en sa place même, il n'est sauvé par rien.

3. *La simultanéité.* Le temps de l'écriture, en revanche, sauve le présent en l'allégeant, en en faisant l'occasion de simultanéités nouvelles. Tandis que *Se perdre* est tout entier composé de présents non reliés, auxquels se heurtent le temps de vivre et le temps de la notation, *Passion simple* propose une grammaire des temps plus complexe, marquée par l'utilisation de plusieurs temps que je rassemble sous l'expression de temps des *addenda* (même si l'écriture est autant le temps du retranchement que celui de l'ajout). J'entends dans ce terme à la fois le

---

[7] Voir *ibid.,* p. 13 : « En janvier ou février 2000, j'ai commencé de relire les cahiers de mon journal correspondant à l'année de ma passion pour S., que je n'avais pas ouverts depuis cinq ans. »

fait de la note et la superposition du temps de l'écriture sur le temps de la vie, qui transforme la vie. La note inscrit toujours le présent de l'écriture. Elle est raccordement à une donnée extérieure (date, chiffre dans *L'Événement* par exemple), exhibition de simultanéités contradictoires. Ainsi, dans une note de *Passion simple*, on voit coïncider des présents spatialement éloignés mais mettant en jeu une simultanéité : « Cet homme continue de vivre quelque part dans le monde. Je ne peux pas le décrire davantage, fournir des signes susceptibles de l'identifier. Il "fait sa vie" avec détermination, c'est-à-dire qu'il n'y a pas pour lui d'œuvre plus importante à élaborer que cette vie. Qu'il en aille autrement pour moi ne m'autorise pas à dévoiler sa personne. Il n'a pas choisi de figurer dans mon livre mais seulement dans mon existence.[8] » Au temps de vivre a succédé le temps d'écrire mais ce temps d'écrire implique d'autres temps de vivre, qui ne sont pas inclus dans l'écriture comme peut l'être en revanche celui de la narratrice. Les *addenda* sont à la fois une manière de les prendre en compte et de les distinguer. Ils font de l'écriture une négation du temps pour soi, un écartement définitif du temps des autres où on lit une syntaxe relativement impossible (parce qu'aporétique), mais dont l'aporie se résout en partie dans le temps de la publication et, simultanément, dans celui de la lecture. Par là, l'écrit retrouve une temporalité extérieure et rencontre un autre temps de vivre qui est celui de chaque lecteur.

4. *Les temps inscrits*. Si l'écriture annule le temps, l'existence – et notamment la souffrance – en produit à l'excès, d'où les différences de temps évoquées dans les textes. Dans *Se perdre*, les jeux avec le temps sont relativement simples. Le présent peut avoir une valeur performative (je dis quelque chose et cette chose aura lieu : « il va appeler ce soir, ou demain, et dire que c'est fini. Je suis tellement sûre à ce moment que c'est plausible que j'ai le cœur au bord de la gorge.[9] »). Mais à mesure que l'année passe, le temps prend une forme nouvelle, il est dilué par la douleur de l'éloignement, la certitude du départ de cet homme, la peur qu'il soit déjà parti. L'énoncé est toujours au présent, mais ce présent reconduit à un passé en amont et indique l'écriture en aval. Ce temps s'apprête à devenir non-temps. En lui s'imprime l'annulation temporelle opérée par l'écriture et qu'on peut lire dans *Passion simple* : « Je ne ressens naturellement aucune honte à noter ces choses, à cause du délai qui sépare le moment où elles s'écrivent, où je suis seule à les voir, de celui où elles seront lues par les gens et qui, j'ai l'impression, n'arrivera jamais. D'ici là, je peux avoir un accident, mourir, il peut survenir une guerre ou la révolution. […] (C'est donc par erreur qu'on assimile celui qui écrit sur sa vie à un exhibitionniste, puisque ce dernier n'a qu'un

---

[8] *Passion simple*, p. 33. Note de bas de page.
[9] *Se perdre*, p. 75.

désir, se montrer et être vu dans le même instant.)[10] » L'écriture opère bien une négation de la temporalité entre le temps d'écrire et le temps de lire, tous deux écartés de l'instantané de ce qui est écrit. Les textes inscrivent enfin la réversibilité : « Durant cette période, toutes mes pensées, tous mes actes étaient la répétition d'avant. Je voulais forcer le présent à redevenir du passé ouvert sur le bonheur.[11] » Déjouer les obligations de la succession est pouvoir dévolu à l'écriture, œuvre de l'écriture contre l'œuvre du temps.

5. *Les temps de l'écriture* : ils sont définitivement éloignés des temps de la vie. L'effet rétrospectif de l'écriture, la distance qu'elle implique, transforment le présent. Ceci est valable aussi pour l'écriture du jour : relisant ses cahiers dix ans après les avoir recouverts, Annie Ernaux y distingue une autre vérité qui est précisément celle du temps qui a passé. Le journal qui devient alors *Se perdre*, pris dans le réseau de l'ensemble de l'œuvre, trouve ainsi son sens et sa propre mémoire, ce qu'imprime moins l'écriture que le travail du temps lui-même. Dans les autres textes en revanche, et notamment dans *Passion simple*, la distance devient du passé. Elle s'écrit au passé composé et à l'imparfait. Et ce que révèle l'examen des temps de l'écriture, c'est finalement moins la négation du temps qu'une scansion différente, la mesure propre qu'en donne l'écriture. En témoignent deux passages de *Passion simple*, toujours, qu'ordonne cette autre syntaxe. Le premier est réversion : il manifeste l'illusion d'un pouvoir de l'écriture sur le temps de la vie. C'est l'imparfait de ce qui n'est pas fini et qui dure : « Pourtant, quand je me suis mise à écrire, c'était pour rester dans ce temps-là, où tout allait dans le même sens, du choix d'un film à celui d'un rouge à lèvres, vers quelqu'un. L'imparfait que j'ai employé spontanément dès les premières lignes est celui d'une durée que je voulais pas finie, celui de "en ce temps là la vie était plus belle", d'une répétition éternelle.[12] » Le second est dissociation, retour sur un présent qui n'inclut plus la vie mais le vécu : « Je passe de l'imparfait, ce qui était – mais jusqu'à quand ? – au présent – mais depuis quand ? – faute d'une meilleure solution. Car je ne peux rendre compte de l'exacte transformation de ma passion pour A., jour après jour, seulement m'arrêter sur des images, isoler des signes d'une réalité dont la date d'apparition – comme en histoire générale – n'est pas définissable avec certitude.[13] » Le temps s'est imposé du passage à la forme, de la sélection et du remodelage.

Les différents lieux de l'autobiographie peuvent ainsi être distingués selon l'articulation qu'ils font du temps de vivre et du temps d'écrire : le

---

[10] *Passion simple*, p. 42.

[11] *Ibid.*, p. 59-60.

[12] *Ibid.*, p. 61.

[13] *Ibid.*, p. 66, note de bas de page.

journal les confond quand l'autobiographie proprement dite les écarte. Aussi peut-on assumer de dire que le journal des années 1988-1989 n'est pas le même texte que *Se perdre* même si leur matière est la même. Vivre et écrire mettent en jeu des discordances et des concordances variables que cet examen d'une grammaire des temps a voulu mettre en évidence en distinguant les temps inscrits dans les textes et les temps de l'écrit. Ce jeu des temps fonde et explique l'instabilité générique de l'œuvre d'Annie Ernaux et son essentielle imperfection au sens positif de ce qui n'est jamais fini, de ce qui n'en finit jamais et peut se trouver à la base d'une poétique de la reprise. En quoi la contemporanéité joue-t-elle un rôle sur cette grammaire des temps ? À la syntaxe évoquée précédemment se superpose une autre syntaxe dans laquelle le temps de vivre du lecteur est étroitement enserré : celui-ci entre en coïncidence ou en simultanéité avec le temps de vivre de l'auteur qu'il ne peut pas ne pas prendre en compte. « Moi seule je peux éclairer ma vie, non les critiques[14] », mais cette vie est justement ce qui fonde pour nous l'instabilité de l'œuvre, le fait qu'on n'en connaisse pas encore les développements. Elle implique que le travail sur elle soit croisement de nos temps communs et que, puisqu'il est impossible de mettre dans nos études une vie qui ne soit pas la nôtre, et que la nôtre n'est pas non plus dans les textes de l'écrivain, il soit au croisement de deux solitudes.

---

[14] *Se perdre*, p. 79.

ENTRE VÉCU INSTANTANÉ ET REPRÉSENTATION DE SOI : ÉCRIRE « AU-DESSOUS DE LA LITTÉRATURE »

Catherine Douzou
Université de Lille III

L e lecteur d'Annie Ernaux ne peut remettre en cause la nécessité existentielle de son impulsion créatrice. L'écrivain, possédé par sa passion amoureuse, énonce dans *Se perdre* la douleur de ne plus écrire, qui renforce celle d'aimer en vain : « Autre douleur, je ne peux pas renoncer à *dire le monde,* et depuis deux ans, je ne fais rien. »[1] Cette pulsion de l'écriture ne s'arrête pas à « dire le monde » mais bien aussi, et d'abord, à *se dire* dans ce monde car « tant que les choses ne sont pas dites (ou écrites : en littérature, sans détours, ni allusion), elles n'existent pas. Après, elles n'en finissent plus d'être. »[2] Parmi toutes les exigences dont Annie Ernaux investit la littérature arrive en premier lieu celle de lui conférer un certificat d'existence, dont elle ne saurait se passer. « Le récit est un besoin d'exister »[3] dit-elle. Le vécu instantané aspire ainsi nécessairement à la représentation du moi. Mais cette notion même de représentation, et tout ce qu'elle implique pour l'auteur, comporte des rugosités qui créent une des tensions essentielles de son écriture. Fidèle à la modernité narrative du XXe siècle, Annie Ernaux ne cesse de questionner la nature même du réel et sa définition, et parallèlement de « soupçonner » langue et littérature, exposant sans cesse son « sentiment de la langue », inquiète de la genèse de celle-ci, de ses conditions d'existence, de ses modalités et finalités. En voici un exemple parmi tant d'autres : « Sans doute n'est-il pas nécessaire de noter tout cela, mais je ne peux commencer à écrire réellement sans tâcher de voir clair dans

---

[1] *Se perdre,* Gallimard, 2001, p. 184.
[2] *Ibid.,* p. 222.
[3] *La Vie extérieure,* Gallimard, 2000, p. 11.

les conditions de mon écriture. »[4] C'est ainsi que s'exprime très clairement chez elle une certaine « fuite » devant la littérature. Commentant son travail dans *Une Femme*, elle inscrit d'ailleurs son écriture dans un « entre-deux », révélateur de cette fuite, que nous tentons de préciser au cours du colloque d'Arras : « Ce que j'espère écrire de plus juste se situe sans doute à la jointure du familial et du social, du mythe et de l'histoire. Mon projet est de nature littéraire, puisqu'il s'agit de chercher une vérité sur ma mère qui ne peut être atteinte que par des mots. (C'est à dire que ni les photos, ni mes souvenirs, ni les témoignages de la famille ne peuvent me donner cette vérité.) Mais je souhaite rester, d'une certaine façon, au-dessous de la littérature. »[5]

Pour ma part, je souhaite explorer l'ambivalence de ce projet d'écriture, qui est littéraire, comme Annie Ernaux le rappelle[6], parce qu'il fait advenir une vérité dépendante d'une forme langagière unique, au risque même de l'insu de l'auteur, dans des processus inconscients, mais qui se veut aussi une fuite devant le littéraire[7]. Pourquoi la littérature d'Annie Ernaux ne peut-elle être qu'une littérature « quand même » ?

Fuir la littérature

L'œuvre d'Annie Ernaux est une remise en cause souvent explicite de la littérature, qui, selon elle, fournit une vision de la réalité bien éloignée de celle que vivent les lecteurs. Certes, l'auteur reconnaît la magie positive de certains modèles que la littérature propose à son public[8]. Ces représentations aident à vivre, à se transformer, à rêver, à faire de son existence un roman, et donc elles permettent d'échapper à l'ennui de vivre et de soi-même. « Voglio vivere una favola » dit-elle dans *Se perdre*[9], rappelant, toujours dans le même texte, qu'elle a voulu faire de cette passion « une œuvre d'art dans [sa] vie, ou plutôt [que] cette liaison est devenue passion parce que [elle l'a voulue] œuvre d'art (Michel Foucault : le souverain bien, c'est de faire de sa vie une

---

[4] *La Honte,* Gallimard, 1997, p. 40.

[5] *Une femme,* Gallimard, 1987, p. 23. *Une femme* dans une écriture où le projet se précise tout en donnant renaissance à la mère.

[6] Ce rappel revient fréquemment dans la plupart de ses ouvrages : « En fait, je passe beaucoup de temps à m'interroger sur l'ordre des choses à dire, le choix et l'agencement des mots, comme s'il existait un ordre idéal, seul capable de rendre une vérité concernant ma mère- mais je ne sais pas en quoi elle consiste – et rien d'autre ne compte pour moi, au moment où j'écris, que la découverte de cet ordre-là » (*Une femme, op. cit.,* p. 43-44) ; « L'ordre de la vérité ne peut être que dans l'écriture, non dans la vie. » (*Se perdre, op. cit.,* p. 44).

[7] Cette fuite dépasse le procès que fait une génération à la littérature.

[8] La littérature reste une clé pour comprendre la vie et s'en consoler, comme elle le montre en évoquant ses lectures de Proust ou de Racine (*Se perdre, op. cit.,* p. 264-265).

[9] *Ibid.,* p. 240.

œuvre d'art) »[10]. Mais, défiante devant cette fascination, Annie Ernaux insiste sur les écarts existant entre le fantasme qu'alimente la littérature et le réel. *Se perdre* décrit aussi la souffrance résultant du décalage entre l'imaginaire nourri par les scénarios littéraires du romanesque amoureux et la réalité de cet amour qui ne s'y plie pas : « Ce gouffre – entre l'imaginaire, le désir et le réel – est invivable »[11]. De façon plus particulière, l'écart entre le réel social du sujet et les modèles livresques qui lui sont proposés engendrent des malaises. Annie Ernaux se présente aussi comme l'anti-Emma Bovary, comme la jeune fille qui, dévorant *Autant en emporte le vent*, mesure la distance entre son milieu et la réalité sociale des classes supérieures, entre ses fantasmes issus de la littérature et le réel vécu.

La méfiance de l'auteur face à la littérature concerne aussi les mots, qui constituent son matériau. En effet, la littérature cherche « une vérité (…) par des mots »[12]. Or, ceux-ci renvoient à des modèles préexistants : autant de stéréotypes qui masquent le réel au lieu de le révéler et qui censurent l'expression personnelle. Dans *La Honte,* Annie Ernaux évoque des gens comme « possédés » par les clichés sociaux[13] parce qu'ils usent de mots tout faits et de pensées convenues, qui travestissent le réel au lieu de restituer la vérité de leur propre perception : « ça » parle à travers eux. Et cette aliénation langagière reflète celle d'un imaginaire formaté par le social, la publicité, et les publications populaires par exemple[14]. De même l'écrivain se heurte à des types de production littéraire qui peuvent avoir ce même effet de masque. Le langage et les modèles littéraires sont marqués par un système économique, une classe, des normes multiples, de telle sorte qu'ils sont incapables de dire certaines réalités sociales que vise justement à exprimer Annie Ernaux : celles de la sexualité féminine, de l'avortement par exemple. L'origine sociale de l'écrivain aiguise ce problème, puisqu'elle a le sentiment de ne pas pouvoir dire son passé populaire : d'une part, elle garde une « sensation de fraude » quand elle utilise un « mot savant pour la première fois »[15], et d'autre part, dans ce milieu, il n'y a pas de mots pour décrire les réalités qu'y vivent les gens mais il n'y en a pas davantage dans la littérature « bourgeoise ». Ce néant explique la solitude exprimée dans *La Honte,* car il est impossible à l'auteur de raconter la scène de la violence familiale du 15 juin 52 et par là même tout son passé puisque dire la vérité de celui-ci suppose qu'il retrouve ses cadres de pensée et de perception qu'il avait à l'époque[16] : « J'ai mis au jour les codes et les règles des cercles où j'étais

---

[10] *Ibid.,* p. 281.

[11] *Ibid.,* p. 99.

[12] *Une femme, op. cit.,* p. 22.

[13] *La Honte, op. cit.,* p. 67.

[14] Pendant son adolescence, le magazine populaire *Brigitte* l'influence par les modèles de vie qu'il propose. (*La Honte, op. cit.,* p. 112).

[15] *La Vie extérieure, op. cit.,* p. 21.

[16] « Il n'y a pas de vraie mémoire de soi », *La Honte, op. cit.,* p. 39.

enfermée. J'ai répertorié les langages qui me traversaient et constituaient ma perception de moi-même et du monde. Nulle part il n'y avait de place pour la scène du dimanche de juin. »[17]

Cette problématique essentielle du poids des modèles linguistiques et littéraires marqués par le social, rencontre aussi d'autres types de difficultés. Annie Ernaux se heurte à l'embarras de mettre en mots une réalité vécue, souvenirs ou vécu instantané, qui s'imprime en elle sous forme d'images, plus encore que de sensations auditives et olfactives. Les souvenirs de la liberté avant le mariage sont désignés dans *La Femme gelée* comme des images : « Des images de découverte et de liberté du temps d'avant, j'en ramasse comme je veux, ça ressemble à un film tourné en extérieur, des rues, des squares et des paysages de mer, ou dans des chambres »[18] ; ou encore « Toutes sortes d'images me traversent »[19]. De même, l'incipit de *La Honte* évoque la difficulté d'écrire les événements de la violence familiale parce qu'ils existent en elle sous forme d'« image sans mots ni phrases »[20].

Le soupçon d'Annie Ernaux envers les mots concerne aussi leur capacité redoutable à vivre en dehors d'elle, peut-être à la quitter, à la trahir : les mots peuvent produire des sens inattendus parfois considérés comme faux par l'auteur qui pourtant les a agencés afin de chercher une vérité. Annie Ernaux, éprise de maîtrise et de liberté, s'interroge dans *La Honte* sur la possibilité de substituer une vérité à une autre[21], à cause d'un récit qui peut « produire » une vérité au lieu de la chercher : « Naturellement pas de récit, qui produirait une réalité au lieu de la chercher ». Les mots et les formes littéraires ne sont pas les seuls à être soupçonnés de trahison, mais tous les mots, même ceux qui devraient servir le projet ethnologique[22], qui est précisément donné comme un antidote à la littérature (« pour fuir le littéraire d'une certaine façon »[23]), vivent eux-mêmes leur vie et échappent à l'auteur. L'inconscient se trouve particulièrement soupçonné dans ces déviations inattendues et indésirables de la langue : face à ces dangers, cet auteur qui corsète son écriture pour éviter la perte et démultiplication des sens, revendique la plus grande platitude scientifique.

La mouvance des significations véhiculées par le langage n'empêche pas la difficulté de celui-ci à rendre l'opacité d'un réel qui est vu par Annie Ernaux comme toujours changeant dans le temps et multiple selon les regards qui se posent sur un même objet. L'incendie dans le métro – raconté dans *La*

---

[17] *Ibid.*, p. 115.
[18] *La Femme gelée*, Gallimard, 1981, p. 111.
[19] *Ibid.*, p. 123.
[20] *La Honte, op. cit.*, p. 17.
[21] *Ibid.*, p. 40.
[22] *Ibid.*
[23] *Ibid.*

Vie extérieure[24] – lui permet d'exprimer à quel point le moi se modifie au fil du temps, voué en permanence à l'instant : elle ne se reconnaît pas dans la femme qu'elle a été au cours de l'incident. D'ailleurs, Annie Ernaux souligne sa différence avec Proust dans le fait qu'elle a conscience de sa fragmentation et de son historicité, alors que Proust garantit l'unicité du moi en se réunifiant grâce à l'extase mémorielle[25]. Dans *Se perdre,* elle expose ce sentiment des infinies possibilités d'interprétation du réel que l'écriture ne peut totaliser et elle imagine un journal avec plusieurs colonnes interprétatives pour prendre en compte les différentes exégèses successives, face à une première colonne consacrée aux faits : « Il faudrait deux colonnes à ce journal. L'une pour l'écriture immédiate, l'autre pour l'interprétation, quelques semaines après. Une large colonne, celle-ci, car je pourrais interpréter plusieurs fois. »[26]

L'expression de l'intime se heurte aussi pour Annie Ernaux, de façon cruciale, à la dimension communautaire de la langue. Même si son projet littéraire est de dire l'expérience des autres en écrivant sa propre vie, d'être le porte-parole de ceux qui n'ont pas accès à l'expression, l'écriture de l'intime reste une gageure. *La Honte* s'interroge sur cette dépossession et sur la banalisation d'un récit familial intime qui, passé dans le cadre du récit, devient « une scène pour les autres », un événement « banal », parce que *formaté* par un modèle social et littéraire fictionnel habituel, alors qu'il a bouleversé la vie de la petite fille. La littérature n'est certes pas la seule responsable de cette possibilité de dissolution du moi dans les généralités du langage. Devenir ethnologue de soi comporte le risque de se perdre. En décrivant dans *La Honte,* les villas du chemin parcouru pendant l'enfance, l'auteur s'interroge sur les capacités du langage à restituer, au-delà de la description objective qu'elle en fait, la douceur de ce qu'était ce parcours pour l'enfant, la vérité des souvenirs d'enfance[27].

Les gênes de l'auteur face au langage et à la littérature sont aussi de l'ordre de la trahison. La fiction, en particulier romanesque, qui peut être construction de soi, on l'a vu, constitue une tromperie dans la mesure où l'invention est vécue comme une fuite d'un milieu et de son imaginaire restreint ou médiocre. Dans *La Honte*[28], Annie Ernaux expose une scène où l'invention d'histoires que la petite fille se raconte est liée très tôt au fait de se construire un faux moi social (pour « épater » les copines d'école), ce qui revient à renier le milieu d'origine et les parents, pourtant aimants et dévoués, tout autant qu'à renier l'ancien moi, la fillette qu'on a été. Le romanesque, déjà associé à la notion de mensonge par ce qu'il est incapable de dire

---

[24] *La Vie extérieure, op. cit.,* p. 78-80.

[25] *La Honte, op. cit.,* p. 102.

[26] *Se perdre, op. cit.,* p. 109.

[27] *La Honte, op. cit.,* p. 51.

[28] *Ibid.,* p. 27.

vraiment le réel, devient trahison, forme même de l'exil et de la déchirure sociale, parfaite schizophrénie.

Le littéraire est d'autant plus une trahison que, comme Annie Ernaux le souligne dans *le Journal extérieur*[29], l'usage du beau langage savant est en soi un reniement des siens et d'une partie d'elle-même. Écrire bien, user de métaphore et autres légèretés de la langue équivaut à trahir la langue maternelle et symboliquement la mère et la famille[30].

La fiction est une manipulation parfois très intéressée et très condamnable du réel, selon un point de vue moral cher à Annie Ernaux. La représentation s'adresse à quelqu'un et ainsi fausse sa vérité. De façon plus générale, toute représentation, fictionnelle ou non, constitue une trahison en puissance, un maquillage ou une déviation du réel brut, de sa vérité. Annie Ernaux est très attentive dans son œuvre aux mises en scène du réel dont elle est le témoin : celle, sociale, des femmes blondes, chic et distinguées qui viennent à la librairie pour des signatures, celle, politique, de Jacques Chirac[31]. Elle critique une émission de télévision, un *reality show* sur l'inceste – qui sonne faux parce qu'on n'y atteint ni la vérité des gens ni celle des situations : c'est d'abord un spectacle où les gens rejouent leur vie devant les caméras[32]. Autre exemple : « Dans le métro, un garçon et une fille se parlent avec violence et se caressent, alternativement, comme s'il n'y avait personne autour d'eux. Mais c'est faux : de temps en temps ils regardent les voyageurs avec défi. Impression terrible. Je me dis que la littérature est cela pour moi. »[33]. Ainsi, si le littéraire, la publication de l'écrit en général semble favoriser la possibilité d'une réception effective de son œuvre, au-delà de la gêne qu'il y a à se confier à un intime, comme elle le fait en racontant la scène de juin 52 à des amants proches[34], toute représentation sonne faux, trahit le réel parce qu'elle « s'adresse » à quelqu'un en particulier. Or, Annie Ernaux refuse la mystique, l'idéalisation du littéraire qui donne tant de plaisir imaginaire pourtant ; elle lui préfère la vie. En commentant l'attentat à la galerie des Offices de Florence, elle refuse que l'art soit au-dessus des hommes, de leur vie, de leur matérialité : l'art est la chair de l'humain[35]. Il n'existe pas sans sa portée humaine. Le réel est même plus fort que l'art comme expérience : « La vie extérieure demande tout, la plupart des œuvres d'art, rien. »[36]

---

[29] *La Vie extérieure, op. cit.*, p. 21.

[30] *La Honte, op. cit.*, p. 74.

[31] *La Vie extérieure, op. cit.*, p. 64.

[32] *Ibid.*, p. 19.

[33] *Journal du dehors*, Gallimard, 1993, p. 91.

[34] *La Honte, op. cit.*, p. 18.

[35] « Les personnes tuées dans l'attentat semblent moins choquer le public que la destruction d'un tableau » (*La Vie extérieure, op. cit.*, p. 20).

[36] *Ibid.*, p. 144.

L'ambivalence d'Annie Ernaux face à la littérature concerne aussi sa dimension transgressive. Le désir même d'expression et plus encore de publication est déjà en lui-même un manquement aux lois d'un milieu présenté comme celui où l'on se tait. Pour exister, l'écriture d'Annie Ernaux doit transgresser les longues listes d'interdits que sa mère lui transmet dans ce que l'auteur appelle les lourdes, étouffantes et sclérosantes « tables de la loi », ces « règles à observer strictement »[37], liste de conduites à tenir ou à proscrire, de propos autorisés ou non, etc., dont on a de multiples exemples dans *La Honte*. L'épisode violent initiant *La Honte*[38] ne fait plus l'objet, dit l'auteur, de discussion entre les parents qui n'en reparlent plus devant elle et qui d'ailleurs, en tant que commerçants, ont appris très tôt à leur fille qu'il ne faut rien répéter de ce qu'elle voit ou entend dans l'épicerie. La censure qu'Annie Ernaux a intégrée, puisqu'elle ne parvient pas à écrire cet épisode bien après son déroulement, résulte en partie de cette *omerta* familiale, qui associe l'écriture de l'intime à une possibilité de châtiment. Écrire, s'écrire revient à transgresser la loi du silence posée par la mère, surtout, mais aussi à s'exposer et à exposer autrui. L'écriture est une indiscrétion comme le dit l'auteur dans les premières pages de *Se perdre*.

Parmi les interdits transmis par la mère, arrivent en première place ceux portant sur le sexe qui pourtant tient, de façon inversement proportionnelle, une place primordiale dans l'œuvre d'Annie Ernaux. La petite fille qui rougissait d'être prise en flagrant délit par son institutrice – elle a graphié un **m** en forme de sexe d'homme[39] – devient celle qui écrit *Passion simple* puis dans *Se perdre* : l'écriture y est alors présentée comme un creuset où l'écrivain explore le désir sexuel et la mort. L'écriture par ailleurs se heurte aux censures de l'inconscient car elle présente une dimension œdipienne certaine : *La Honte* revient sur deux photos dont l'une représente la petite fille qui fait couple avec le père et commence par une tentative de meurtre par le père sur la mère, sauvée par sa fille, à laquelle le père n'a « rien fait ». Ce fait vécu pourrait être décrypté comme un vrai fantasme, tout à fait intéressant d'un point de vue psychanalytique.

Une littérature au-delà du « littéraire »

Tout l'effort littéraire d'Annie Ernaux est alors précisément d'éviter la mise en œuvre d'une certaine conception de la littérature, pour la redéfinir et se l'approprier, ce qui, un peu paradoxalement, la pose plus que tout le reste comme un écrivain : n'est-il pas celui qui recrée la littérature après l'avoir détruite ? L'évolution chronologique de l'œuvre répond à la logique d'une écriture qui veut dépasser la fiction et le romanesque. Ainsi que Jacques et Eliane Lecarme le rappellent, à la fin des années 1970, « trois romans, écrits à la première personne, selon le modèle célinien du monologue intérieur

---

[37] *La Honte, op. cit.*, p. 79.
[38] *Ibid.*, p. 16.
[39] *Ibid.*, p. 95-96.

polyphonique, passèrent inaperçus, malgré la réussite de leur mise en voix :
Les Armoires vides, Ce qu'ils disent ou rien, La Femme gelée. » Suit une
trilogie autobiographique : *La Place, Une femme, Passion simple,* où « la
narratrice occupe progressivement le devant de la scène »[40]. L'auteur utilise
alors une forme d'écriture nouvelle par rapport au langage précédent, qui
s'apparente à un décapage littéraire. Annie Ernaux veut créer une littérature
qui gomme autant que possible la dimension de la représentation, si gênante
pour elle. Il s'agit bien de refuser de « mettre en scène » sa vie, son moi, les
siens, d'éviter tout spectacle, de ne pas transformer « la vie en roman »
comme le font les chansons, ainsi qu'elle le dit dans *La Vie extérieure*[41]. Le
phénomène sur lequel je me concentrerai concerne le fait que cet « au-
dessous du littéraire » passe beaucoup par la recherche d'une écriture du
fragment, par la brièveté qui accompagne ce passage d'Annie Ernaux à une
écriture non fictionnelle. On a déjà souligné à propos d'*Une femme* qu'« Une
nouvelle *voix* (fragmentaire, litotique, allusive) a été mise au point pour cet
autoportrait éclaté et décalé »[42]. On a aussi relevé pour *Passion simple* un
véritable amenuisement du texte : « Pourvu d'autant de blancs que de lignes,
évoquant l'attente, la perte, la réparation, il pratique un appauvrissement
systématique de la rhétorique, d'où procède sa richesse en vérité. »[43] Cette
tension entre le bref du vécu simultané et la représentation construite de soi,
élaborée dans la longueur fait bien l'objet d'une réflexion d'Annie Ernaux.
Elle s'en explique   dans *Journal du dehors,*   lorsqu'elle réfléchit sur la
représentation des faits divers :

> Je m'aperçois qu'il y a deux démarches possibles face aux faits réels.
> Ou bien les relater avec précision, dans leur brutalité, leur caractère
> instantané, hors de tout récit, ou les mettre de côté pour les faire
> (éventuellement) « servir », entrer dans un ensemble (roman par
> exemple). Les fragments, comme ceux que j'écris ici, me laissent
> insatisfaite. J'ai besoin d'être engagée dans un travail long et construit
> (non soumis au hasard des jours et des rencontres). Cependant, j'ai
> aussi besoin de transcrire les scènes du R.E.R., les gestes et les paroles
> des gens *pour eux-mêmes,* sans qu'ils servent à quoi que ce soit.[44]

L'effort le plus abouti d'Annie Ernaux pour échapper à l'effet négatif de
la représentation semble être l'écriture fragmentaire telle qu'elle la met en
œuvre dans des récits adoptant la forme du journal, bon compromis entre le
désir d'être engagé dans un travail long et son souci d'être au plus près du

---

[40] Jacques Lecarme, Eliane Lecarme-Tabone, *L'Autobiographie,* Armand Colin, 1997,
p. 286.
[41] *La Vie extérieure, op. cit.,* p. 24.
[42] *L'Autobiographie, op. cit.,* p. 287.
[43] *Ibid.*
[44] *Journal du dehors, op. cit.,* p. 85.

réel brut. L'écriture, adoptant presque un régime de simultanéité avec les événements consignés, se calque sur le rythme et la forme de celui de l'agenda et du journal : on écrit avec liberté, au jour le jour, sans souci d'une construction d'ensemble et, ainsi que le remarque Annie Ernaux dans *Se perdre,* elle est sans fin, elle ne tend pas vers une conclusion comme un roman, un récit construit, inventé, pensé[45]. L'arrêt du texte est une rupture de l'écriture plutôt qu'une conclusion. L'écrit surgissant de la pression de la vie même y apparaît alors comme un double presque identique, un fidèle miroir du réel dont elle émane si vite, au lieu d'être médiatisé par des modèles littéraires. Annie Ernaux utilise d'ailleurs cette forme d'écriture pour un récit au passé, *L'Evénement,* qui repose lui aussi sur un récit fragmenté et linéaire. L'écriture se veut polaroid, le livre recueil d'images prises sur le vif.

Les fragments du journal ou des récits conçus comme des journaux s'organisent autour d'une succession de faits bruts. Dans *La Vie extérieure,* elle intègre au texte des bribes de l'actualité, publiées dans des journaux quotidiens, tels les gens morts de froid[46] (même si cela a déjà été fait et que cela est devenu un stéréotype de la fiction moderne). Elle prend des éléments sortant tels quels de la réalité brute, quotidienne, dans une tentative d'évacuer tout modèle même littéraire, pour coller à l'objet. Ainsi elle retranscrit les bribes d'une conversation entendue dans un café, produisant un écrit sans apprêts sensibles, qui se rapproche de la parole[47]. Donnant l'impression d'écrire un fait brut, elle use souvent de l'écriture de la liste, véritable « degré zéro » de la représentation, déniant là encore toute référence à un modèle de construction sophistiquée. Elle privilégie des fractions de récit pur, qui ne sont pas analysées ni interprétées et à peine glosées parfois, tel les récits de rêves dans *Se perdre* qui se multiplient, de plus en plus même avec la montée de la passion et de sa douleur. Mais elle n'ébauche, parfois, que de très brèves explications, d'ailleurs le plus souvent absentes, dans un refus de toutes formes d'analyse[48]. Les remarques d'Ernaux sur ce qu'elle a vu et entendu restent laconiques[49]. Ce faisant, elle satisfait à l'expression d'un réel dont on a vu qu'il s'imprimait en elle sous forme d'images. Or l'addition de faits bruts restitue ces images, de simples flashes parfois, qu'elle porte en elle. L'écriture ne semble-t-elle pas surgir de la contemplation de photo comme dans *La Honte* selon un mouvement proche de celui de Modiano ? De même, cette juxtaposition de faits bruts réalise le début de son fantasme d'un journal composé de plusieurs colonnes dont la première serait réservée aux faits et les autres aux différentes interprétations qui prolifèrent devant un réel

[45] *Se perdre, op. cit.,* p. 273.

[46] *La Vie extérieure, op. cit.,* p. 38-39.

[47] *La Honte, op. cit.,* p. 66.

[48] Voir, parmi d'autres exemples, p. 238.

[49] Voir ses remarques sur les étudiants faisant leurs courses à Auchan (*La Vie extérieure, op. cit.,* p. 11).

toujours impossible à réduire[50]. Annie Ernaux fantasme une écriture « enregistreuse » des faits seuls, bien plus aptes selon elle à jouer une fonction mémorielle que la transcription des états d'âme.[51] De façon idéale, les blancs entre les fragments restent à écrire et à réécrire perpétuellement.

La récusation du littéraire passe aussi par le refus de la fiction et des façons détournées de raconter le moi. Annie Ernaux biaise avec la forme du journal intime, refusant d'en faire une mise en scène rendue au romanesque, à la fiction, du fait d'une représentation égotiste de soi où le moi redevient un personnage littéraire, fantasmé au moins par l'auteur qui s'affiche avec complaisance. On pense bien sûr aux modèles de Stendhal-Beyle, et plus proche de nous, du dandy Guibert. En général Annie Ernaux évite la théâtralisation des faits et d'elle-même. Souvent, c'est le plus évident dans les journaux qu'elle publie, elle gomme la dimension personnelle de la représentation, en mêlant au récit de sa vie comme aux scènes vues qu'elle observe des bribes d'actualité qui concernent la collectivité. On voit là l'indice d'une désubjectivisation du texte : l'auteur veut en faire un témoignage personnel tout en tendant vers l'impersonnel, l'universel, ce qui donne un statut général à cette confession de soi. Le fragment de récit apporte une contribution au « roman collectif »[52] comme elle l'écrit dans *La Honte*, ce qui a l'avantage de faire vrai, de garantir le statut moral et authentique du récit, de leur conférer une dimension ethnologique et aussi de sortir le sujet de la solitude. Il pose l'individu dans une perspective universelle où il rejoint les autres hommes. Mais les blancs restent la respiration intime du sujet, grâce aux fragments qui peuvent se recomposer, s'associer librement à la lecture, pour dire le sujet.

Le rejet de la représentation passe par un refus de ce qui peut être rattaché à un modèle littéraire, y compris l'expression. De fait, Lecarme parle d'une « ascèse des moyens »[53] pour *Passion simple*. Annie Ernaux évite les « effets littéraires » reposant sur un grand style, travaillé par des tropes conscients, indices du littéraire, en particulier les métaphores et les métonymies. Elle refuse de donner l'impression d'une écriture retravaillée : son style est la pure transcription du réel, un décalque : « J'écris au passé composé parce qu'on parle au passé composé »[54]. Elle façonne son écriture pour lui donner cette tonalité blanche dont parlait Barthes dans *Le Degré zéro de l'écriture* à propos du style de *L'étranger* de Camus[55], autrement dit une façon d'écrire

---

[50] *Ibid.*, p. 109.

[51] Elle regrette de n'avoir pas consigné des faits dans son journal de jeune fille plutôt que des états d'âme : ils aident mieux à se souvenir et à dire la vérité (*La Vie extérieure, op. cit.*, p. 99).

[52] *La Honte, op. cit.*, p. 66.

[53] *L'Autobiographie, op. cit.*, p. 287.

[54] *Se perdre, op. cit.*, p. 313.

[55] R. Barthes, « L'Ecriture et le silence », *Le Degré zéro de l'écriture*, Points, 1972, p. 54-57.

au dehors du littéraire comme s'il ne s'agissait que de simples constats d'un sujet devant le monde, dans une écriture désaffectée. Or le projet d'Annie Ernaux est bien comme elle le dit dans *La Honte* de « fuir le littéraire d'une certaine façon ». Ce style « non littéraire » doit ressembler à la langue que l'écrivain utilisait pour écrire aux siens : « Aucune poésie du souvenir, pas de dérision jubilante. L'écriture plate me vient naturellement, celle-là même que j'utilisais en écrivant autrefois à mes parents pour leur dire les nouvelles essentielles. »[56] Une étude stylistique plus poussée montrerait la prédominance du vocabulaire simple, d'une parataxe proche du décousu, expression même de cette écriture « plate ».

D'une certaine façon, Annie Ernaux pervertit le littéraire en renversant le statut des textes : les carnets de notes réécrits par elle ont davantage un air d'avant-texte que de textes achevés. Le texte dit « fini » n'existe même pas : on lui substitue « le récit de sa genèse »[57], le brouillon, ce qui se cache normalement, ce qui est au-dessous du littéraire mais qui devient le littéraire et qui dans un même mouvement honore le texte « producteur », le texte « parent », celui qui engendre le beau produit fini potentiel : ne retrouve-t-on pas là aussi une revendication sociale et une réparation symbolique, un hommage rendu par l'auteur à ses parents dans la promotion de ce pseudo débraillé littéraire qui supplante la belle littérature savante ?

En conclusion, la littérature « au-dessous » de la littérature est bien une entreprise de désaliénation. Le fragment dans sa volontaire platitude élabore une écriture de la marge, qui contrevient à des normes socialement consacrées. Mais aussi il transgresse les interdits des « tables de la loi » familiales. L'écrivain peut dire le moi, le monde, le désir, les siens, par l'union libre des fragments et des blancs qui déjouent les censures conscientes et inconscientes, grâce à l'effort constant pour s'en tenir aux faits bruts, non élaborés dans un cadre d'ensemble contraignant et parfait, littéralement « fini ».

---

[56] *La Place*, Gallimard, 1984 ; rééd. « Folio », 1986, p. 24.
[57] *L'Autobiographie*, *op. cit.*, p. 287.

ETHNOLOGIE DE SOI-MÊME OU POSTUNANIMISME ? LE CAS ANNIE ERNAUX

Jerzy Lis
Université de Poznań

A l'origine des propos qui vont suivre il y a un étonnement et un doute liés au passage bien connu d'*Une femme* où Annie Ernaux exprime le double désir : celui de n'écrire ni biographie ni roman, mais quelque chose entre la littérature, la sociologie et l'histoire[1]. Ma curiosité allait grandissant à la suite de la lecture d'une interview où l'écrivain définissait ainsi son projet : « Je ne veux pas faire du roman, traditionnel ou nouveau, mais comme cela m'est apparu avec plus de clarté dans un dernier livre "quelque chose entre l'histoire, la sociologie et la littérature". J'ajouterais peut-être, maintenant, "la poésie". Ce que j'ai toujours plus ou moins demandé à la littérature, c'est qu'elle m'explique la vie, qu'elle donne un sens, plein de sens, différents...[2] ».

Le défi formulé et lancé par l'écrivain m'a fait alors penser à un autre projet, très original d'ailleurs, que voulait réaliser Lucien Bercail, personnage secondaire des *Faux-Monnayeurs* d'André Gide. Lucien avait l'intention de raconter dans son livre l'histoire d'un endroit et non point celle d'un personnage : « raconter ce qui s'y passe – depuis le matin jusqu'au soir »[3]. Il y aurait d'abord la description des travaux avant l'ouverture du jardin, les gestes des ouvriers, ensuite l'entrée des nourrices et des enfants, la sortie des

---

[1] Annie Ernaux, *Une femme*, éd. Gallimard, coll. Folio, Paris, 1999, p. 106.

[2] *La Quinzaine littéraire*, n° 532, mai 1989. Le texte de cette interview a été par la suite publié à la fin du livre de Claire-Lise Tondeur, *Annie Ernaux ou l'exil intérieur*, éd. Rodopi, Amsterdam-Atlanta, 1996, p. 171. Le concept « poésie » a également attiré l'attention des auteurs d'une étude intitulée *Annie Ernaux ou la conquête de la monodie*; cf. Claude Prévost, Jean-Claude Lebrun, *Nouveaux territoires romanesques*, éd. Messidor/Éditions sociales, Paris, 1990, p. 51-66.

[3] André Gide, *Les Faux-Monnayeurs*, éd. Gallimard, coll. Livre de poche, Paris, 1961, p. 13-14.

classes et la sortie des ouvrières. Les arrêts sur image continuent : arrivent des pauvres, des jeunes gens qui se cherchent, des amoureux qui s'embrassent, d'autres qui s'isolent, la foule qui sort des magasins et un vieux couple qui se promène le soir avant la fermeture des grilles. La sortie de tous avant la tombée de la nuit donnerait, selon Lucien, l'impression de la fin de tout, de la mort. Dans une espèce d'épilogue, l'expérimentateur en littérature voudrait montrer le même jardin la nuit « dans le grand silence, l'exaltation de tous les bruits naturels : le bruit de la fontaine, du vent dans les feuilles, et le chant d'un oiseau de nuit » (p. 14). Lucien envisageait donc l'écriture d'un roman unanimiste où la réalité quotidienne donnerait lieu à une série d'émotions capables de décrire ce qui est indicible et caché dans notre relation au monde. Saisir différentes images et pousser à l'extrême leur objectivation aurait pour résultat une relation neutre et à la fois très évocatrice des sensations du scripteur. Aux dires de son interlocuteur, Olivier Molinier, le roman, en cas de réussite, devrait être épatant.

Pour si surprenant que cela paraisse, le projet de Lucien fait appel à la stricte observation sociologique et aux sensations qui en relèvent. La description d'une réalité banale saisie sur le vif lui permettrait de vivre les choses intérieurement à la manière d'une émotion poétique, issue elle-même d'une tension entre l'individuel et le collectif, l'intime et l'extime, le subjectif et l'objectif. Gide a placé cette séquence au début de son roman, ce qui laisse entendre qu'il attachait une grande importance à une certaine perception de la réalité, celle qui caractérise les unanimistes, et Jules Romains en particulier. Le recueil *La Vie unanime* (1908) a été applaudi par André Gide, qui y voyait une forte harmonie de l'individu avec la ville et en même temps une parfaite résorption de l'individualité dans la foule agissante. Dans un article consacré à ce recueil, Gide a attribué une « émotion singulière » du poète à « la palpitante conscience d'une sorte d'homogène pluralité »[4].

Les références à la poésie unanimiste ne sont pas fortuites, car c'est justement celle-ci, plus profonde et plus riche que, par exemple, la poésie sociale du début du siècle, qui a su exprimer de façon claire et convaincante les effets de la collusion entre l'individu et le réel. Le rapprochement de l'oeuvre d'Annie Ernaux avec l'expérience des unanimistes est possible à condition, bien entendu, de rejeter l'idéalisme propre aux poètes de l'Abbaye, encore que l'auteur de *La Honte* ne soit pas entièrement libre de tentatives idéalisatrices lorsqu'elle procède à des va-et-vient entre le milieu d'origine et le milieu d'adoption. Au premier abord, les affinités concernent le dynamisme des groupes sociaux, montrés dans leur évolution dialectique. Dans le cas d'A. Ernaux, l'accumulation des images de la rue, des témoignages saisis dans le train et des citations mémorisées, fait office d'une effusion. Telle ou

---

[4] Le texte de cette critique a paru dans le n° 1 (février 1909) de *La Nouvelle Revue Française*.

autre phrase ou expression tirée du langage patois ne demande aucune explication supplémentaire ni développement, car, grâce à son pouvoir d'évocation lyrique et son emplacement dans le discours, elle métaphorise dans l'immédiat l'univers en question. Les expressions imagées qui parsèment les textes de l'écrivain ont en principe une fonction illustrative ou expressive qui caractérise la « poésie immédiate ». Si je reprends après Jules Romains cette notion, comprise comme l'expression directe et sans maquillage de notre perception de la réalité, c'est parce que l'enregistrement des bribes de conversation, outre leur valeur ethnologique, est une source naturelle des sensations et des émotions, mais aussi une amorce des idées. La pratique de la poésie immédiate a, selon M. Décaudin, permis à Romains d'obtenir un mouvement proche de celui de la prose, et d'échapper à l'impressionnisme par « un solide schéma intellectuel »[5].

La même rigueur, quoique dans le sens inverse, protège Ernaux des effets indésirables. Toutes les émotions sont filtrées par le raisonnement intellectuel, qui fait que les moments d'emportement passionnel sont extrêmement rares. Cependant, à l'instar des unanimistes, l'auteure de *La Vie extérieure* refuse d'interposer l'écran de la raison abstraite entre elle-même et la vie[6]. Cela est d'autant plus important que la réalité extérieure (objective) alterne sans cesse avec la subjectivité du vécu. Le caractère immédiat des expériences ne fait que renforcer l'impact des émotions. Bien que la démarche scripturale d'Ernaux ne donne aucun indice pertinent sur la poétisation de la réalité, on a droit de supposer qu'elle s'effectue par la rétroaction réciproque de l'individuel sur le collectif. Dans le mouvement dialectique des classes sociales, ou plus généralement de la vie sociale, la conscience de soi-même n'est prise qu'au contact de la réalité dans laquelle l'homme fonctionne et se fond. Les textes d'Annie Ernaux sont là pour témoigner comment la grande ville a modifié l'existence de l'individu. Le changement de mode de vie a entraîné celui dans la façon de voir et d'éprouver le monde : « C'est donc au dehors, dans les passagers du métro ou du R.E.R. [...] qu'est déposée mon existence passée. Dans des individus anonymes qui ne soupçonnent pas qu'ils deviennent une part de mon histoire, dans des visages, des corps, que je ne revois jamais. Sans doute suis-je moi-même, dans la foule des rues et des magasins, porteuse de la vie des autres »[7].

Les unanimistes peuvent être considérés commes des transfuges et ethnologues spontanés en train de transgresser volontairement la séparation entre dominants et dominés. S'identifier avec l'extérieur et se fondre dans

---

[5] Cf. Michel Décaudin, *XXe siècle français. Les Temps modernes*, éd. Seghers, Paris, 1964, p. 40.

[6] Cf. l'interview avec Jules Romains dans *Le Figaro* du 8 mars 1911, citée par Michel Décaudin, *La Crise des valeurs symbolistes. Vingt ans de poésie française, 1895-1914*, éd. Privat, Toulouse, 1960, p. 450.

[7] Annie Ernaux, *Journal du dehors*, coll. Folio, éd. Gallimard, Paris, 1995, p. 106-107.

une foule sont deux formes élémentaires de la compassion envers les démunis et les malhereux du monde dont ils font partie. Le sujet lyrique de Romains n'est jamais insensible à la misère des gens simples et abandonnés. Annie Ernaux se réfère souvent à ce type de sensibilité qui relève de la solidarité avec les pauvres. Or, dans les deux cas, la sensation poétique naît d'une association des états ou situations éloignés ou opposées. L'échec social peut être à l'origine d'une sensation à condition qu'il soit confronté à une réussite de l'autre et inversement. Et il ne s'agit pas ici de la culpabilité irrationnelle fréquente chez les dominants, mais d'une forme de sublimation des conflits intérieurs dus aux écarts entre classes sociales. L'histoire anecdotique de la Sœur Sourire qu'elle décrit dans *L'Evénement*[8] et en général les images de l'aliénation transpersonnelle, qu'on trouve dans tous les textes de l'écrivain, expliquent bien le pouvoir évocateur de la déréliction, perçue en tant que moyen d'arriver à l'essentiel. Jules Romains commençait par *humer* et *palper la foule* avant de l'amener vers son cœur, alors qu'Ernaux a besoin de « [se] mesurer aux formes extrêmes de la déréliction, comme s'il y avait une vérité qu'on ne puisse connaître qu'à ce prix » (*La Vie extérieure*, p. 125).

C'est aussi par la voie de la déréliction que l'écrivain arrive à suspendre la perspective temporelle. Le présent objectif, effet de l'observation du monde, et le passé subjectif, lié aux épreuves du passé, sont vécus au niveau où s'effacent les différences entre la perception et la sensation. Par ce biais, semble-t-il, l'écrivain pénètre au plus profond de l'émotion poétique qui n'a rien à voir avec une simple transcription de la couche colorée du temps et de l'espace, fréquente chez certains poètes du courant social dont Émile Verhaeren. Il est à remarquer que le desserrement temporel auquel procède Ernaux n'est jamais complet, même si aller jusqu'au bout, son attitude préférée, l'autorise à abolir la distance entre le passé et le présent. Sa préférence va surtout vers ce qu'elle appelle *l'interminable lenteur du temps* (*L'Evénement*, p. 48), qui lui permet de saisir une existence humaine dans sa totalité en dissolvant sa propre expérience dans la vie des autres. Or, en rendant compte des faits et des événements, l'écrivain procède à une totalisation discrète et non moins intime du monde, laquelle, du point de vue de la technique utilisée, est proche de la pratique des unanimistes. A l'échelle temporelle, les consciences particulières doivent être transcendées par les expériences de l'individu : « S'asseoir sur le bitume du métro, baisser la tête et tendre la main. Entendre les pas, voir passer les jambes, celles qui ralentissent, l'espérance » (*La Vie extérieure*, p. 124-125).

L'unanimisme, comme on le sait, était un art du présent et de la simultanéité[9]. Du point de vue sociologique, un peu à l'encontre du poète, le

---

[8] Annie Ernaux, *L'Evénement*, coll. Folio, éd. Gallimard, Paris, 2001, p. 42.
[9] Cf. Michel Décaudin, préface à Jules Romains, *La Vie unanime*, coll. Poésie/ Gallimard, Paris, 1983, p. 20.

« je » poétique chancelle entre les arrêts sur image, les instantanés saisis sur le vif et leurs figurations autoréférentielles qui renvoient au temps révolu. Malgré le caractère absolu du passé, lequel sert bien entendu de principe structurant les textes[10], Annie Ernaux crée l'atmosphère d'une tension entre la co-présence à la réalité quotidienne et la conscience de son passé de jeune fille. Dans une certaine mesure, la sensation poétique désigne l'aboutissement de ses tentatives pour comprendre ce qui se joue entre ces deux états. Il va de soi que la formule employée à cette occasion, « aller à l'abstraction à force de concret », désigne la généralisation du cas particulier. On trouve dans *L'Occupation* une très belle explication de la transformation des désirs et des actes en une quintessence de la poésie : « Je m'efforce seulement de décrire l'imaginaire et les comportements de cette jalousie dont j'ai été le siège, de transformer l'individuel et l'intime en une substance sensible et intelligible que des inconnus, immatériels au moment où j'écris, s'approprieront peut-être »[11].

Est-ce que le « je » traversé d'expériences collectives pourrait devenir une somme des connaissances objectives sur la société ? Le projet unanimiste de Lucien Bercail dont il était question au début consistait à renoncer à un point de vue d'un personnage, c'est-à-dire à échapper à la vision qui ne tient compte que des opinions subjectives. L'expérience des unanimistes a bien montré que le véritable enjeu réside dans la tentative d'objectiver le subjectif. Au départ il y a donc une nécessité de construire un système permettant la généralisation du problème. Pourtant, cette attitude quasi scientifique cède au fur et à mesure que l'impulsion émotionnelle devient dominante. Cela me ramène à m'interroger sur le caractère de l'investigation d'Annie Ernaux annoncée dès 1984 comme la volonté de travailler en ethnologue. Le choix de cette perspective résulte du fait qu'il s'agit de révéler les mécanismes à caractère social à partir d'expériences personnelles[12]. L'individuel et l'autobiographique y sont bien entendu omniprésents, mais leur rôle est restreint à une exemplification, à une illustration des phénomènes sociologiques plutôt qu'à la présentation systématique de l'évolution de sa personnalité.

Annie Ernaux se prend pour objet direct de ses recherches, mais aussi en tant que moyen de connaître le monde qui l'entoure, car c'est l'extérieur, le monde des hommes et des choses qui constitue l'ossature de ses références. C'est dans ce sens-là que le scripteur échappe au démon autobiographique. Cependant, lus dans l'optique de l'écriture de ce type, ses textes tendent vers une sorte d'objectivation du parcours personnel dont la finalité consiste à

---

[10] Cf. Claire-Lise Tondeur, *Annie Ernaux ou l'exil intérieur*, op. cit., p. 141.

[11] Annie Ernaux, *L'Occupation*, éd. Gallimard, Paris, 2002, p. 45.

[12] Cf. Claude Prévost, Jean-Claude Lebrun, *Annie Ernaux ou la conquête de la monodie*, étude déjà citée, p. 51-52.

résoudre les conflits liés au passage d'un milieu à un autre[13]. Pour que l'individu puisse se définir à ses propres yeux et aux yeux des autres, la connaissance de soi-même ne peut pas devenir une fin en soi[14]. En observant attentivement des rapports et des mécanismes sociaux, ou encore des règles de la vie sociale, il lui est possible de discerner une certaine logique dans les itinéraires sociaux de l'individu. Consciente des mondes et des cultures différentes au sein de la même société, Annie Ernaux met en relief un écart entre ce qu'elle fut elle-même autrefois et ce qu'elle est devenue en tant que transfuge. L'objectivation ne serait certainement pas possible si elle n'envisageait pas son oeuvre comme un dialogue social entre deux femmes, celle qui représente un cas particulier du parcours social et celle qui en connaît les mécanismes. Ainsi les expériences de la jeune fille peuvent-elles passer à travers un filtre sociologique qui épure l'analyse d'éléments considérés comme inutiles pour la généralisation du problème[15]. D'ailleurs, en tant que transfuge, écrivain et ethnologue de soi-même à la fois, elle manipule avec adresse les outils élémentaires de la recherche ethnologique, dont l'observation participante. Elle suit aussi, presque à la lettre, les étapes de cette recherche qui vont de l'examen, via la description et l'interprétation, jusqu'à la construction d'un système où l'auteur est impliqué, voire engagé personnellement. Bien que cet engagement s'inscrive parfaitement au sein des exigences méthodologiques de la matière, il est surtout d'ordre littéraire et rappelle la pratique spontanée et intuitive de Michel Leiris, depuis les unanimistes le premier à mettre en oeuvre ce type d'approche[16].

Dans *La Vie unanime*, le « je » lyrique transgressait les limites des groupes sociaux et prenait conscience du passage d'un milieu à un autre. Ainsi s'engageait-il dans la recherche à la fois ethnologique et littéraire. Bien des morceaux de Jules Romains enregistrent le travail d'un observateur assidu qui fait la chasse aux événements, les recense et ne cesse de les interpréter en vue d'obtenir comme finalité un condensé de sensations. Annie Ernaux agit de façon plus ponctuelle : elle essaie de cerner le moi par le biais de l'Autre qui échappe. Certes, l'évaluation est une forme de prise de conscience non seulement des ressemblances entre le moi et l'objet de l'observation, mais aussi des différences qui déterminent le résultat de

---

[13] Cf. Gérard Mauger, « Les Autobiographies littéraires. Objets et outils de recherche sur les milieux populaires », dans *La Biographie. Usages scientifiques et sociaux*, n° 27 de la revue *Politix*, 3e trimestre 1994, p. 32-44.

[14] Cf. Richard Sennett, *Les Tyrannies de l'intimité*, traduit de l'américain par Antoine Berman et Rebecca Folkman, éd. Seuil, Paris, 1979, p. 12 et suivantes.

[15] Cf. Daniel Bertaux, *Les Récits de vie. Perspective ethnosociologique*, éd. Nathan, coll. 128, Paris, 1997, p. 11 et suivantes.

[16] Cf. Alain-Michel Boyer, « Littérature et ethnologie », *Revue de littérature comparée*, n° 298, avril-juin 2001, p. 295-301. L'auteur signale aussi le nom de Michel Leiris qui ne fait pas, chose connue, de distinction entre son travail d'autobiographe et l'analyse ethnologique.

l'analyse. Ayant pour base l'effarement du temps, son entreprise d'écrivain-ethnologue va vers l'abolition de la distance qui la sépare d'autrui. Il est significatif que dans la recherche qui, malgré la maîtrise du dispositif méthodologique, hésite entre l'ethnologie et la littérature, l'objectivité est pratiquement impossible à atteindre[17]. De même pour la mise en pratique du discours neutre, rectifié incessamment par toutes sortes de tensions entre le « je » et l'autre, secoués tous les deux par le dynamisme de la réalité. Subordonné à la dialectique des affects le « je » ne peut se décrire que par la transcendance des scènes originaires et quotidiennes. C'est aussi la raison pour laquelle pour pouvoir s'objectiver, le « je » vacillant s'identifie à l'Autre. Ce type d'épreuve de soi où l'on devient réceptacle d'autrui n'est pas étranger au discours ethnologique.

Chez Annie Ernaux, la fixation de l'image de soi et de l'autre est fortement liée au caractère affectif des relations avec les gens. Se mettre à la place de l'Autre, tenter de le comprendre, transcrire ses propos désignent cette forme d'identification par engagement total. Il n'y a donc ni indifférence ni passivité, mais avidité de contact et état d'émotion quasi permanent, bref le désir de l'Autre. L'écrivain recourt volontiers à cette espèce d'hypotypose qui s'appuie sur l'appareillage conversationnel. Même si l'imaginaire ernausien est principalement de type visuel, il trouve matière à inspiration dans les amorces de conversation et d'échange comme si le caractère conflictuel de différentes réalités résultait de la confrontation dialogique. Or, pour les unanimistes, on s'en souvient, la source des émotions résidait dans le parcours identitaire appuyé solidement sur l'échange entre le « je » et la foule. Pour Annie Ernaux, à l'origine de la tension émotionnelle il y a la confrontation entre le monde actuel et le monde d'autrefois analysée comme le dialogue entre le privé et le social ce qui explique pourquoi nous avons constamment affaire à une sorte d'hésitation de sa part entre l'ethnologique et le littéraire.

Cependant, on ne peut parler de fétichisation de l'acte d'écrire, car dans son désir d'objectiver la réalité, donc des lois qui la régissent, Ernaux fait un effort pour suivre de manière raisonnée la dialectique complexe des facteurs objectifs et des facteurs subjectifs. En subordonnant son discours à une tension entre le « je » et l'autre, la réalité relatée est fonction non seulement de l'idée qu'elle se fait des mécanisemes sociaux, mais aussi de la représentation qui en résulte. Il serait alors question de la conscience forcément subjective qui se heurte à des notions d'objectivité dite scientifique. Or, selon Bourdieu, du moment où un fait, en l'occurence un rite, est raconté, son sens n'est plus le même : « on passe d'une praxis

---

[17] *Ibid.*

mimétique (...) à un rapport philologique : les rites deviennent des textes qu'il faut déchiffrer »[18].

L'imbrication du littéraire et de l'ethnologique a encore d'autres conséquences : la réalité quotidienne en tant qu'ensemble d'activités banales et nécessaires soutient l'observateur dans une illusion telle que seules l'expérience individuelle et la sensibilité peuvent en traduire le sens[19]. Ainsi est-il extrêmement difficile de démasquer la réalité et la décrire indépendamment des émotions qui relèvent de l'engagement de l'écrivain. C'est là que Pierre Bourdieu voyait la différence entre le poète et le philosophe. Le poète, selon le sociologue, en faisant corps avec lui-même, ne sait pas exactement ce qu'il fait parce qu'il ne peut ni objectiver, ni s'objectiver[20]. Cela nous conduirait à constater que, du moment où le discours scientifique (ethnologique) est mêlé au discours littéraire, toute objectivation ne peut être qu'apparente ou illusoire. Comme on le sait, dans son approche ethnologique, Annie Ernaux se tourne vers son langage d'autrefois qu'elle revit de manière valorisante. Différents registres de langue, des mots patois, des expressions qualifiées de familières qui constituent l'essentiel du savoir de l'homme simple sont consciencieusement notés par l'ethnologue. Confronté aux propos saisis dans la rue ou dans le métro, le langage d'enfance dont la précision et la brièveté renvoient à l'oralité dans sa forme poétique la plus pure, est vécu comme une série de sensations violentes, évocatrices elles-mêmes des expériences traumatisantes, donc de la réalité subjective.

En tant que transfuge parfaitement consciente de son parcours, Ernaux construit les images grâce aux mots et expressions qui résonnent à l'intérieur d'elle-même depuis son enfance. Au fond, des fragments de conversations, des propos retenus dans la mémoire et liés à des circonstances précises donnent cette sensation de saisissement sans lequel l'écriture n'aurait pas de sens. On trouve dans *L'Evénement* un passage qui décrit le mode poétique selon lequel s'organise la recherche d'une expression juste :

> Je m'efforcerai par-dessus tout de descendre dans chaque image, jusqu'à ce que j'aie la sensation physique de la « rejoindre », et que quelques mots surgissent, dont je puisse dire, « c'est ça ». D'entendre à nouveau chacune de ces phrases, indélébiles en moi, dont le sens devait être alors si intenable, ou à l'inverse si consolant, que les penser aujourd'hui me submerge de dégoût ou de douceur (p. 26-27).

---

[18] Cf. Pierre Bourdieu,« Lecture, lecteurs, lettrés, littérature », dans *Choses dites*, Les Éditions de Minuit, Paris, 1987, p. 138.

[19] Cf. à ce propos une étude intéressante de Małgorzata Jacyno, *Iluzje codzienności. O teorii socjologicznej Pierre'a Bourdieu* [*Illusions du quotidien. A propos de la théorie sociologique de Pierre Bourdieu*], éd. IFiS, Warszawa, 1997, p. 19.

[20] Cf. Pierre Bourdieu, *Choses dites, op. cit.*, p. 99.

La poésie désignerait donc le moment où il est possible d'exprimer un état émotionnel qu'Ernaux appelle « l'effroi de la réalité vécue »[21]. Il ne saurait y avoir de tâche plus difficile, car l'écrivain cherche à transcrire comment grâce aux gens et aux choses se produit la réalité universelle et sa propre réalité. L'émotion n'est pas le résultat d'une simple énonciation des faits ou situations censées provoquer un tel état, mais une sorte de révélation (d'illumination) due à l'engagement qui rend réelle cette émotion : « Peut-être, écrit-elle, que je cherche quelque chose sur moi à travers eux, leurs façons de se tenir, leurs conversations »[22].

Il est significatif que les unanimistes procédaient de la même façon lorsqu'ils rapprochaient différentes images en vue de se découvrir par l'autre. Leur entreprise consistait également à produire l'effet de réel à partir d'une véritable invasion d'images. Aussi bien Annie Ernaux que Jules Romains se créent une espèce de laboratoire ou d'observatoire ambulant qui leur permet, à l'aide d'un regard neuf, de saisir l'essence de la réalité. Comme l'auteur de *La Vie unanime*, Annie Ernaux, ethnologue et écrivain à la fois, et qui n'a pas encore été entièrement subjugué par les dominants, occupe une position limitrophe qui hésite entre récit et poésie, entre voix lyrique et sujet discursif, et est naturellement porté vers les poétiques mixtes. Dans la transcription de ses images, elle fait incessamment appel au système d'incongruité spatiale et temporelle, ce qui lui facilite la prise de conscience de l'émotion. Or, cette émotion n'est complète que si l'on arrive à mesurer la distance qui sépare deux endroits, deux classes, deux ethnies[23].

La simplicité du langage serait l'un des moyens pour exprimer les sensations élémentaires et originaires. Annie Ernaux, qui n'aime pas la

---

[21] Philippe Vilain, interview : « Annie Ernaux ou l'autobiographie en question », *Roman 20/50*, n° 24, 1997, p. 141-147.

[22] Annie Ernaux, *Journal du dehors*, coll. Folio, éd. Gallimard, Paris, p. 36.

[23] Jules Romains et Annie Ernaux sont certainement, chacun à sa manière, maîtres en observation ambulante. La particularité de l'auteur de *La Vie extérieure* consiste à se tenir dans l'entre-deux, là où se trouve le point d'observation favori du flâneur. La flânerie, l'un des modèles identitaires postmodernes, n'est rien d'autre qu'une espèce de mobilité qui permet au flâneur de chercher une cohérence de sa personnalité, la mobilité n'étant qu'une manière de confronter différentes sociétés et cultures. Le flâneur postmoderne n'a plus besoin de flâner au sens propre du terme. L'intégration au sein de la société ou, inversement, la séparation d'avec un groupe social n'ont pas besoin non plus de présence physique, et elles désignent une stratégie de l'homme moderne; cf. à ce propos Zygmunt Bauman, « Ponowoczesne wzory osobowe » [« Modèles identitaires postmodernes »], *Studia Socjologiczne*, 2, 1993, p. 7-31. La flânerie chez A. Ernaux prise dans son acception poétique du terme, a été l'objet des études suivantes: Elisabeth Cardonne-Arlyck, « Révisions de la modernité : flâneurs, fantômes et futur antérieur », *French Forum* (the University of Nebraska Press), vol. 21, May 1996, n° 2, p. 207-230, Marja Warehime, « Paris and the Autobiography of a *flâneur* : Patrick Modiano and Annie Ernaux », *French Forum,* vol. 25, January 2000, n° 1, p. 97-113.

description, construit ses textes en conservant l'équilibre entre l'austérité de la relation ethnologique et la concision de l'émotion poétique. Sa langue d'écrivain s'invente au croisement d'une prose qui aspire à l'immobilité et à la clôture et d'une langue autre, celle dont l'inachèvement et la naïveté (ou encore l'innocence) appartiennent à ce qu'elle appelle elle-même écriture plate. Aux images dépouillées d'affectation correspond la langue aride et fragilisée que seule la poésie accepte. Pour Jules Romains et d'autres unanimistes, la simplicité du langage était le moyen le plus efficace pour rendre compte de l'émotion élémentaire. Pour Annie Ernaux, cette même émotion est d'abord étonnement, et l'étonnement ne peut s'exprimer qu'en peu de mots. Comme une poésie.

La question de la poésie, contrairement à ce qu'on pourrait penser, n'est pas étrangère aux préoccupations de l'écrivain. Dans plusieurs entretiens et interviews, interrogée à ce propos, Annie Ernaux n'a jamais nié l'importance de l'approche poétique de la réalité et la présence de résidus poétiques dans son œuvre[24]. Elle sait regarder les hommes avec émoi et souvent, comme elle le dit, avec une sorte d'avidité poétique. Là où le récit et l'histoire se dissolvent, elle privilégie les émotions et les images qui lui rouvrent l'accès au premier monde. L'écriture littéraire fonctionne comme métaphore et métonymie, aurait dit Bourdieu. Annie Ernaux n'échappe pas à cette règle, car son travail focalise, par le biais d'une aventure individuelle, toute la complexité des structures et des relations[25]. L'effet poétique relève aussi de la métaphorisation spontanée qui se réalise presque à l'encontre de l'écrivain au moment où se mêlent plusieurs séries de faits. Mais la poésie est perceptible aussi là, où il n'est plus question de métaphorisation. Une simple transcription de mots populaires ou une reproduction de scènes éprouvées sont d'essence poétique, non pas par l'attribution arbitraire d'une valeur littéraire aux expressions exactes ou clichés qu'elle cite, mais parce qu'elle nous invite à retrouver le sens profond de la réalité :

---

[24] Cf. entre autres : Catherine Argand, « Entretien avec Annie Ernaux », *Lire* (avril 2000) ; Jean-Louis Tallon, « Mon écriture cherche à transcrire la violence de la réalité » (entretien avec Annie Ernaux), *HorsPress Webzine culturel* : http://perso.wanadoo.fr/erato/horspress/ernaux.htm ; article consulté le 21 octobre 2002. Dans son dernier livre, en parlant de sa conception de la littérature, Annie Ernaux revient indirectement sur la question de l'émotion poétique conçue comme un engagement total, lequel serait de l'ordre « de la chair et du sang » : « (...) C'est au fond ma propre vision de la littérature que j'affirme, c'est-à-dire mon désir que chaque phrase soit lourde de choses réelles, que les mots ne soient plus des mots, mais des sensations, des images, qu'ils se transforment, aussitôt écrits/lus, en une "réalité dure", par opposition à "légère", comme on le dit dans le bâtiment. (...) » (cf. Annie Ernaux, *L'Ecriture comme un couteau. Entretien avec Frédéric-Yves Jeannet*, éd. Stock, Paris, 2003, p. 124).

[25] Cf. Pierre Bourdieu, *Les Règles de l'art. Genèse et structure du champ littéraire*, éd. Seuil, Paris, 1992, p. 48.

Le désir, je connais. Désir de soleil, d'avenir, d'homme, de fraises en hiver. Le désir de lire et celui d'aller à Venise. Mais je bute sur le désir de poésie. Sans doute parce que je ne sais pas dire ce qu'est la poésie. Il me semble qu'elle est justement, seulement, un désir, celui d'atteindre par les mots le coeur du réel, de tout ce qu'il y a dans les autres désirs et leur inachèvement. Un désir qui traverse toute la littérature, sans distinction de genres et qui se confond pour moi avec celui d'écrire (...)[26].

La poésie n'est-elle pas le moyen d'atteindre l'essence des choses? Dans la version Ernaux, l'effet de poétisation de la réalité est obtenu grâce à la subordination de l'enquête autobiographique à la recherche ethnologique. L'auteure conçoit son parcours social et culturel comme l'impact permanent des faits réels sur son existence. Cela permet d'alléger l'insoutenable tension qui caractérise en général l'écriture de soi. Entrer dans les sentiments des autres, c'est aller presque au-devant des désirs des autres en empruntant la solution quelque peu intuitive des unanimistes, celle-ci se faisant un écho de la formule rousseauiste : *Je est d'autres. D'autres choses, d'autres odeurs, d'autres sons, d'autres personnes...*

Le passage de l'écriture réaliste à l'ethnotexte confirme que le désir de poésie se fait de plus en plus présent dans cette « littérature hétérologique » (terme de Michel de Certeau). L'étape où le récit traditionnel a cédé la place à l'entrechoquement du subjectif et de l'objectif suppose que l'écrivain favorise la dimension métaphorique de la connaissance de soi. Or, se connaître, c'est prendre conscience non seulement de l'extension du réel, mais aussi des mouvements simultanés de l'individuel et du collectif jusqu'à ce qu'une émotion en rejaillisse. En renonçant à l'écriture purement romanesque, Annie Ernaux s'est détournée du roman pour traquer en poète et avec plus d'efficacité les actes, les sensations et les désirs. Pour reprendre l'expression utilisée par l'interlocuteur du personnage gidien, il ne saurait y avoir de réalisation plus épatante.

---

[26] Il s'agit d'un fragment de la réponse d'Annie Ernaux à une enquête de Daniel Leuwers auprès des écrivains : « De quelle façon éprouvez-vous ou avez-vous éprouvé le désir de poésie ? Vocation ? Coup de foudre ? Frôlement passager ? Sollicitation dérangeante ? », in *Poésie/première*, n° 16 ; article consulté le 21 octobre 2002 sur le site : http://poesiepremiere.free.fr/Ernaux.htlm

CHAPITRE II
APPROCHES TEXTUELLES (II) : OUVERTURES SUR LES ASPECTS PHILOSOPHIQUES, PSYCHOLOGIQUES ET SOCIOLOGIQUES DE L'ENTRE-DEUX

ANNIE ERNAUX :
UNE ÉCRITURE DES CONFINS

Bruno Blanckeman
Université de Rennes II

Parmi les récits de soi qui depuis un quart de siècle se multiplient, beaucoup procèdent par confinement. Ils se déploient autour d'un sujet, le démarquent en relatant des expériences qui se veulent singulières et, dans le meilleur des cas, le singularisent par un travail de langue qui constitue un accomplissement à l'ordre des lettres, autant qu'une contribution apportée à la pérennité de ce dernier. Des ressources cumulées de l'écriture dépend la représentation d'un sujet pleinement déductible des situations qu'il expose, fût-ce à l'éphémère mesure d'un livre. D'autres récits, multipliant les lignes de fuite qui rendent improbables la conscience de soi, mettent au contraire en question leurs assises identitaires, substrat idéologique – le sujet comme catégorie acquise- ou medium esthétique -la littérature comme discipline close. L'écriture de soi se caractérise en ce cas par une tension vers les confins – de l'être, des lettres, de leur autre respectif et multiple. Quelle place l'œuvre d'Annie Ernaux occupe-t-elle en ces confins ? Deux ouvrages, appartenant à deux formes textuelles différentes, me permettront de poser cette question : *Journal du dehors*, *L'Occupation*, qui proposent une redéfinition des identités subjectives et littéraires à et par leurs marges[1].

Dans l'œuvre d'Annie Ernaux, la vérité de soi – celle que l'écrivain construit, réagence, problématise sans cesse – ne se tient jamais *intus et in pectore*, dans une intériorité dont les avatars religieux, psychologiques, psychanalytiques ont successivement infléchi l'écriture autobiographique. Pour autant elle n'est pas projetée dans des postures d'extériorité radicale, behavioristes (trop automatiques) ou comportementalistes (trop zoologiques). Elle se tient dans un entre-deux du sujet et du texte, dans la puissance

---

[1] *Journal du dehors*, Gallimard, 1993 ; *L'Occupation*, Gallimard, 2002.

qualifiante d'un désaisissement, une extraction de soi par attraction en l'autre dont l'écriture se fait l'agent et répète le mouvement à son corps de signes, en se déprenant de modèles strictement littéraires. Appliquée à la représentation de soi, cette *action du désaisir* se comprend de façon égale en termes de sujet et de personne, de conscience intrapsychique (soi-même comme sujet) et de figure socioculturelle (soi-même comme personne). Parce que l'identité de soi ne peut se mesurer qu'à la croisée des autres, selon des degrés panachés de liens intimes et d'échanges sociaux eux-mêmes composites, il en résulte un travail particulier exercé sur la matière de sa propre vie. Trois procédures me semblent à cet égard intéressantes à distinguer dans les textes d'Annie Ernaux retenus : un effet de désubjectivation, un phénomène de réappropriation trans-subjective, une volonté de figuration interpersonnelle.

L'*Occupation* illustre avec densité les deux premières de ces opérations. L'effet de désubjectivation accompagne l'évocation d'une période de la vie intime, tant sur le plan de la situation représentée que de l'énonciation. Au centre du récit, un personnage dépossédé de soi, existant par la seule possession qu'*invita invitum* elle concède à deux autres sur elle -amant et rivale. À chaque écrivain son bon usage de la jalousie, un sentiment décidément aussi conducteur d'écriture que constricteur d'affect : dans L'*Occupation* il sert de révélateur à la précarité de l'idée même de sujet, définie comme catégorie ontologique, mais aussi dans la perspective plus immanente d'un projet existentiel. Que ses propres sentiments fassent vivre sous occupation suffit à démontrer l'imposture de toute postulation subjective intrinsèque, de toute instance supposée inaltérable alors même qu'elle se montre poreuse non seulement à quelqu'un qu'on ne veut plus voir, mais aussi à quelque autre qu'on n'a jamais vue[2]. Que cette occupation soit vécue comme un comble, que « ça occupe » là même où ça fait souffrir, renvoie par ailleurs ce même sujet à l'inanité subitement perçue, ou fantasmée, de ce par quoi il se définissait jusqu'alors et se projetait au jour le jour – son projet existentiel :

> Cette femme emplissait ma tête, ma poitrine et mon ventre, elle m'accompagnait partout, me dictait mes émotions. En même temps, cette présence ininterrompue me faisait vivre intensément. Elle provoquait des mouvements intérieurs que je n'avais jamais connus, déployait en moi une énergie, des ressources d'invention dont je ne me croyais pas capable, me maintenait dans une fiévreuse et constante activité.
> J'étais, au double sens du terme, occupée (14).

---

[2] « C'est pourtant moi qui avais quitté W. quelques mois auparavant, après une relation de six ans » (13).
« À partir de ce moment, l'existence de cette autre femme a envahi la mienne. Je n'ai plus pensé qu'à travers elle » (13-14).

Cet effet de désubjectivation est renforcé par le jeu de distance qui conditionne la situation d'énonciation : plus les scènes sont lestées d'intimité, moins elles sont l'objet d'un traitement intimiste – lieu d'une interrogation intriguée plutôt que d'une émotion retrouvée. Cette attitude discrédite à la fois l'idée d'identité comme permanence à soi et celle de sujet comme commandement de soi exercé en temps réel (l'occupation en est l'exacte antithèse) ou assumé en termes de resaisissement rétrospectif (son propre personnage tend à devenir, aux yeux de celle qui se le représente ultérieurement, non pas une inquiétante étrangeté, ce qui réintroduirait un lien, fût-il troublé, de continuité entre soi et soi-même, mais bel et bien, si l'on peut hasarder cette redondance, une *étrangère étrangeté*[3]).

Cette dénégation de soi me semble toutefois contrariée par un phénomène de réappropriation trans-subjectif. Le sujet joue en quelque sorte le rôle de la proie et de l'ombre : *L'Occupation* ou soi-même comme deux autres, l'être aimé et la rivale qui phagocytent la conscience de soi, mais aussi l'être aimé dont on réinvente le regard qu'il serait susceptible de porter sur soi et la rivale dont on prospecte de façon abusive le cadre de vie et l'espace d'être. De lui : « son regard imaginaire me rendait à moi-même » (21). D'elle : « Et dès lors qu'il m'a dit, avec réticence, qu'elle avait quarante-sept ans, qu'elle était enseignante, divorcée avec une fille de seize ans et qu'elle habitait avenue Rapp dans le VIIe, a surgi une silhouette en tailleur strict et chemisier, brushing impeccable, préparant ses cours à un bureau dans la pénombre d'un appartement bourgeois » (16).

Ainsi le sujet occupé se reconquiert depuis sa propre abdication en annexant par un imaginaire particulièrement offensif l'identité de ses agresseurs, décidant du droit de regard que l'un (l'amant) exerce sur soi, assignant l'autre (la rivale) à résidence, opposant au sentiment de l'occupation la pratique de l'*entrisme*, qui consiste à investir clandestinement la figure de l'autre et la noyauter par images interposées, à remplacer l'autre par son propre dissident – figure de substitution qui coïncide avec le sens immédiat que l'on donne à sa douleur dans le temps même où on l'éprouve, et avec les formes mentales au travers desquelles se cérébralisent un ensemble de pulsions (jalousie). La charge de ce sens, les contours de ces formes révèlent autant de traits de soi latents qui se réalisent dans un jeu de médiations psychiques complexes où la désubjectivation se vit aussi comme un acte, tourmenté et jouissif, de démultiplication en autrui. Laissant prendre en lui une double imagerie, laissant lever une fantasmatique liée en partie à la figure de l'absent, en partie à celle de l'inconnue, le sujet réalise certaines

---

[3] En témoigne la fin de l'avant-dernier chapitre :
« J'ai fini de dégager les figures d'un imaginaire livré à la jalousie, dont j'ai été la proie et la spectatrice, de recenser les lieux communs qui proliféraient sans contrôle possible dans ma pensée, de décrire toute cette rhétorique intérieure spontanée, avide et douloureuse, destinée à obtenir coûte que coûte la vérité, et - car c'est de cela qu'il s'agit - le bonheur » (71).

options de soi qui seraient demeurées jusque là comme en attente d'expression[4].

Journal du dehors relève davantage d'une volonté de présentation interpersonnelle. Le sujet se compose en ordonnant des perceptions, des traits de conscience, des humeurs saillantes que les autres, présences traversières du quotidien, lui renvoient fugacement. Si ces présences étrangères le ramènent à quelque aspect de lui-même, elles en déparent aussi la belle image interne ou en rattrapent, c'est selon, la sourde abomination. En reconstituant un environnement de société, le sujet apprend ainsi à se connaître par ses capacités d'impression, de réaction, de restitution face à des situations dont il fait partie intégrante et auxquelles il donne sens, les exposant selon un dispositif qui fonctionne aussi comme un révélateur sensible de soi[5]. Relatés, des événements en eux-mêmes anodins acquièrent une consistance doublement significative. Ils s'ordonnent en une *semiomnésie*, ensemble de signes dont les occurrences entrecroisées trament, depuis leur inscription dans la vie communautaire, une mémoire de soi d'autant plus efficace que ponctuelle, d'autant plus profonde qu'enracinée dans des circonstances quotidiennes (scènes de supermarchés, de transports en commun, de commerces, d'espaces citadins). Simultanément ils constituent une *semiopolis*, ou jeu de signes matériels, comportementaux, situationnels dont le maillage textuel restitue les modes de relation qui structurent par polarité et sous tension la vie urbaine d'un milieu et d'un temps donnés, tels, du moins, que l'auteur s'y montre réceptif[6]. C'est donc en générant des réseaux interpersonnels à partir de foyers de vie collectifs, en établissant des liens de réflexivité, sympathique ou critique, entre soi et les autres qu'Annie Ernaux se représente elle-même : ces réseaux et ces liens conditionnent la chronique sélective des jours intimes, la mémoire entretenue d'un temps de vie personnel, la conscience animée de l'ordre social et, plus généralement, de la chose civile.

---

[4] « D'une manière générale, j'admettais les conduites que je stigmatisais naguère ou qui suscitaient mon hilarité. (…) Si je voyais la femme de W. dans des dizaines d'autres, moi-même je me projetais dans toutes celles qui avaient, plus folles ou plus audacieuses, de toute manière "pété les plombs" » (36).

[5] On se reportera à l'avant-propos inédit de l'auteur (collection Folio, 1996) ainsi qu'à certains passages du Journal :
« noter les gestes, les attitudes, les paroles de gens que je rencontre me donne l'illusion d'être proche d'eux. Je ne leur parle pas, je les regarde et les écoute seulement. Mais l'émotion qu'ils me laissent est une chose réelle. Peut-être que je cherche quelque chose sur moi à travers eux, leurs façons de se tenir, leurs conversations » (36-37).

[6] On se reportera par exemple aux passages mettant en prise l'homme de la cité moderne et les objets (pages 27, 67, 87) ainsi que ses échanges et ses confrontations avec autrui (pages 16-7, 26, 41-2, 92).

Il s'agit ainsi de refuser toute conception de soi autarcique, mais aussi de distinguer la part du spécifique : répartir ce qui relève de l'espèce, du groupe dans cette espèce, d'un individu donné dans ce groupe, tel qu'en sa qualité d'individu, il ne saurait se réduire ni à ce groupe quand bien même il en assimile les rituels, ni à cette espèce quand bien même il en accomplit les conduites. Les récits et journaux d'Annie Ernaux semblent collecter des points d'irréductibilité singulière dont l'agrégat constitue peut-être la seule identité narrable de soi. Cette identité, définie comme voix textuelle, comme présence empirique à l'écriture, se pose dans la distance que le récit permet de prendre avec les déterminations de la personne, cette part de soi qui inhibe des interdits de groupe, et avec les épanchements de l'intime, cette part de soi qui obéit à des pulsions d'espèce. C'est donc toujours sur fond d'appartenance à des ensembles anthropologiques et sociologiques que le sujet trace, avec une amplitude plus ou moins ouverte, ses propres lignes de démarcation. Dans le *Journal du dehors*, la figure de l'écrivain se fait ainsi tout à la fois anonyme et antonyme: présence fondue dans des situations collectives, à l'échelle variée d'une boutique ou d'un train, d'une esplanade traversée ou d'une émission de radio entendue, elle s'en démarque aussi selon toute une gamme d'attitudes graduées : distance ironique, indignation passagère, réprobation discrète, condamnation critique – toute une relation d'inclusion élastique à la collectivité[7]. L'écriture permet ainsi de se portraiturer comme conscience humorale, réfléchissante, jugeante, de se poser comme singularité sans s'abstraire d'un cadre de vie commun, d'un lien de socialité, et, plus généralement, de l'humaine présence, mais sans souscrire non plus aux modèles, aux valeurs, aux opinions qu'ils recouvrent. Insertion ne vaut pas adhésion: dans *Journal du dehors*, la conscience de soi se pose dans la tension ainsi ouverte entre un système d'intégration communautaire, sans lequel il n'est pas, selon Annie Ernaux, de représentation légitime du sujet, et un acte de détachement idéologique, sans lequel il n'est pas davantage d'identification possible de soi. Il en résulte une certaine façon de se qualifier par échappée, dans l'entre-deux des figures emblématiques d'un ordre social que l'on apprend à reconnaître au plus exact des modèles du jour[8] ou des rémanences de la veille[9]. Cet ordre, l'écriture du journal le déprime, en défait les pressions conjuguées par sa nature

---

[7] Pour les quatre attitudes ainsi repérées, on se reportera dans l'ordre aux pages 18, 48, 66 et 68, 90-1.

[8] « Quelques femmes en harmonie avec les lumières et les mannequins des vitrines, lèvres rouges, bottes rouges, fesses étroites dans des jeans, crinière sauvage, avancent avec détermination » (14).

[9] « Affiches du Secours catholique, DÉCHAÎNE TON CŒUR. On voit des gens pauvres, c'est-à-dire portant sur eux les stigmates de la misère telle que se la représente la classe dominante. On ne s'est pas demandé ce que pensaient ceux qui sont pauvres devant cette vision de corps avachis, de vêtements défraîchis, d'air abruti » (90).

délibérément lacunaire : dans une économie de texte en pointillés, dans des compositions de chapitre fragmentaires, dans des structures de phrases asyndétiques, c'est la puissance coercitive de cet ordre qui semble se déliter, son liant idéologique ne plus prendre; c'est aussi sa propre déprise en tant que système culturel, en tant que cohésion de groupe qui semble se projeter; c'est, enfin, soi-même comme présence sporadique à l'autre social, soi-même comme intermittente de la société-spectacle qui, à bien des égards, s'énonce[10].

En même temps que les identités de l'être, ce sont celles du littéraire qui, dans l'œuvre d'Annie Ernaux, se déplacent. Les effets combinés d'extraction de soi, d'attraction en l'autre, de prospection de soi par la médiation des autres, d'instanciation et de distanciation agissant dans l'identification du sujet intime et de la personne sociale, semblent également jouer dans le rapport qu'entretient la littérature, en tant que discipline culturelle, avec ses propres autres. L'œuvre d'Annie Ernaux se caractérise, on le sait, par une surimpression d'acquis et d'apports – d'un côté, la part stricte du littéraire, dans sa tradition moraliste, analytique et naturaliste ; de l'autre, celle, intégrée, des sciences humaines dans leur cheminement anthropologique, ethnologique et sociologique[11]. Il ne s'agit pas pour autant d'une subordination de la littérature à des modèles de connaissance qui seraient mieux armés et plus conquérants qu'elle, mais, à l'inverse, d'un travail d'écrivain qui poursuit à sa façon le geste littéraire par excellence, celui qui consiste, comme le firent les grands romanciers du dix-neuvième siècle, à confronter l'écriture aux données de différentes disciplines scientifiques; celui qui consiste, aussi, dans un certain esprit hérité des Lumières, à faire de la littérature un lieu de circulation critique des savoirs, de mise en résonance symbolique des connaissances et d'intégration formelle des méthodes. Par son titre même, *Journal du dehors* souligne cet usage d'une forme littéraire à des fins qui ne sont pas d'emblée les siennes. Toute la plasticité rhétorique du journal appliquée habituellement à l'évaluation biométrique de soi se déplace vers l'approche du monde extérieur, sans occulter la mire subjective mais justement en l'y situant. Saisies sur le vif, des poses et des paroles d'individus, des attitudes et des connivences de groupe fonctionnent comme les instantanés d'une actualité commune *attestée* au quotidien. Si le sujet Ernaux se qualifie ainsi au travers de ce qui s'apparente à un *témoignage*, l'écriture diariste se légitime comme pratique ethnographique. Elle retranscrit, sinon des modèles, du moins des usuels culturels qui actualisent d'anciens rituels de société: nouveaux comportements porteurs, nouvelles atmosphères diffuses, nouveaux lieux communs propres aux villes modernes,

---

[10] Pages 31-2, 55.

[11] On se reportera à l'étude de Fabrice Thumerel, *Le Champ littéraire français au XXe siècle. Éléments pour une sociologie de la littérature*, Armand Colin, 2002 ; seconde partie, chapitre 3, 2 « Littérature et sociologie : *La Honte* ou comment réformer l'autobiographie », pages 83 à 101.

autant d'éléments dispersés en réseaux qui s'entremêlent et dont se dégagent, par détails cumulés de vies minuscules, quelques identités collectives particulièrement manifestes[12]. L'écriture ethnographique devient sociologique quand ces identités ainsi disséminées au gré de multiples notations sont concentrées sous forme de figures-types ou recouvrent, par leur récurrence, un certain nombre de structures constituant des principes de connaissance possibles. Cette impression du sociologique dans l'écriture du journal s'effectue de façon descriptive: au hasard d'une scène de RER, deux personnages à la dérive représentent ainsi deux types d'exclusion différentes, l'une à l'ancienne – le clochard –, l'autre proche des marginalités nouvelles - catégorie que l'on commençait alors à identifier sous le nom de SDF, qui se pose en se démarquant de la précédente[13]. Cette même démarche se fait analytique quand, des comportements ainsi observés dans la vie courante, l'auteur dégage certaines motivations ou certaines inhibitions, et retrouve des catégories de connaissance sociologiques. Ainsi le principe de distinction cher à Pierre Bourdieu connaît-il une illustration possible dans le rapport entretenu par plusieurs inconnus avec la nourriture[14], la mode[15], l'art[16], la littérature[17], rapport qui relève de la surexposition de soi au regard des autres. Dans certains cas, il s'agit d'une affirmation de soi d'autant plus ostentatoire et naïvement exprimée que l'on se sent petit-bourgeoisement pourvu, donc insuffisamment nanti : ainsi de la quincaillière qui s'étonne (à répétition) d'une idée venue à son employée avant elle ou de la coiffeuse qui clame (à redites) son indignation en évoquant les lentes d'une cliente[18]. Dans le même ordre d'idées, plusieurs scènes indiquent comment se manifestent, au hasard de situations anodines ou de mouvements de société plus conséquents, des comportements d'héritiers ou de déshérités (cheminots/étudiants même combat, pas sûr, aux yeux du témoin qui analyse la couverture médiatique de deux mouvements de protestation parallèles[19]), des actes d'arrogance ou d'humiliation sociales (ainsi de la caissière de supermarché âgée face à la

---

[12] Deux espaces sont en ce sens privilégiés: les nouveaux lieux de commerce (au sens marchand et relationnel du terme) : supermarché, hypermarché, centre commercial - Franprix, Leclerc, Superdiscount ; les nouveaux moyens de transport (au sens dynamique et émotionnel du terme) : le RER. Ce qui intéresse l'auteur relève autant de l'inédit que de l'attendu social, de l'impression nouvelle (description du Centre Leclerc page 50) que de la sensation immémoriale (scènes de couple : homme/ femme, mère-fils/fille, ouvrier/apprenti ou patron/employé ou vendeur/client, humain/chien).

[13] Pages 83 et 84.

[14] Pages 41-43, 92-93.

[15] Pages 14, 33-34.

[16] Pages 21-22, 100-101.

[17] Pages 52-53, 93-4.

[18] Pages 57-58; 63-64.

[19] Pages 51-52.

cliente qui exige réparation de son erreur[20]). C'est en affirmant de la sorte, depuis une approche d'ordre sociologique, sa pleine vocation politique que l'oeuvre en question, donnant l'illusion de s'égarer hors de la littérature, la réinvestit au contraire avec intensité. Dans les nombreuses scènes souterraines, où l'humanité moyenne – celle qui circule en métro et RER et que l'on n'appelait pas encore avec morgue «La France d'en bas» – côtoie la sous-humanité des mendiants et des réprouvés, l'idée de misère du monde à la Bourdieu semble recouper la figure des misérables à la Hugo[21]. La puissance de conscience critique, de dénonciation éthique et d'indignation compassionnelle qui tient une certaine littérature au corps depuis qu'il est des écrivains recouvre ici des analyses propres à la sociologie la plus politiquement située[22]. Ce que révèlent cette cohabitation avec la misère des autres, cette indifférence à peine gênée avec leur dénuement, c'est un délitement des identités communautaires et des idéaux humanistes qui longtemps furent leur liant idéologique[23]. Ce que signifie *Journal du dehors*, c'est peut-être l'idée que, dans la société française des années 1980, le lien sociétaire ne suffit plus à fonder ou entretenir un lieu communautaire[24]. La structure en éclats du journal, avec ses réseaux de situations dispersées et ses croquis de personnages dissociés, retrouverait en cela la configuration des villes nouvelles, celle aussi d'un rapport au temps placé sous le signe de la discontinuité, double symptôme d'un univers ramené à un agglomérat de quartiers et à un suivi d'actualités à la fois parallèles et successifs, sans inscription dans quelque horizon relationnel et géographique durable.

---

[20] « Face à la puissance anonyme de Super-M, elle se dresse comme la consommatrice sûre de son droit. La vieille caissière, qui s'est remise à taper sans un mot, n'est qu'une main qui ne doit pas se tromper, ni au profit de l'un, ni au profit de l'autre » (25).

[21] L'auteur ne se contente pas de noter des scènes de misère. Elle propose une typologie de la marginalité souterraine (le « pauvre » professionnel - page 21 -, le voleur à la tire -pages 101-102, le SDF - page 100 -, le mendiant - page 68 -, le clochard – 78 -, le jeune paumé - 80-81) et fait jouer allusivement une axiologie qui relève de la philosophie politique (le « sous-homme » - pages 30 et 91 - comme produit de société, marque enfouie d'une arriération civile, preuve vive d'une barbarie de civilisation).

[22] « Écrire est, selon moi, une activité politique, c'est-à-dire qui peut contribuer au dévoilement et au changement du monde ou au contraire conforter l'ordre social, moral, existant » (*L'Écriture comme un couteau. Entretien avec Frédéric-Yves Jeannet*, Stock, 2003, p. 74).

[23] On se reportera à la scène du mendiant qui exhibe son sexe, pages 35-36.

[24] Plusieurs passages fondent ainsi le sentiment d'une vie collective ramenée à un simple collage de présences isolées : pages 13 (« Foule muette aux caisses »), 14 (« les gens s'écoulent avec difficulté. On réussit à éviter, sans les regarder, tous ces corps voisins de quelques centimètres »), 26 (« mais les parents ne conversaient pas entre eux »), 41 (« ils sont distants, réservés, l'échange de paroles limité (…) »).

Dans *L'Occupation*, le récit procède selon une méthode ethnographique : il prélève des faits, consigne des actes, identifie des gestes, enregistre des paroles, reconstitue des états, détecte des intentions. S'observant en situation, l'écrivain devient à elle-même son propre milieu avec toute la distance qu'exige la volonté d'identifier un phénomène donné et d'en reconstituer les manifestations[25]. Cette méthode ethnographique obéit donc à une démarche ethnologique. Incluses dans une dynamique narrative unitaire et une perspective analytique convergente, les scènes vécues et les notations intimes permettent à la fois une catégorisation du comportement, l'intégration du sentiment éprouvé dans une série cognitive, mais aussi son actualisation personnelle et l'insertion de ses paramètres exemplaires dans une situation historique particulière. La jalousie s'affirme comme la grille explicative du rapport engagé au monde par le sujet, mais aussi se décrit au travers des empreintes culturelles immanentes par lesquelles se manifeste au présent un comportement pulsionnel archaïque : de l'utilité d'internet, du cellulaire et des codes d'espionnage téléphonique dans l'assouvissement d'une passion atavique[26]... Cette démarche ethnologique semble à son tour répondre à une visée anthropologique. Dès son titre, le texte remonte en effet d'une raison à un principe, d'une cause efficace à une loi élémentaire, de la jalousie comme état atemporel donné à l'occupation comme structure archétypale première. Comment ne pas lire en cette occupation une version non nommée de l'aliénation, cette aliénation dont l'écrivain brasse sans cesse dans ses autres œuvres les occurrences sociales, affectives, politiques, sexuelles et qui constitue pour elle un invariant de la psyché et une dominante de l'état de civilisation? Plus qu'un thème, plus qu'une problématique, l'occupation devient alors le lieu-modèle de l'écriture quand celle-ci abyme le littéraire – ses formes, ses repères, ses topiques – dans les sciences humaines et, à la lettre, l'y *aliène*. Peut-être le seul acte de résistance possible à une aliénation éprouvée comme nécessité psychique et culturelle tient-il à cette capacité de la convertir en une pratique d'écriture – s'il est vrai qu'à pareil transfert, à semblable métaphore, l'aliénation gagne en valeurs cumulées ce qu'elle perd en puissance négative.

Ni alternatives – l'un ou l'autre – ni additives – l'un et l'autre –, les identités du sujet et du littéraire relèvent dans les deux œuvres étudiées d'une semblable logique d'identification – l'un est l'autre – dont résultent à la fois un état de malaise et d'intensité, une figure d'être et une expérience d'écriture à perte ressentie, mais aussi à force resserrée. Plusieurs écrivains, immédiatement contemporains ou qui le furent, ont ainsi projeté la saisie de soi et l'écriture de cette saisie en leurs confins, renouvelant les imaginaires

---

[25] « Ce n'est plus *mon* désir, *ma* jalousie, qui sont dans ces pages, c'est *du* désir, *de la* jalousie et je travaille dans l'invisible » (46).

[26] Pages 30, 37, 38.

de l'un et les pratiques de l'autre : Michel Leiris, parfois ; Georges Perec, souvent ; Hervé Guibert, toujours ; Annie Ernaux, encore.

« ENTRE DEUX RIVES » : L'ÉCRITURE DU DEUIL CHEZ ANNIE ERNAUX

Pierre-Louis Fort
Université de Paris VII

Dans « *Je ne suis pas sortie de ma nuit* »[1], le journal tenu durant la maladie de sa mère, Annie Ernaux s'interroge sur la nature de son activité de diariste pendant cette période douloureuse : « Je ne sais pas si c'est un travail de vie ou de mort que je suis en train de faire » (JNS, 99). Les deux pôles envisagés, « vie » et « mort », sont ici exclusifs l'un de l'autre : soit un travail de vie, soit un travail de mort. Mais à y regarder de plus près, le journal s'avère être plutôt en tension entre les deux, dans un mouvement oscillatoire, et ces deux pôles constituent les extrémités d'un entre-deux dynamique au sein duquel se débat la diariste.

Cet entre-deux, fluctuation entre la vie et la mort, est celui qu'on retrouve plus généralement dans *La Place*[2], *Une femme*[3] et « *Je ne suis pas sortie de ma nuit* », trois textes écrits en liaison intime avec la question du deuil et qui relèvent de ce qu'on peut appeler, en résonance avec le « travail de deuil », « l'écriture du deuil ».

« Le deuil » explique Freud « amène le moi à renoncer à l'objet en déclarant l'objet mort, et [...] offre au moi la prime de rester en vie[...] »[4]. En tant que processus, il est une incursion dans un espace entre la vie et la mort, dans le sens où l'endeuillé(e) se meut entre ces deux bornes

---

[1] Annie Ernaux, « *Je ne suis pas sortie de ma nuit* », Paris, Gallimard, 1997 ; rééd. « Folio » 1999. Abrégé en JNS dans le cours de l'analyse, suivi du numéro de page, afin de ne pas multiplier les notes.

[2] Annie Ernaux, *La Place*, Paris, Gallimard, 1984, rééd. « Folio » 1986. Abrégé en LP.

[3] Annie Ernaux, *Une femme*, Paris, Gallimard, 1987, rééd. « Folio » 1988. Abrégé en UF.

[4] Sigmund Freud, « Deuil et mélancolie » (1915) in *Métapsychologie* (1915), Gallimard, 1968, rééd. collection « Folio Essais » 1985, p. 169.

constamment réactualisées. L'écriture du deuil, similairement, va s'installer dans cet entre-deux.

Dans *La Déliaison*, André Green souligne que « le travail de l'écriture présuppose une plaie et une perte, une blessure et un deuil [...] »[5]. Si tout travail d'écriture est lié à cette perte postulée par Green, il semble que l'écriture du deuil se place encore plus particulièrement sous ces auspices car le deuil y est, dans son aspect concret, à la fois source et matrice de l'écriture : deuil du père dans *La Place*, deuil de la mère dans « *Je ne suis pas sortie de ma nuit* » et *Une femme*. André Green ajoute que « l'œuvre sera la transformation visant à [...] recouvrir [la perte] par la positivité fictive de l'œuvre ». Cette compensation de la perte est également en jeu dans l'écriture du deuil. S'appuyant sur cette blessure et redoublant le « travail de deuil » analytique, l'œuvre, aussi bien en cours d'accomplissement qu'accomplie, tend à dépasser l'oscillation entre la vie et la mort suscitée par le deuil.

Une image peut nous retenir à l'orée de cette investigation de l'écriture du deuil, celle du passeur. Dans *La Place*, Annie Ernaux évoque son père sous la forme du passeur : « Il me conduisait de la maison à l'école sur son vélo. Passeur entre deux rives, sous la pluie et le soleil » (LP, 112)[6]. Cette problématique du passeur est, de fait, au cœur de nos textes. La narratrice accompagne le défunt sur l'autre rive, celle de la mort, et doit, à l'issue de l'écriture, choisir la rive opposée, celle de la vie, but ultime de l'épreuve de deuil ainsi que le souligne Freud : «... et le moi [est] quasiment placé devant le fait de savoir s'il veut partager ce destin [et il] se laisse décider par la somme des satisfactions narcissiques à rester en vie et à rompre sa liaison avec l'objet anéanti »[7]. L'écriture du deuil consiste donc à sortir de l'entre-deux rives, à abandonner ce milieu du gué qui est le centre même de l'entreprise *thanatographique*[8].

---

[5] André Green, *La Déliaison, Psychanalyse, anthropologie et littérature*, Paris, Les Belles Lettres, 1992, rééd. Hachette Littératures, coll. « Pluriel », 1998, p. 57.

[6] Ce souvenir très prégnant encadre le texte. Une première allusion y est faite au début de *La Place*, lors du repas d'inhumation, mais sans l'allusion au « passeur » : « Le frère de mon père, assez loin de moi, s'est penché pour me voir et me lancer : "Te rappelles-tu quand ton père te conduisait sur son vélo à l'école ?" » (LP, 21).

[7] Sigmund Freud, *op. cit.*, p. 166.

[8] Philippe Sollers, dans un article intitulé « La Science de Lautréamont », paru en 1967 dans le numéro 245 (octobre) de la revue *Critique*, utilise ce terme pour parler de l'annihilation du biographique dans l'œuvre : « Dans le système que nous voudrions dégager de l'écriture de Ducasse, un des points essentiels est aussi l'intégration de la mort du sujet biographique – la mort du sujet de l'énoncé comme celui de l'énonciation - donnant à lire ce qu'il faut bien appeler alors une *thanatographie* » (p. 794). Nous préférons, pour notre part, utiliser ce terme comme antonyme de « biographie ». Si « biographie », formé sur les racines grecques *bios* (« vie ») et *graphein* (« écrire »), signifie « écrire la (une) vie », nous entendons alors « thanatographie » où *thanatos* (« mort ») remplace *bios* comme « écrire la (une) mort ».

C'est justement la manière dont l'écriture du deuil participe de cet entre-deux et vise à le quitter que nous allons examiner dans ce triptyque endeuillé, au sens propre du terme, que forment *La Place*, *Une femme* et « *Je ne suis pas sortie de ma nuit* ».

« *Je ne suis pas sortie de ma nuit* » : un texte emblématique de l'entre-deux

« *Je ne suis pas sortie de ma nuit* » est paru en 1997, soit une dizaine d'années après *Une femme*. La préface de mars 1996 instaure une certaine distance par rapport au texte, en précisant qu'il doit être lu comme « le résidu d'une douleur » (JNS, 13), c'est-à-dire comme ce qui reste après-coup. Au moment de sa publication, le journal n'est donc pas dans une situation d'entre-deux.

Au point de vue chronologique, en revanche, la tenue du journal se situe dans un double entre-deux. Il est, d'une part, écrit entre deux deuils – l'un, déjà fait (celui du père, décédé à la fin des années 70), l'autre annoncé (celui de la mère, qui mourra en 1986) et il s'inscrit, d'autre part, entre deux œuvres de deuil, l'une achevée, *La Place,* et l'autre à venir, *Une femme*.

Amorçant le deuil de la mère, « *Je ne suis pas sortie de ma nuit* » participe de ce qu'on pourrait appeler, à la suite de Michel Hanus, un « prédeuil », c'est-à-dire un « travail de deuil […] commencé bien avant la mort, précisément lorsque l'idée de la mort s'est imposée à l'esprit en raison de la maladie et a été confirmée par le médecin »[9]. Reflet d'un « prédeuil », les pages écrites pendant la maladie de la mère constituent ainsi un pré-texte de deuil, avant l'œuvre de deuil que sera *Une femme*.

Tout comme l'écriture du texte est liée à une période d'entre-deux, entre la vie finissante de la mère et sa mort approchante (« D'une certaine façon, ce journal des visites me conduisait vers la mort de ma mère » – JNS, 12), le texte lui-même restera longtemps en suspens, entre le moment de son écriture et le moment de sa relecture. Dans la préface, Annie Ernaux souligne effectivement que « durant tout le temps [où elle] a écrit [*Une femme*, elle] n'a pas relu les pages rédigées pendant la maladie de [s]a mère » (JNS, 12), ce qui fait écho à ce qu'elle notait à la fin du journal : « Un jour, peut-être, pourrai-je lire les notes écrites au retour des visites, elles m'apparaîtront dans une continuité, la vie et la mort » (JNS, 111).

La continuité, en fait, ne semble pouvoir advenir que dans l'écriture du deuil, celle qui régira *Une femme*. *Une femme*, texte encore inexistant, constitue ainsi l'horizon de « Je ne suis pas sortie de ma nuit », comme un appel, peut-être pas vers la sérénité mais vers l'apaisement d'un entre-deux dépassé.

Chronologiquement, la première allusion à ce texte à venir se trouve le jeudi 26 juillet 1984 : « Je me demande si je pourrais faire un livre sur elle

---

[9] Michel Hanus, *Les Deuils dans la vie, deuils et séparations chez l'adulte et chez l'enfant*, Paris, Maloine, 2ᵉ édition, 2001, p. 109.

comme *La Place* » (JNS, 37). Ce livre achevé peu de temps avant, *La Place*, s'il est réceptacle de la vie du père, est aussi une thanatographie. Il s'élabore en effet à partir de la mort du père, racontée au début et à la fin de l'œuvre. Il relate par ailleurs précisément les moments du décès et creuse profondément les affects de la narratrice. Se demander si un livre similaire à *La Place* est faisable, c'est donc postuler la possibilité d'une autre œuvre de deuil, sur la mère cette fois, dans un texte qui acquiert alors un statut d'intermédiaire entre deux livres de deuil.

De nouveau, le vendredi 13 septembre 1985, Annie Ernaux note : « En ce moment, justement, je songeais à un livre sur elle. Je suis dans un état de confusion absolue »(JNS, 79). La question du livre revient ainsi de façon récurrente, accompagnant le malaise, l'entre-deux émotionnel et affectif de la narratrice. Mais l'œuvre sur la mère ne pourra vraiment s'accomplir qu'à partir du moment où celle-ci sera sortie de l'entre-deux, celui de la vie et de la mort.

Dans la préface de « *Je ne suis pas sortie de ma nuit* », Annie Ernaux explique qu'*Une femme* ne constitue pas sa première tentative d'écriture sur sa mère : « Fin 85, j'ai entrepris un récit de sa vie, avec culpabilité. J'avais l'impression de me placer dans le temps où elle ne serait plus ». Elle continue en disant : « Je vivais aussi dans le déchirement d'une écriture où je l'imaginais, jeune, allant vers le monde, et le présent des visites qui me ramenait à l'inexorable dégradation de son état » (JNS, 11). Il n'est donc pas supportable d'écrire sur la mère au moment même de la tension entre les deux pôles[10]. Seul le décès de la mère assurera la possibilité du texte. Analysant l'œuvre de Colette, Julia Kristeva observe que « l'écriture est *au travers* de l'amour et s'accomplit *avec* la mort de l'autre. Telle quelle, elle trouve sa source dans une figure maternelle nommée Sido »[11]. Ce jeu entre « au travers » et « avec » est exactement celui que nous pouvons actualiser de façon très concrète pour envisager *Une femme* : *Une femme* prend son essor « au travers » de l'amour de la mère et « avec » sa disparition. Non plus Sido dans ce cas, mais Blanche Duchesne[12].

A l'issue du journal, une fois la mère décédée, la nécessité d'écrire se fait de plus en plus pressante. Annie Ernaux oscille alors entre le rejet de toute écriture concernant la mère (« Horreur d'imaginer un livre sur elle. La littérature ne peut rien » – JNS, 106), l'appréhension de le faire (« Peur aussi de commencer à écrire sur l'inhumation, sur le dernier jour où je l'ai vue

---

[10] Elle le fera cependant, durant la période d'entre-deux, mais regrettera les textes donnés sur sa mère à des journaux : « Le pire, depuis deux ans, avoir écrit sur elle, un texte dans *Le Figaro*, une nouvelle pour *L'Autre journal*, des notes après mes visites » (JNS, 108). Ces textes ne nous semblent pas infléchir notre démonstration dans le sens où il ne s'agit pas réellement d'œuvres éditées mais de simples textes imprimés.

[11] Julia Kristeva, *Le Génie féminin, tome III, Colette*, Paris, Fayard, 2002, p. 153.

[12] Alors qu'*Une femme* passe sous silence l'identité de la mère, « *Je ne suis pas sortie de ma nuit* » la donne. Voir page 43.

vivante » – JNS, 112), l'impossibilité d'y arriver (« Ne pas pouvoir non plus "écrire pour de vrai" sur elle » – JNS, 114) et la nécessité d'y parvenir (« Peut-être épuiser cette douleur, la fatiguer en racontant, en décrivant » – JNS, 105 –, ou encore : « Il va falloir que je raconte pour "mettre au-dessus de moi" » – JNS, 110).

La toute fin du journal coïncide avec le début de l'écriture d'*Une femme*. Les premières pages de ce texte sont effectivement mentionnées dans le journal, à la date du dimanche 20 avril qui est celle du début de l'œuvre ainsi que le précise la fin d'*Une femme* : « Entre trois et quatre heures, j'ai eu envie de faire le récit de la dernière fois où je l'ai vue vivante, il y a juste deux semaines » (JNS, 115-116).

L'œuvre, entraînée par le deuil, commence ainsi lorsque la mère est sortie de l'entre-deux. La veille, Annie Ernaux avait consigné son propre entre-deux :« Je suis dans la disjonction. Un jour ce sera fini peut-être, tout sera lié, comme une histoire. Pour écrire, il faudrait que j'attende que ces deux jours soient fondus dans le reste de ma vie » (JNS, 112). Cette liaison ne sera toujours pas effectuée au début d'*Une femme* comme le dira de nouveau la narratrice, dans des termes similaires : « Je vais continuer d'écrire sur ma mère. [...] Peut-être ferais-je mieux d'attendre que sa maladie et sa mort soient fondues dans le cours passé de ma vie [...]. Mais je ne suis pas capable en ce moment de faire autre chose » (UF, 22). L'écriture du deuil, dans *Une femme*, va alors s'installer entièrement dans cet entre-deux encore perceptible.

Ecrire sous le signe de l'entre-deux

L'entre-deux sur lequel les textes s'appuient est d'abord le rappel de celui vécu par l'endeuillée. Dans *Une femme*, Annie Ernaux évoque son détachement du monde concret et montre comment elle se situait dans un entre-deux qui était celui de la tension entre la gravité de l'événement (la mort de la mère) et la futilité de la vie quotidienne : « Je ne comprenais plus la façon habituelle de se comporter des gens, leur attention minutieuse à la boucherie pour choisir tel ou tel morceau de viande me causait de l'horreur » (UF, 21). Un sentiment de décrochement similaire est exprimé dans *La Place*, marqué par un entre-deux de l'ordre du retrait, d'un rapport au monde entre présence et absence : « Une période blanche, sans pensées » (LP, 21).

Significativement, l'espace onirique réitère cet entre-deux de l'endeuillée. Annie Ernaux, à la fin d'*Une femme*, rapporte le rêve suivant : « Pendant les dix mois où j'ai écrit, je rêvais d'elle presque toutes les nuits. Une fois, j'étais couchée au milieu d'une rivière, entre deux eaux. De mon ventre, de mon sexe à nouveau lisse comme celui d'une petite fille partaient des plantes en filaments, qui flottaient, molles. Ce n'était pas seulement mon sexe, c'était aussi celui de ma mère »[13] (UF, 104).

---

[13] Ce rêve est présent dans « *Je ne suis pas sortie de ma nuit* », p. 57, sous une forme légèrement différente.

Dans ce rêve, la narratrice se retrouve emblématiquement dans un espace instable, répétant l'entre-deux propre à l'activité du deuil. Cet entre-deux est implicitement celui de la vie et de la mort puisque le sexe de l'enfant, du début de vie se confond avec celui de la mère, morte au moment de l'écriture. Certes, cet entre-deux pourrait être complètement mortifère (la narratrice, ici, n'est pas sans évoquer cette autre morte flottant sur les eaux, Ophélie), mais ce serait négliger une composante importante de ce rêve, celle qui construit une tension vers le vivant avec « les plantes qui sortent du sexe ».

Il serait effectivement possible de voir dans les plantes une métaphore de l'œuvre. La question de l'enfantement a déjà été activée au cours d'*Une femme* lorsque Annie Ernaux écrivait : « Il me semble maintenant que j'écris sur ma mère pour, à mon tour, la mettre au monde » (UF, 43). Ici, un même processus d'engendrement est perceptible. « Les plantes en filaments », sortant de ce sexe à l'identité fluctuante, pourraient être l'image de ce texte en cours de création dont le caractère instable (on le voit dans les réflexions métatextuelles omniprésentes où la narratrice s'interroge sur sa capacité à accomplir, à répondre à son projet) est à l'image de la mollesse des plantes. De même que les plantes aquatiques sourdent d'un sexe entre mort et vie, le texte, *Une femme*, sourd d'une narratrice prise entre la vie et la mort.

Cet entre-deux n'est pas seulement celui qui caractérise la narratrice, il est aussi celui qui vient s'opposer à la volonté unificatrice qu'elle souhaite mettre en œuvre : le désir de joindre les contraires se heurte à chaque fois à l'impression d'osciller entre deux pôles. Dans *La Place*, par exemple, l'envie de dire « à la fois le bonheur et l'aliénation » (LP, 49) mais l' « impression, bien plutôt, de tanguer d'un bord à l'autre de cette contradiction ». Une tension du même ordre se retrouve dans *Une femme,* où Annie Ernaux voit « tantôt la "bonne mère", tantôt la "mauvaise" » (UF, 62) et où elle explique qu'elle se situe dans un « balancement venu du plus loin de l'enfance » (UF, 62). Seule l'œuvre achevée, close, permettra de dépasser l'entre-deux, d'unir ou, à tout le moins, d'apaiser tous ces contraires (nous y reviendrons).

Mais plus que des lieux où se reflète l'entre-deux, *La Place* et *Une femme* sont en eux-mêmes de véritables espaces d'entre-deux. Aussi bien à la fin de *La Place* que d'*Une femme* se trouvent les dates délimitant la période d'écriture. Les textes sont ainsi pris entre deux dates : « novembre 1982-juin 1983 » pour *La Place*, « dimanche 20 avril 86-26 février 87 » pour *Une femme*. Ces dates délimitent un espace temporellement borné dont le bord extrême, la résolution, est avancée vers un deuil accepté, à comprendre comme une sortie de l'entre-deux. Les œuvres se présentent ainsi comme deux espaces textuels et, simultanément, comme deux espaces temporels mis entre parenthèses. Elles sont l'espace d'un temps soustrait au temps, entendez par là, d'un temps hors-temps[14], entre le temps d'un deuil à peine débuté et celui d'un deuil en voie d'achèvement. Elles sont un temps soustrait au déroulement linéaire de la vie, un espace feutré où la narratrice prend le temps. Celui de revenir sur son deuil dans *La Place*, celui de le faire dans *Une femme*.

Une différence doit cependant être faite entre ces deux textes. *Une femme,* explique Annie Ernaux dans un entretien, est « profondément une œuvre de deuil, infiniment plus que *La Place* qui a été écrit bien après la mort de [s]on père »[15]. Il ne s'agit pas là de dire que *La Place* n'est pas une œuvre de deuil, elle l'est, assurément, au moins parce qu'il en est question, mais de souligner qu'*Une femme,* vraiment écrit au moment de l'épreuve vécue du deuil, de plain-pied avec le bouleversement, l'est encore davantage. C'est peut-être pour cette raison que l'entre-deux y est plus sensible.

Une femme se présente effectivement comme un espace chimérique, entre-deux, entre la veille et le lendemain, entre l'hier de la présence et le demain de la disparition irrémédiable. Cet espace est caractérisé par un mode d'appréhension particulier de la mère. De fait, Annie Ernaux précise : « On ne sait pas que j'écris sur elle. Mais je n'écris pas sur elle, j'ai plutôt l'impression de vivre avec elle, dans un temps, des lieux, où elle est vivante » (UF, 68). Non pas « sur » mais « avec » : le texte du deuil est celui d'un temps décentré, autre, rompant la succession, un temps artificiel. Il n'est pas un rejet de la mort mais un temps de transition, quelque chose de l'ordre de la retenue, un instant entre les deux rives pour reprendre la métaphore du passeur. Cette perspective se confirme lorsque Annie Ernaux écrit : « Dans ces conditions, "sortir un livre" n'a pas d'autre signification, sinon celle de la mort définitive de ma mère. Envie d'injurier ceux qui me demandent en souriant, "c'est pour quand votre prochain livre ?" »(UF, 69)

La sortie de l'entre-deux

Si l'écriture du deuil est immersion dans un espace d'entre-deux, l'achèvement des écrits du deuil a pour corrélat la sortie de cet espace. Le texte, accompli, signifie la fin de l'oscillation entre deux pôles (quels qu'ils soient) : fin, d'une certaine façon, de l'oscillation entraînée par le vécu du deuil et fin, surtout, de l'oscillation vécue dans l'écriture. De la mouvance, la clôture de l'œuvre du deuil fait fixité. C'est ce qu'Annie Ernaux suggère lorsqu'elle évoque un texte de deuil achevé, *La Place*, dans un texte de deuil en cours de réalisation, *Une femme* : « En 1967, mon père est mort d'un infarctus en quatre jours. Je ne peux pas décrire ces moments parce que je l'ai déjà fait dans un autre livre, c'est-à-dire qu'il n'y aura jamais aucun autre

---

[14] Sur la question du hors temps dans une perspective analytique, voir Julia Kristeva, *La Révolte intime, pouvoirs et limites de la psychanalyse II,* Paris, Fayard, 1997, rééd. Le Livre de poche, coll. « Biblio Essais », p. 40- 67.

[15] Annie Ernaux, *Une femme, op. cit.*, rééd., coll. « La Bibliothèque Gallimard », 2002, p. 8.

récit possible, avec d'autres mots, un autre ordre des phrases » (UF, 73). Autrement dit, le travail de passeur mis en œuvre dans *La Place* est terminé et arrêté, irrémédiablement, le père et la fille sont chacun sur une des rives. Cet aspect d'ordonnancement définitif régit également *Une femme*, comme on peut le voir dans une remarque métatextuelle où Annie Ernaux utilise trois fois le terme « ordre » pour caractériser son projet : « [...] je passe beaucoup de temps à m'interroger sur l'*ordre* des choses à dire, le choix et l'agencement des mots, comme s'il existait un *ordre* idéal, seul capable de rendre une vérité concernant ma mère (...) et rien d'autre ne compte pour moi, au moment où j'écris, que la découverte de cet *ordre*-là »[16] (UF, 43). Ordre : le texte du deuil, dans sa clôture, est avènement d'un assemblage immuable, celui qui sonne le glas de l'entre-deux expérimenté et ressenti. De là, certainement la difficulté à quitter cet espace trouble où le défunt balançait, par la grâce du texte, entre la vie et la mort et où la mort n'était alors pas complètement entérinée. A la fin de *La Place*, par exemple, Annie Ernaux écrit : « Je ne pensais pas à la fin de mon livre. Maintenant je sais qu'elle approche. [...] Bientôt, je n'aurai plus rien à écrire. Je voudrais retarder les dernières pages, qu'elles soient toujours devant moi » (LP, 91). La sortie d'un espace de l'entre-deux où le père mort était réactualisé dans sa vie est ainsi redoutée. Même difficulté concernant la fin dans *Une femme*, mais pour une autre raison, la peur d'atteindre de nouveau les jours de la déchéance, ultime étape par ailleurs avant la mort : « Depuis quelques jours, j'écris de plus en plus difficilement, peut-être parce que je ne voudrais jamais arriver à ce moment. Pourtant, je sais que je ne peux pas vivre sans unir par l'écriture la femme démente qu'elle est devenue à celle forte et lumineuse qu'elle avait été » (UF, 89). La difficulté d'écrire la fin se double ici de la nécessité d'« unir ». *Une femme*, qui est immersion dans un entre-deux mimétique de l'entre-deux du deuil vécu au même moment, met en avant, beaucoup plus que *La Place*, qui était avant tout retour sur un entre-deux, constitution d'un entre-deux, la question de la liaison. Lier est une manière de victoire sur la mort qui, elle, est facteur de déliaison. Cette déliaison entraînée par le décès est d'ailleurs clairement exprimée à la toute fin d'*Une femme* : « J'ai perdu le dernier lien avec le monde dont je suis issue » (UF, 106).

La force de l'écriture comme élément de liaison et, partant, de sortie de l'entre-deux, est flagrante lorsque la narratrice explique que dans la semaine suivant le décès, elle « n'arrivai[t] pas à joindre les deux jours » (UF, 103) (celui où elle voit sa mère vivante pour la dernière fois et celui où elle la voit morte pour la première fois). Dans le paragraphe suivant, constitué d'une seule phrase isolée, la grâce de l'écriture, celle de lier, est mise en évidence : « Maintenant, tout est lié ». « Tout » est particulièrement significatif. Il renvoie certes, dans le contexte étroit, au décalage entre ces deux jours, mais

---

[16] Je souligne.

il peut également s'interpréter, dans un contexte plus large, comme liaison opérée par l'écriture. « Tout est lié », dit la narratrice, c'est-à-dire, je suis sortie de l'entre-deux, j'ai joint les pôles extrêmes de la déchirure dans laquelle je me suis débattue pendant toutes ces pages. Le texte joint également la mort et la vie, annule l'entre-deux dans lequel la narratrice était par rapport à elles, ainsi qu'elle l'écrivait dans « *Je ne suis pas sortie de ma nuit* » : « Il y a deux jours que je ne peux pas rassembler, celui qui était pareil à tous les dimanches où j'allais la voir, et le lundi, dernier jour, jour de sa mort. La vie, la mort demeurent de chaque côté de quelque chose, disjointes » (JNS, 112).

Les œuvres du deuil attestent donc de la création d'un lien, de l'inscription dans une unité, une continuité et, dès lors, marquent la rupture avec l'entre-deux. Une remarque d'Annie Ernaux, dans la préface de « *Je ne suis pas sortie de ma nuit* » souligne cette cohésion à laquelle aboutit l'œuvre en général et plus particulièrement l'œuvre du deuil puisque, explicitement, c'est à *Une femme* que l'énoncé renvoie : « Je crois maintenant que l'unicité, la cohérence auxquelles aboutit une œuvre – quelle que soit la volonté de prendre en compte les données les plus contradictoires – doivent être mises en danger chaque fois que c'est possible » (JNS, 12-13). Exposant la nécessité de menacer l'unicité, cette déclaration résume de fait les aspects principaux de l'écriture du deuil : œuvre qui prend en compte les « données les plus contradictoires », autrement dit qui se meut dans l'entre-deux, mais qui, en elle-même, dans son achèvement, est sortie de cet entre-deux.

Un rêve récurrent témoigne de la fin de l'oscillation entre vie et mort, de la fin de l'entre-deux. Il est rapporté au début de « *Je ne suis pas sortie de ma nuit* » et concerne la mère : « Elle est vivante mais elle *a été morte* » (JNS, 14). Les bords des rives ne sont ici pas très éloignés. La fille a fait son travail de passeur. La défunte revient cependant, dépasse le pôle de la mort où elle a été mise, et s'inscrit non pas dans un entre-deux borné par la vie et la mort (le passé composé souligne assez le passage accompli d'un état à un autre) mais dans un trouble qui est juxtaposition et non plus oscillation. « Quand je me réveille » poursuit Annie Ernaux, « pendant une minute, je suis sûre qu'elle vit réellement sous cette double forme, morte et vivante à la fois, comme ces personnages de la mythologie grecque qui ont franchi deux fois le fleuve des morts ». Le rêve permet de revenir sur ce qu'a produit le texte (le passage de la mère sur la rive des morts), sans en atténuer la portée. La mère ne survit effectivement qu'un instant sous cette double forme. L'issue est la même que celle qui concerne cette autre morte revenue de l'autre rive : Eurydice. Tout comme Eurydice, la mère ne fait qu'un bref retour sur la rive des vivants avant de retourner dans son domaine de mort. A l'issue du travail de deuil et du texte de deuil, malgré le désir inexpugnable de résurrection des défunts, chacun reste donc sur la rive que le cours du temps et de l'écriture lui a assigné, fin manifeste de l'entre-deux.

Si « écrire sur sa mère », comme le dit Annie Ernaux dans « *Je ne suis pas sortie de ma nuit* », « pose forcément le problème de l'écriture » (JSN, 49), on pourrait dire, à sa suite et dans la perspective qui est la nôtre, qu'écrire sur la mère *morte* pose forcément le problème de l'écriture *du deuil*. Ecriture du deuil, comme traversée et résolution des tensions, écriture du deuil comme incursion dans l'entre-deux. Un entre-deux qui est celui de l'oscillation entre la vie et la mort ainsi que nous l'avons vu et qui tient aussi à la nature même de la mort envisagée.

Ecrire sur le père mort comme dans *La Place*, ou sur la mère morte comme dans *Une femme*, c'est effectivement s'inscrire d'emblée dans une appréhension de la mort sous le signe de l'entre-deux, tel que le développe Jankélévitch dans *La Mort* lorsqu'il différencie « les trois personnes de la mort » : « Entre l'anonymat de la troisième personne et la subjectivité tragique de la première, il y a le cas intermédiaire et en quelque sorte privilégié de la DEUXIEME PERSONNE ; entre la mort d'autrui qui est lointaine et indifférente, et la mort propre qui est à même notre être, il y a la *proximité de la mort du proche*»[17].

Mais si l'écriture du deuil est à la fois trace et sortie d'un deuil profondément ancré dans l'entre-deux, elle est aussi approche d'un autre entre-deux : l'espace nouvellement dessiné qui s'étend entre « la mort du proche », passée, et ma « mort propre », à venir. La mort à « la deuxième personne » ne fait certes pas prendre conscience de la possibilité de la mort de soi, mais elle intensifie cette réalité. Ceci est particulièrement sensible dans *Une femme* lorsque Annie Ernaux écrit être retournée à la maison de retraite et avoir « pensé aussi qu'un jour, dans les années 2000, [elle] serai[t] l'une des ces femmes qui attendent le dîner en pliant et dépliant leur serviette, ici ou autre part » (UF, 104).

L'écriture du deuil entretient dès lors un rapport trouble à l'entre-deux. Sortie de l'entre-deux occasionné par la mort du proche, elle ouvre sur un nouvel entre-deux, peut-être dans le cas d'*Une femme* parce que les deux parents sont maintenant disparus et que la mère, celle qui était « forte et protectrice contre la maladie et la mort » (JSN, 36) est décédée, anéantissant justement le dernier rempart contre la mort[18].

---

[17] Vladimir Jankélévitch, *La Mort,* Paris, Flammarion, coll. « Champs », 1977, p. 29.

[18] Vladimir Jankélévitch note à ce propos que « la mort de nos parents […] fait disparaître le dernier intermédiaire entre la mort en troisième personne et la mort propre ; le dernier glacis est tombé, qui séparait de notre mort personnelle le concept de la mort » (*La Mort, ibid.*).

SUBJECTIVITÉ FÉMININE ET CONSCIENCE FÉMINISTE DANS *L'ÉVÉNEMENT*

Barbara Havercroft
Université de Toronto

Depuis la parution des *Armoires vides* en 1974, Annie Ernaux ne cesse de sonder les diverses facettes de la construction du sujet féminin dans toute sa complexité. Se servant de plusieurs sous-genres autobiographiques (le journal intime, l'autofiction, le récit auto/ biographique), sans pour autant adhérer strictement aux traits typiques de ces derniers, Annie Ernaux situe le sujet féminin dans sa réalité familiale, sociale et passionnelle, en abordant des expériences différentes de la vie au féminin : la relation aux parents (*Une femme*, *La Place*), la liaison amoureuse (*Passion simple*, *Se perdre*), le trauma de la violence familiale (*La Honte*) et de l'avortement (*Les Armoires vides*, *L'Evénement*), le mariage bourgeois raté (*La Femme gelée*), la maladie de la mère (« *Je ne suis pas sortie de ma nuit* ») et l'emprise de la jalousie (*L'Occupation*). Ses textes poignants s'avèrent le lieu où s'entrecroisent la construction d'une subjectivité féminine unique et individuelle – la sienne – et la représentation, à travers cette dernière, de soucis et d'événements propres à la collectivité des femmes, un entre-deux qui témoigne de la conscience féministe de l'écrivaine. Ce désir de réunir l'individuel et le collectif, Annie Ernaux l'avoue elle-même, constitue un des buts de son écriture : « Je me sers de ma subjectivité pour retrouver, dévoiler des mécanismes ou des phénomènes plus généraux, collectifs »[1]. C'est justement par le dévoilement et, en même temps, par le dépassement de l'expérience individuelle du *je* autobiographique que ses textes manifestent une portée collective et politique, qu'ils sont susceptibles de lever le voile sur des réalités féminines particulières et de faire advenir des changements de mentalités.

---

[1] Annie Ernaux, *L'Ecriture comme un couteau. Entretien avec Frédéric-Yves Jeannet*, Paris, Éditions Stock, 2003, p. 43-44.

L'entre-deux et le féminin

Si la notion de l'entre-deux dans toutes ses formes sous-tend l'œuvre d'Annie Ernaux dans son entier, ces diverses dimensions de l'entre-deux se conçoivent le plus souvent à partir du regard du sujet féminin. En effet, les « entre-deux » chez Ernaux sont multiples : l'œuvre elle-même, on le sait, réside quelque part « entre la littérature, la sociologie et l'histoire »[2], tandis que ses narratrices oscillent d'abord entre deux mondes – l'école et la maison[3] –, et de façon plus globale, entre deux classes sociales et entre « deux langages »[4], ce double héritage social qui s'infiltre dans tous ses textes. C'est le « cumul des deux situations, transfuge sociale et femme »[5], qui confère la dimension politique à ses textes, qui l'amène à vaciller entre l'individuel et le collectif et même parfois à vivre « sur deux plans *à la fois, celui de la vie et celui de l'écriture* »[6]. Comme l'ont fait remarquer Lyn Thomas et Loraine Day[7], l'œuvre d'Annie Ernaux se situe au confluent de la classe sociale, du genre sexuel et de la sexualité, trois éléments presque inséparables qui interagissent constamment dans son écriture. Mais le souci de mettre en lumière les rapports étroits entre l'histoire d'un sujet féminin particulier et celle de la collectivité des femmes est peut-être le plus manifeste dans *L'Evénement*, ce récit où la relation réciproque entre le personnel et le politique devient très évidente.

C'est justement cet entre-deux, celui du rapport entre la construction du sujet féminin singulier et la conscience féministe de la narratrice qui vise la collectivité des femmes, qui fera l'objet de notre étude de *L'Evénement*. Retournant aux enjeux douloureux exposés sur le mode fictionnel vingt-six ans auparavant dans *Les Armoires vides*, Annie Ernaux relate dans *L'Evénement* la pénible histoire de son propre avortement, survenu dans le climat d'interdiction et de honte qui entourait cet acte dans les années 1960 en France, époque où l'avortement était formellement interdit. Effectivement, toute femme qui se faisait avorter et toute personne l'aidant à le faire (médecins, sages-femmes, pharmaciens, faiseuses d'anges) couraient le risque, si elles se faisaient prendre, d'écoper d'une amende ou d'une peine de

---

[2] Annie Ernaux, *Une femme*, Paris, Gallimard, 1987, p.106.

[3] La vacillation entre ces deux mondes est soulignée dans *Les Armoires vides* (Paris, Gallimard, 1974, p. 72). Dans *L'Ecriture comme un couteau*, Annie Ernaux insiste sur la cohabitation, en elle, de « la langue originelle », celle du milieu ouvrier, et de « la langue élaborée » acquise ultérieurement (*op. cit.*, p. 90).

[4] Annie Ernaux, *Les Armoires vides*, *op. cit.*, p. 77.

[5] Annie Ernaux, *L'Ecriture comme un couteau*, *op. cit.*, p. 104.

[6] *Ibid.*, p. 119.

[7] Voir Lyn Thomas, *Annie Ernaux : An Introduction to the Writer and Her Audience*, Oxford, Berg, 1999, p. 54-89, et Loraine Day, « Class, Sexuality and Subjectivity in Annie Ernaux's *Les Armoires vides* », in M. Atack et Phil Powrie (dir.), *Contemporary French Fiction by Women : Feminist Perspectives*, Manchester, Manchester University Press, 1990, p. 41-55.

prison. De plusieurs points de vue, cet événement qu'était l'avortement revêt une importance capitale pour Annie Ernaux. Narrer cet épisode bouleversant, c'est mettre à jour l'interdit et le tabou, c'est nommer les signifiants du corps féminin – le sang, la souffrance, les eaux –, c'est « dire la réalité vécue au féminin »[8] ; enfin, c'est remémorer l'inoubliable rencontre de cette adolescente d'un milieu populaire avec la bourgeoisie, dont le fruit est littéralement expulsé du corps. Ce récit émouvant, qui raconte non seulement l'histoire de l'avortement lui-même mais aussi celle de l'avortement devenu écriture, retrace le passage difficile du statut d'objet – victime de sa grossesse et du dédain de la société, à trois exceptions féminines près –, à celui de sujet agissant, un sujet engagé. Et ce passage du statut d'objet (du mépris des autres, d'une situation d'impasse) à celui de sujet agissant s'effectue à la fois sur le plan de l'énoncé, de « l'événement » lui-même, et sur celui de l'énonciation, l'acte de narrer cet « événement » si difficile. Si le style d'Annie Ernaux paraît limpide, en apparence tout simple, il n'en reste pas moins que l'écrivaine mobilise de nombreuses stratégies discursives ayant trait à la construction du sujet féminin agissant. Ce style, baptisé « méiotique » par Warren Motte[9], est nettement plus complexe que le jugement de certains critiques ne le laissent croire. À ce propos, notons l'emploi de certaines figures rhétoriques (l'euphémisme, la litote, l'ellipse, le chiasme), de citations de toutes sortes, de clichés, de procédés typographiques (l'italique, les majuscules, les guillemets), de stéréotypes et aussi du discours métatextuel tenu sur l'acte d'écrire cet événement qui l'a tellement blessée autrefois, physiquement et moralement. Devant cet embarras du choix, nous nous limiterons dans la présente étude à quatre de ces procédés discursifs, dont tous sont intimement liés à l'expression de la conscience féministe de la narratrice : la citation, le stéréotype, l'euphémisme et le métadiscours. Ces stratégies textuelles portent toutes à la fois sur la représentation du sujet féminin spécifique dans *L'Evénement* et sur le sort de la collectivité des femmes qui se retrouvent face aux mêmes obstacles et aux mêmes préjugés.

La citation et le stéréotype sont deux stratégies énonciatives qui ressortissent à la répétition, voire au recyclage du déjà-dit. À cet égard, les

---

[8] Annie Ernaux, dans Philippe Vilain, « Entretien avec Annie Ernaux : une "conscience malheureuse" de femme », *Littéréalité*, Vol. IX, n° 1, printemps/été 1997, p. 69.

[9] Warren Motte, « Annie Ernaux's Understatement », *The French Review*, vol. 69, no 1, 1995, p. 55-67. Comme le souligne Isabelle Charpentier dans son étude des réceptions critiques d'Annie Ernaux dans le présent ouvrage, l'écrivaine a été bannie aux frontières du domaine littéraire légitime, critiquée entre autres pour son apparente « absence » de style. Philippe Vilain, par contre, insiste sur l'originalité de cette écriture « plate » qui, tout en refusant tout style romanesque conventionnel, possède pourtant ses propres stratégies discursives. Voir Philippe Vilain, « Annie Ernaux : l'écriture du don reversé », *Littéréalité*, vol. X, no 2, automne/hiver 1998, p. 70.

propos de la philosophe américaine Judith Butler concernant la répétition dans son livre *Gender Trouble : Feminism and the Subversion of Identity* sont particulièrement pertinents[10]. Selon Butler, la mise en question des normes et des lois du genre sexuel s'effectue dans le contexte performatif de la répétition : « toute signification résulte de la nécessité de répéter : l'engagement est donc à situer dans la possibilité d'une variation de cette répétition »[11]. Ainsi existe-t-il la possibilité d'une resignification provoquée par une répétition performative, par une variation du discours antérieur qui le resitue, qui le recontextualise, qui le détourne. Justement, nous le verrons, dans *L'Evénement*, la citation et le stéréotype participent souvent à la critique des normes relatives au genre sexuel servant à contraindre la liberté du sujet féminin et à le rabaisser; leur emploi dans ce texte est tout sauf fortuit et témoigne de l'engagement du sujet écrivant.

Entre le soi et l'autre : les voix de la citation

La citation est loin d'être une pratique étrangère à l'écriture d'Annie Ernaux, et comme nous l'avons montré dans une analyse de « *Je ne suis pas sortie de ma nuit* »[12], elle remplit plusieurs fonctions différentes : exprimer la douleur et le deuil, réécouter la voix de la mère et construire l'identité de la fille (Ernaux) par rapport à celle de sa mère mourante. Tout comme « *Je ne suis pas sortie de ma nuit* », *L'Evénement* comprend un grand nombre de citations provenant de sources diverses : des amies, des connaissances, du personnel médical qu'elle consulte, des textes littéraires, des chansons, ainsi que des extraits tirés de son agenda, de son journal intime et de son carnet d'adresses de l'époque. Annie Ernaux a ainsi recours à de multiples discours culturels et sociaux et les fait réentendre dans le nouveau contexte de son propre récit autobiographique. Mais c'est peut-être un extrait de l'édition de 1948 du *Nouveau Larousse Universel* qui illustre le mieux le travail de la citation, qu'Antoine Compagnon qualifie de « puissance en acte »[13] :

---

[10] Il importe de noter que les théories de Butler font partie de son analyse de l'identité générique (« gender identity »). Butler développe ces idées pour montrer que les identités génériques se fondent sur l'illusion d'un sens originel qui se révèle en fait le produit de pratiques institutionnelles. Comme celles-ci nous font croire que ces identités sont naturelles et prédiscursives, le genre sexuel peut être dévoilé en tant qu'acte par des pratiques mimétiques et parodiques, comme le travestissement. Cette performance met en relief le fait que le genre sexuel (le « gender ») est fabriqué à partir des attentes, des normes et des contraintes institutionnelles.

[11] Judith Butler, *Gender Trouble : Feminism and the Subversion of Identity*, New York, Routledge, 1990, p. 145 ; nous traduisons.

[12] Voir Barbara Havercroft, « Auto/biographie et agentivité au féminin dans "Je ne suis pas sortie de ma nuit" d'Annie Ernaux », dans Lucie Lequin et Catherine Mavrikakis (dir.), *La Francophonie sans frontière. Une nouvelle cartographie de l'imaginaire au féminin*, Paris, L'Harmattan, 2001, p. 517-535.

[13] Antoine Compagnon, *La seconde main ou le travail de la citation*, Paris, Seuil, 1979, p. 36.

> *Sont punis de prison et d'amende 1) l'auteur de manœuvres abortives quelconques ; 2) les médecins, sages-femmes, pharmaciens, et coupables d'avoir indiqué ou favorisé ces manœuvres ; 3) la femme qui s'est fait avorter elle-même ou qui y a consenti ; 4) la provocation à l'avortement et la propagande anti-conceptionnelle. L'interdiction de séjour peut en outre être prononcée contre les coupables, sans compter, pour ceux de la 2ᵉ catégorie, la privation définitive ou temporaire d'exercer leur profession[14].*

Ici s'élève la voix de la loi patriarcale, celle qui déterminera tous ses faits et gestes dans ce récit, celle qui obligera la jeune protagoniste à se lancer désespérément dans une quête furtive, difficile et clandestine de cet avortement désiré, digne de punitions qui sont aujourd'hui presque impensables dans la société occidentale. Bien que la longueur de cette citation puisse paraître excessive, celle-ci incarne littéralement l'étendue et la sévérité des châtiments possibles. Au lieu de simplement résumer cette loi dans ses propres mots, la narratrice donne libre cours à la voix de la loi, en la citant intégralement. Mise en relief par l'emploi de l'italique, cette greffe textuelle sert non seulement à éclaircir le dilemme personnel d'Annie Ernaux – car ici on trouve juxtaposé le sort d'un individu et celui de la collectivité des femmes, toutes contraintes par cette loi –, mais aussi à nous rappeler de façon claire cette interdiction antérieure qui pesait sur le libre choix des femmes concernant leur propre corps. Rappel redoutable donc, de ce crime, mais aussi des gains maintenant tenus pour acquis et des possibles dangers, si jamais une pareille loi était réadoptée aujourd'hui, comme certains le souhaitent encore. Que cette loi se présente comme toute puissante à l'époque, la circularité du chiasme dans l'extrait suivant n'en laisse aucun doute :

> [On était] dans l'impossibilité absolue d'imaginer qu'un jour les femmes puissent décider d'avorter librement. Et, comme d'habitude, il était impossible de déterminer *si l'avortement était interdit parce que c'était mal, ou si c'était mal parce que c'était interdit* . On jugeait par rapport à la loi, on ne jugeait pas la loi (p. 43 ; nous soulignons).

Enfermées dans ce cercle vicieux que personne ne pouvait briser, « les filles comme [Ernaux] » (p. 41), qui « gâchaient la journée des médecins » (p. 41), « les obligeaient à se rappeler la loi qui pouvait les envoyer en prison et leur interdire d'exercer pour toujours » (p. 42). Force est de constater que la force de cette loi résonne encore, à travers sa seule répétition, sa seule citation. Comme la narratrice l'ajoute amèrement, « en face d'une carrière brisée, une aiguille à tricoter dans le vagin ne pesait pas lourd » (p. 42).

---

[14] Annie Ernaux, *L'Evénement*, Paris, Gallimard, 2000, p. 27. Toute référence à ce texte sera désormais indiquée par le numéro de la page entre parenthèses.

Autre exemple saillant de la critique des normes, des attitudes et des comportements par le biais de la citation, la répétition de la phrase humiliante prononcée par l'interne lors de la nuit de l'avortement met en relief les préjugés qui touchent simultanément au genre sexuel et à la classe sociale. Confronté à la jeune protagoniste en pleine hémorragie, le jeune chirugien chargé du curetage de l'utérus lui crie : « Je ne suis pas le plombier ! » (p. 96), enlevant toute trace de sensibilité de ses soins par cet énoncé injurieux et par sa référence à un métier de la classe ouvrière, classe qu'il croit être celle de sa patiente. La comparaison implicite entre une fuite d'eau à colmater – réparation typique faite par un plombier – et le flot de sang à arrêter laisse entrevoir tant le manque total de compassion chez le chirugien que son attitude misogyne envers sa patiente. Effectivement, ce médecin a honte lorsqu'il apprend, plus tard, qu'il s'est trompé de classe, qu'il a « traité une étudiante de la fac des lettres comme une ouvrière du textile ou une vendeuse de Monoprix » (p. 99). Que la fille « de la fac » n'appartienne justement pas encore à la bourgeoisie – ironie mordante s'il en est une – ne fait qu'accentuer davantage le rôle prépondérant que joue la classe sociale en matière du traitement des avortées, voire des soins médicaux en général. Par conséquent, la citation des paroles d'antan sert trois buts à la fois : elle fait retentir ces voix et ces attitudes injustes d'autrefois, elle nous fait revivre les émotions brutes de la narratrice, à jamais rattachées à ces mots, et elle énonce une critique des mentalités sous-tendant ces énoncés répétés et resitués dans le contexte du récit autobiographique[15].

Le stéréotype et sa critique

Autre stratégie d'ordre répétitif, le stéréotype « désigne les unités préfabriquées » qui relèvent du déjà-dit et du déjà-pensé, « à travers lesquelles s'impose l'idéologie sous le masque de l'évidence »[16]. Selon Ruth Amossy, le stéréotype consiste en un schème ou en une image « de seconde main, reçu[s] tel[s] quel[s] sans esprit critique »[17]. Nocif, le stéréotype « catégorise abusivement, simplifie outrageusement » et « entrave le mouve-ment qui porte à noter la différence »[18]. Si le schème préfabriqué est de nature répétitive, son danger réside justement en sa capacité d'entraîner ceux qui le propagent ou qui l'avalent « dans une activité répétitive et stérile »[19]. Repérer et dénoncer les stéréotypes, c'est mettre à jour les croyances erronées

---

[15] A propos de la « transcription de paroles » dans ses textes, Annie Ernaux fait référence à cette même remarque de l'interne, justement pour expliciter à quel point les mots cités « sont lourds de significations », qu'ils « "ramassent" la couleur d'une scène, sa douleur, son étrangeté ou la violence sociale ». Voir Annie Ernaux, *L'Ecriture comme un couteau, op. cit.*, p. 130-131.

[16] Ruth Amossy, *Les Idées reçues. Sémiologie du stéréotype*, Paris, Nathan, 1991, p. 30.

[17] *Ibid.*, p. 35.

[18] *Ibid.*, p. 37.

[19] *Ibid.*, p. 37.

qui leur servent de fondement, c'est donc une forme d'engagement discursif. La critique du stéréotype permet non seulement la révélation de ses bases fausses et oppressives, mais aussi la résistance contre la discrimination inévitable qu'il entraîne. Or le féminisme, à travers ses divers mouvements, théories et représentations culturelles, participe massivement à cette analyse critique du stéréotype, déjouant les images traditionnelles toutes faites des femmes pour dévoiler le caractère culturel de la féminité et la construction sociale du genre sexuel. À l'instar de Ruth Amossy, on pourrait même décrire le féminisme comme « une gigantesque entreprise de démythification de tous les schèmes collectifs figés dans lesquels ont été, et sont encore, enfermées les femmes »[20].

Ainsi, les images stéréotypées des femmes et des filles qui foisonnent dans *L'Evénement* jouent un rôle hautement critique. Annie Ernaux recycle certains stéréotypes pour démasquer leur caractère artificiel et dangereux, tout en indiquant leur rôle dans la construction de sa propre subjectivité. À cet égard, l'image figée peut-être la plus récurrente dans le texte est celle, péjorative évidemment, de la fille tombée enceinte hors du mariage, image à laquelle la narratrice s'identifie. À plusieurs reprises, elle se voit à travers les yeux des autres, réitérant des stéréotypes de la mauvaise fille. Cette image de la fille à caractère douteux se manifeste dans l'extrait suivant, où la narratrice constate un changement d'attitude à son égard chez un étudiant qu'elle connaît, dès qu'elle lui révèle sa grossesse :

> Peut-être trouvait-il [Jean T.] son plaisir dans la subite transformation de la bonne étudiante d'hier en fille aux abois. [...] Pour lui, j'étais passée de la catégorie des filles dont on ne sait pas si elles acceptent de coucher à celles des filles qui, de façon indubitable, ont déjà couché. [À cette] époque la distinction entre les deux importait extrêmement et conditionnait l'attitude des garçons à l'égard des filles [...] (p. 31, 33).

Dans cet extrait, la narratrice évoque deux images stéréotypées des jeunes filles, différentes mais courantes, toutes deux nourries de faux préjugés et de misogynie. Aux yeux de Jean T., étudiant marié, salarié et doté d'idées prétendument « révolutionnaires » (p. 31) – il était même membre d'une organisation « semi-clandestine luttant pour la liberté de la contraception » (p. 31) –, la narratrice se serait transformée, sans crier gare, de jeune vierge chaste et sage en fille « souillée » et licencieuse, ayant un appétit sexuel sans bornes. La substitution d'un stéréotype à la place d'un autre se voit par le comportement hypocrite de Jean T., qui affiche une attitude de « curiosité et de jouissance, comme s'il [la] voyait les jambes écartées, le sexe offert » (p. 31). Au lieu d'aider la narratrice dans sa situation désespérée, Jean T. la confine aux limites étroites du stéréotype de la fille de mœurs légères, allant

---

[20] *Ibid.*, p. 169-170.

jusqu'à lui proposer qu'ils fassent l'amour ensemble, malgré la présence de sa femme et de son enfant dans le même appartement. La répétition de ce stéréotype de la « mauvaise » fille, dont le caractère péjoratif est accentué par sa juxtaposition à celui de la « bonne » fille, permet à Annie Ernaux de faire ressortir sa nature erronée et abusive, ainsi que la constellation sémantique d'hypocrisie et de sexisme qui l'accompagne. Qui plus est, l'emploi de ces stéréotypes souligne à la fois le sort douloureux réservé au sujet féminin individuel et la portée collective d'une discrimination qui a touché la vie de milliers de femmes occidentales.

Toujours prise dans cette image stéréotypée de la fille licencieuse que lui renvoie la société, la narratrice déclare partager sa propre « déréliction » (p. 39) avec la célèbre Sœur Sourire. Il s'agit de la religieuse défroquée qui, après le succès fulgurant de sa chanson *Dominique*, a fini par se suicider, « en rupture de la société » (p. 39). Paradoxalement, cette nonne lesbienne qui buvait, ayant quitté son ordre religieux pour vivre avec une femme et allant donc à l'encontre de l'image stéréotypée de la bonne sœur, fournit à Annie Ernaux une image de la « déchéance » féminine, voisine de la sienne. Le rapport entre ces deux images défavorables est accru par le rejet de la religion catholique institutionnalisée commun aux deux figures féminines. Si Sœur Sourire quitte l'Église pour suivre sa propre voie, la narratrice en vient à la conclusion que sa foi n'a plus de signification pour elle. Après l'avortement, elle confesse « son crime » à un prêtre, mais se rend compte « de [s]on erreur » et sort de l'église, sachant « que le temps de la religion était fini pour [elle] » (p. 108). Sortir de cette église, ce qui fait écho au départ de Sœur Sourire de cette même institution, c'est un geste hautement symbolique qui représente l'acte de quitter la religion définitivement. La juxtaposition de ces deux images féminines, dont une sert à réfuter le stéréotype de la fille de mœurs faciles et l'autre à démythifier le stéréotype de la nonne chaste et bienséante, fait partie d'une volonté de critiquer les stéréotypes utilisés pour dénigrer les femmes.

Ailleurs dans le texte, certains lexèmes bien choisis contribuent à ériger ce même stéréotype de la mauvaise fille. La narratrice mentionne sa « déchéance invisible » (p. 46), son « exclusion du monde normal » (p. 49) et sa « culpabilité » (p. 85) ; par rapport aux autres étudiants, dit-elle, « j'étais devenue intérieurement une délinquante » (p. 50). Imaginant les pensées des médecins que consultent les filles tombées enceintes hors du mariage, la narratrice décrit ces dernières comme « assez stupide[s] pour se faire mettre en cloque » (p. 42) : l'argot vulgaire accentue ici le mépris des autres et la honte de soi associés au stéréotype[21]. Même la deuxième sonde posée par

---

[21] L'emploi du registre vulgaire pour exprimer les possibles réactions des autres (des parents, en particulier) face à sa situation de fille enceinte est considérablement plus fréquent dans *Les Armoires vides*, où la narratrice emploie des expressions injurieuses telles que « salle carne » (p. 28, p. 166), « pute » (p. 34), « cette traînée » (p. 28) et « salope » (p. 91).

Mme P.-R. pour provoquer l'avortement prend la forme d'un serpent, ce signifiant clair du péché commis. On reconnaît ici le recyclage de l'image de la première page des *Armoires vides*, où la jeune Denise « ne voyai[t] entre [s]es jambes que [l]es cheveux gris [de la faiseuse d'anges] et le serpent rouge brandi au bout d'une pince »[22]. Mobilisant dans *L'Evénement* un lexique où se mêlent les registres criminel, religieux et dégradant, Annie Ernaux répète le stéréotype de la fille de mœurs légères dont elle a été victime autrefois pour en dévoiler le caractère artificiel et les effets néfastes sur la vie des filles à l'époque.

Par ailleurs, il importe d'insister pour dire à quel point cette chute de la bonne fille sage et respectable entretient chez Annie Ernaux un rapport étroit avec la notion de classe, cette dernière étant une constante dans toute son œuvre. C'est dire que pour l'auteure, le stéréotype de la fille de mœurs faciles est teinté de connotations relatives à la classe ouvrière. Aux yeux de la protagoniste de *L'Evénement*, être enceinte en dehors du mariage signifie non seulement la honte d'un état scandaleux, mais aussi la pauvreté et l'échec social, comme en témoigne l'extrait suivant :

> J'établissais confusément un lien entre ma classe sociale d'origine et ce qui m'arrivait. [...] ni le bac ni la licence de lettres n'avaient réussi à détourner la fatalité de la transmission d'une pauvreté dont la fille enceinte était, au même titre que l'alcoolique, l'emblème. J'étais rattrapée par le cul et ce qui poussait en moi c'était, d'une certaine manière, l'échec social (p. 29-30).

Selon Siobhán McIlvanney, la narratrice interprète sa propre grossesse comme « l'incarnation littérale de ses origines sociales, connotant la victoire ultime de la sphère corporelle et ouvrière sur celle, bourgeoise et intellectuelle »[23]. Effectivement, la narratrice se trouve prise par « des malaises constants » (p. 47) et par la recherche désespérée d'une faiseuse d'anges – bref, par les exigences du corps –, la rendant incapable de se consacrer à son travail intellectuel habituel. C'était comme si, malgré elle, la fille d'ouvriers refaisait surface, un phénomène déjà mentionné dans *Les Armoires vides* : « La sonde, le ventre, ça n'a pas tellement changé, toujours de mauvais goût. La Lesur remonte »[24]. D'où l'attitude ambivalente de la narratrice de *L'Evénement* envers Mme P.-R., qui est simultanément une source précieuse d'aide et un rappel du « milieu populaire, dont [elle] étai[t]

---

[22] Annie Ernaux, *Les Armoires vides, op. cit.*, p. 11. D'après Siobhán McIlvanney, cette image phallique du « serpent rouge » renforce le lien entre la pénétration sexuelle et l'avortement, un lien que l'on retrouve ailleurs dans *Les Armoires vides*. Voir S. McIlvanney, *Annie Ernaux : The Return to Origins*, Liverpool, Liverpool University Press, 2001, p. 22.

[23] *Ibid.*, p. 167 ; nous traduisons.

[24] Annie Ernaux, *Les Armoires vides, op. cit.*, p. 61.

alors en train de [s]'éloigner » (p. 80). En somme, le stéréotype féminin de la fille de mœurs légères qu'elle répète et contre lequel elle lutte, au moment de l'avortement et au moment de l'écriture autobiographique, est une image polysémique, marquée tant par le genre sexuel que par la classe sociale.

Entre euphémisme et exposition

L'emploi récurrent de l'euphémisme, lui aussi, fait partie intégrante de la vie du sujet féminin lors de cette épreuve difficile, aussi bien que de la narration de l'événement des décennies plus tard, une narration nourrie par la conscience féministe de l'auteure. Les multiples euphémismes du texte se divisent *grosso modo* en deux types : ceux qui sont utilisés pour faire référence à l'avortement lui-même et ceux énoncés à la place des mots « grossesse » ou « bébé ». Rappelons que l'euphémisme est une figure qui « repose sur une réduction de l'information », présentant « le réel sous un éclairage favorable »[25]. Justement, les nombreux euphémismes dans *L'Evénement* accentuent l'interdiction de l'avortement, la nécessité de le garder secret, le besoin de la discrétion absolue. C'est comme si la seule énonciation du mot suffisait pour mériter une punition, pour reléguer l'énonciateur dans la sphère double du criminel et du pécheur. En effet, nommer l'acte semble suffire pour le faire exister, et pour entraîner toutes les conséquences néfastes qui lui sont associées. Comme Simone de Beauvoir l'affirme dans *Le Deuxième Sexe* :

> Il est peu de sujets sur lesquels la société bourgeoise déploie plus d'hypocrisie : l'avortement est un crime répugnant auquel il est indécent de faire allusion. Qu'un écrivain [...] parle d'une avortée, on l'accuse de se vautrer dans l'ordure et de décrire l'humanité sous un jour abject[26].

Dans le récit d'Annie Ernaux, le mot « avortement » est systématiquement évité, pour faire place à des expressions comme « cet événement » (p. 81), « ça y est » (p. 91 ; phrase proférée par la narratrice au moment même de l'expulsion du fœtus), « une scène sans nom » (p. 91), « une scène de sacrifice » (p. 91), « utérus gravide » (p. 98) et tout simplement, « ça » (p. 75). Sont évidemment sous-entendues dans ces expressions euphémistiques toutes les émotions, les injustices et l'hypocrisie rattachées à l'avortement, de même que la visée critique de la narratrice. Si défendu, si puissant était le mot « avortement » que la narratrice en fait l'objet d'un commentaire dans sa description d'une visite chez un des médecins auprès desquels elle cherche de l'aide – sans succès, évidemment : « Ni lui ni moi n'avions prononcé le mot avortement une seule fois. C'était une chose qui

---

[25] Christine Klein-Lataud, *Précis des figures de style,* Toronto, Éditions du GREF, coll. « Traduire, Écrire, Lire », 1991, p. 97.

[26] Simone de Beauvoir, *Le Deuxième Sexe*, Tome II, Paris, Gallimard, 1949, p. 331.

n'avait pas de place dans le langage » (p. 54). Le sujet féminin se trouve dans la honte et dans le silence du secret, contraint à parler de façon détournée de son besoin urgent d'avorter.

Il en va de même lorsqu'il s'agit de faire référence à la grossesse et au fœtus. Pour désigner la grossesse, la narratrice choisit des termes assez vagues, tels que « mon état » (p. 65) ou « ma situation » (p. 28). Quant au fœtus lui-même, divers euphémismes sont utilisés pour le dénoter, comme « cette chose-là » (p. 36), « ça » (p. 66) ou bien, l'emploi de l'article défini « le », souvent entouré de lexèmes dotés de connotations péjoratives : « je ne voulais pas *"le* garder" » (p. 53 ; nous soulignons) ; et « [j]'étais persuadée que je devais atteindre le sommet et la limite de mes forces pour m'*en* débarasser » (p. 67; nous soulignons). Espérant qu'une chute sur les pistes de ski réussirait à provoquer une fausse couche, la narratrice avoue s'exténuer « pour *le* tuer sous [elle] » (p. 67 ; nous soulignons). Que l'utilisation de ces euphémismes soit nécessaire, le discours métatextuel le confirme sans équivoque :

> Pour penser ma situation, je n'employais aucun des termes qui la désignent, ni « j'attends un enfant », ni « enceinte », encore moins « grossesse », voisin de « grotesque ». Ils contenaient l'acceptation d'un futur qui n'aurait pas lieu. Ce n'était pas la peine de nommer ce que j'avais décidé de faire disparaître (p. 28).

Ce n'est qu'au moment même de raconter l'avortement, l'hémorragie qui en résulte et la nuit cauchemardesque d'« exposition et [de] jugement » (p. 93) à l'hôpital que la narratrice parvient à appeler les choses par leur nom. Le futur antérieur, voire inachevé de la grossesse rend ainsi possible la nomination explicite des détails corporels. Au lieu d'avoir recours à des euphémismes comme elle l'a fait ailleurs dans le récit, la narratrice expose avec franchise ces « événements » douloureux. Décrivant l'expulsion du fœtus, par exemple, elle souligne la violence de la scène par l'emploi de comparaisons et de lexèmes explicites : « Je poussais de toutes mes forces. Cela a jailli comme une grenade, dans un éclaboussement d'eau qui s'est répandue jusqu'à la porte. J'ai vu un petit baigneur pendre de mon sexe au bout d'un cordon rougeâtre » (p. 90). Ce fœtus dont la sortie explosive du corps retentit comme une bombe, elle le nomme directement, allant jusqu'à remarquer « le corps minuscule, avec une grosse tête, et les paupières transparentes » sous lesquelles « les yeux font deux taches bleues » (p. 91). Si la narratrice admet que la scène dans son entier en est une « sans nom, la vie et la mort en même temps » (p. 91), elle réussit néanmoins à en préciser certains détails avec une exactitude saisissante et ce, des décennies après l'avortement. Cette précision, qui diffère nettement des euphémismes employés ailleurs dans le texte, témoigne de l'importance capitale de l'événement dans la vie de l'auteure. Elle montre à quel point tous ces détails ont été gravés dans sa mémoire, y laissant des empreintes indélébiles, des traces qui deviendront l'écriture qui les représente. C'est le corps maintenant avorté, non plus le corps évité (du moins, sur le plan de la désignation directe) qui, nous le verrons, donnera naissance à l'écriture, à une « vie » autre que celle que la grossesse corporelle aurait produite.

Vie, mort et métadiscours

À cet égard, la présence du métadiscours concernant l'acte d'écrire, trait typique de l'écriture d'Ernaux, est hautement significative. Si cette stratégie n'est pas caractérisée par la répétition, comme le sont la citation et le stéréotype, il n'en reste pas moins qu'elle relève assurément de la conscience féministe de l'auteure. Les commentaires métatextuels, parsemés tout au long du récit, remplissent en fait plusieurs fonctions, dont celle d'insister sur le texte comme le témoignage d'une expérience particulière aux femmes, où le « je » de l'écrivaine côtoie celui de maintes autres femmes. Parlant de son propre récit, la narratrice constate : « si je ne vais pas au bout de la relation de cette expérience, je contribue à obscurcir la réalité des femmes et je me range du côté de la domination masculine du monde » (p. 53). Il y aurait une nécessité de lever le voile sur cet interdit secret qu'était l'avortement, une nécessité de révéler tous les aspects d'une expérience corporelle et affective partagée par des milliers de femmes. Et au métadiscours de signaler cette fonction de témoignage que remplit le récit, dans le but de créer une solidarité féminine, maintenant qu' « aucune interdiction ne pèse plus sur l'avortement » (p. 26). Cette solidarité féminine, explicitement mentionnée dans le texte, se rapporte aussi bien aux milliers de filles ayant effectivement eu un avortement illégal (p. 70) qu'aux femmes réelles et fictives avec qui l'auteure se « sen[t] quelque chose de commun » (p. 40); elles sont liées les unes aux autres par ce que la narratrice nomme « une chaîne invisible » (p. 40). Un des maillons importants de cette chaîne, c'est le *je* textuel qu'Annie Ernaux qualifie de « transpersonnel »[27], un déictique pluriréférentiel qui laisse s'exprimer les voix des autres à travers la sienne. Fait saillant, Annie Ernaux parle de la nécessité d'écrire l'événement tout de suite après un passage où elle décrit son sentiment de faiblesse, au moment de la grossesse : « J'étais désespérée par mon impuissance. Je n'étais pas à la hauteur » (p. 53). Pourtant, elle a fini par sortir de l'impasse – libération qui se reflète d'ailleurs dans la découverte, des années plus tard, du vrai nom de la rue où s'est passé « l'événement » : le *passage* Cardinet, et non pas *l'impasse* Cardinet.

Mais les vestiges, les restes de cet événement demeurent avec elle, en elle ; d'où le besoin d'y revenir, trente-cinq ans plus tard, pour agir encore une fois, sur le plan de l'écriture. Dans un geste où le corps physique rejoint le corps textuel, où l'événement physiologique devient un événement

---

[27] Annie Ernaux, « Vers un *je* transpersonnel », dans Serge Doubrovsky, Jacques Lecarme et Philippe Lejeune (dir.), *Autofictions et cie*, Paris, *RITM*, no 6, Université de Paris X, 1993, p. 221.

scriptural, Ernaux donne naissance au récit de la naissance avortée. De cette façon, un dédoublement s'installe, où la recherche actuelle de l'écriture de l'avortement suit le même chemin tâtonnant que la recherche antérieure de l'avortement lui-même, texte et corps s'offrant tous les deux aux yeux des autres, dans un double dévoilement du secret, passé et présent. Dans un passage où le métadiscours accompagne la narration des événements, parlant tour à tour de son corps saignant et de la rédaction douloureuse de cette souffrance, la narratrice précise : « J'avais le sentiment de m'être bien conduite jusqu'à l'hémorragie. […]. Je ne maîtrisais plus rien. (Je sens qu'il en sera de même lorsque le livre sera fini. […] Je n'aurai plus aucun pouvoir sur mon texte qui sera exposé comme mon corps l'a été à l'Hôtel-Dieu) » (p. 95).

L'entrelacement du corps et du texte, du corporel et du scriptural mis en relief par l'usage du métadiscours, se trouve renforcé par la description de l'avortement comme un événement complexe, comme une « expérience pure de la vie et de la mort » (p. 93), « une expérience humaine totale, de la vie et de la mort, du temps, de la morale et de l'interdit, de la loi » (p. 112). L'avortement serait ainsi le site traumatique où la cohabitation de cette antithèse fondamentale entre la vie et la mort se donne à lire de plusieurs façons différentes, une polysémie évidente dans l'extrait suivant : « Dans les toilettes de la cité universitaire, *j'avais accouché d'une vie et d'une mort en même temps* » (p. 103 ; nous soulignons). Dans ce passage, les termes « vie » et « mort » ont effectivement des référents multiples. Mort évidente du fœtus sur le plan littéral, rien n'est plus clair, mais cette mort peut également faire référence à la fin de la jeunesse de la narratrice, une rupture séparant à jamais la fille moins expérimentée d'avant de la jeune femme avortée d'après[28]. En effet, la narratrice semble avoir traversé un seuil identitaire, étant devenue autre à elle-même, ce qu'elle remarque lors de la simple observation de ses propres jambes : « Je regarde mes jambes en collant noir allongées au soleil, ce sont celles d'une autre femme » (p. 105). Enfin, autre forme de mort évoquée dans l'histoire de l'avortement, la séparation de sa mère produite par ce dernier est hautement significative. C'est au moment même du début des procédures menant à l'avortement chez la faiseuse d'anges où cette rupture entre mère et fille accompagne celle entre la possible future jeune mère – qui met pourtant fin à sa grossesse et donc à cette identité maternelle possible – et son fœtus: « Il me semble que cette femme [Mme P.-R.] qui s'active entre mes jambes, qui introduit le spéculum, me fait naître. J'ai tué ma mère en moi à ce moment-là » (p. 77). Transformée de faiseuse d'anges en sage-femme, Mme P.-R. remplace symboliquement la vraie mère de la narratrice, aidant cette dernière à accoucher d'elle-même, dans une sorte de renaissance,

---

[28] Siobhán McIlvanney voit dans cet avortement la fin de l'appartenance de la narratrice des *Armoire vides* au monde ouvrier et le début de son affiliation à la classe bourgeoise, même si le fruit de son union avec un homme bourgeois est expulsé de son corps lors de l'avortement. Voir S. McIlvanney, *op. cit.*, p. 165.

à trouver sa propre identité, distincte de celle de sa mère, tout en « tuant » à la fois le lien à la mère et celui au fœtus. Ainsi l'avortement n'est-il pas qu'une scène de mort, de fin et de séparation. Couper le cordon ombilical, c'est aussi donner naissance à la vie d'adulte, à une nouvelle identité de femme plus mûre et réfléchie.

Conclusion : l'écriture comme événement

L'autre forme de naissance provoquée par ce trauma affectif et physiologique est celle de l'écrivaine qu'Annie Ernaux deviendra par la suite. On le sait, c'est bien l'histoire fictionnalisée de cet avortement qui constitue le tout premier texte publié d'Annie Ernaux, celui qui a lancé sa carrière[29]. Scène de vie et de mort à la fois, l'avortement provoque en fait l'accouchement de deux textes spécifiques qui l'incarnent, le représentent, le repensent, dont un (*Les Armoires vides*) sert à aider à naître tous les autres textes de l'écrivaine. Quant à l'autre (*L'Evénement*), il explicite les rapports entre corps et texte, entre vie et mort, tout en divulguant les détails candides de l'avortement omis du premier. C'est surtout par le biais de l'écriture que la narratrice réussit à « transformer la violence subie en victoire individuelle » (p. 109-110), témoignant par l'écriture même son propre passage de la honte à la fierté[30].

Toutefois, l'écriture parfois franche de ces morts et de ces (re)naissances se trouve atténuée dans une certaine mesure par le titre du texte, qui, polysémique, garde le ton discret du secret, tout en en révélant l'essentiel : que cette expérience soit écrite, partagée, offerte aux autres, et que l'écriture constitue un événement au même titre que l'avortement. Annie Ernaux l'affirme clairement : l'avortement était comme un don ; il fallait qu'elle en fasse quelque chose. Ce quelque chose, c'est bien le texte comme événement, un événement scriptural qui représente simultanément la subjectivité unique de la narratrice et celle de milliers d'autres femmes avortées. Et ce texte comme événement confère au titre ce double référent si bien évoqué dans l'intertexte chiasmatique de Michel Leiris, qui lui sert d'épigraphe : « Mon double vœu : que l'événement devienne écrit. Et que l'écrit soit événement » (p. 9).

---

[29] Comme le note avec justesse Loraine Day, il est ironique que la narratrice de *L'Evénement* craigne que sa grossesse mette fin à ses projets littéraires, car c'est cet événement imprévu qui, en fin de compte, les a véritablement déclenchés. Voir L. Day, « The Dynamics of Shame, Pride and Writing in Annie Ernaux's *L'Evénement* », *Dalhousie French Studies*, Vol. 61, Hiver, 2002, p. 89.

[30] La narratrice l'admet ouvertement, elle éprouve surtout de la fierté après son avortement, une fierté qui la pousse à écrire (p. 107). Pour une excellente analyse de la transformation affective de la honte en fierté chez la narratrice, voir Loraine Day, *op. cit.*, p. 75-91.

INFLUENCES ILLÉGITIMES : LA REVUE *CONFIDENCES* COMME INTERTEXTE DES *ARMOIRES VIDES*

Lyn Thomas
London Metropolitan University

Ce récit de la presse féminine populaire a joué un rôle initiatique, et terrifiant par la morale proposée : rester à sa *place*, ce mot est employé en conclusion.

Ainsi, en décembre 2001, Annie Ernaux décrivait-elle sa réaction à la lecture ou plutôt à la relecture d'« Une Expérience », nouvelle publiée en 1949 dans un numéro de la revue féminine *Confidences*, et qu'elle est sûre d'avoir lue à l'âge de neuf ans. Dans *Les Armoires vides*, *Confidences* est mentionnée une dizaine de fois et il y a une vingtaine de références à d'autres textes semblables : *Le Petit Echo de la Mode*, *Lisette*, *La Semaine de Suzette*. Dans *La Honte* aussi, on trouve au moins une dizaine de références aux revues féminines des années 40 et 50. L'intertextualité de l'œuvre d'Annie Ernaux inclut, bien sûr, des textes reconnus comme œuvres littéraires importantes, *La Nausée* de Sartre ou *Le Château* de Kafka. Ailleurs j'ai analysé en détail la juxtaposition de ces références légitimes et illégitimes, et leurs rôles dans l'écriture d'Ernaux (Thomas, à paraître). En bref, les références illégitimes font partie de son projet de faire entrer sa culture d'origine, la culture de ses parents en littérature. Leur juxtaposition avec les classiques du vingtième siècle met en question le système de valeurs culturelles décrit par Bourdieu dans *La Distinction* ; l'inclusion d'intertextes populaires dans des œuvres publiées chez Gallimard dans la Collection Blanche leur apporte, jusqu'à un certain point, un nouveau statut, une autre valeur. Elle contribue à l'inscription de l'œuvre d'Annie Ernaux elle-même dans un espace culturel ambigu, un entre-deux à la fois légitime et illégitime[1].

Mais il ne s'agit pas uniquement de légitimisation, à contre-courant, de la culture populaire féminine représentée par ces intertextes. Comme la phrase d'Annie Ernaux déjà citée l'indique, le contenu de ces textes est parfois extrêmement menaçant ; la survie en tant que femme transfuge de classe et écrivain exige la résistance et la lutte contre ce genre de message. L'entre-deux culturel implique non seulement le fait d'appartenir ou d'avoir appartenu à deux milieux socio-culturels, mais aussi, à cause de cette double appartenance, d'entretenir des rapports complexes, ambigus avec les deux. Ici je vais développer le thème de ce double rapport en me concentrant sur un seul récit de *Confidences*, et en le comparant au premier roman d'Annie Ernaux, *Les Armoires vides*.

Une des pratiques de la critique littéraire est de retrouver les « influences » sur l'auteur, et ainsi de tracer son évolution littéraire et de placer l'œuvre dans le canon. La valeur d'un texte est ainsi soutenue par ces liens avec d'autres œuvres reconnues, et l'idée de l'auteur, malgré sa mort théorique il y a quatre décennies, a encore une place centrale (Barthes, 1968). On peut, évidemment, mettre en question ce procédé, ainsi que l'idée « d'influences sur l'auteur ». Déjà le statut illégitime de certains intertextes choisis par Annie Ernaux construit un autre réseau textuel, réclame un autre placement. Il conviendrait donc mieux ici de considérer la culture représentée par ce récit et par la revue *Confidences* en général comme un aspect du contexte de production des livres d'Annie Ernaux.

Dans *La Honte* Ernaux souligne le gouffre culturel qui la sépare de son enfance. Son projet d'écriture dans ce texte est une recherche sur son milieu d'origine, et en particulier le langage : « Mettre au jour les langages qui me constituaient, les mots de la religion, ceux de mes parents liés aux gestes et aux choses, des romans que je lisais dans *Le Petit Echo de la Mode* ou dans *Les Veillées des chaumières* » (*La Honte*, p. 37). Si donc dans *La Honte* et ailleurs Ernaux a voulu reconstruire le monde qui l'a formée, mon intervention serait une version critique, extérieure de ce projet ; en lisant la nouvelle de *Confidences* et *Les Armoires vides* comme textes parallèles, textes – miroirs, j'espère étudier de plus près ce processus de construction sociale de l'identité.

Avant de passer à la comparaison des deux textes, il faudra identifier la nature de ce contexte social et culturel que représente la revue *Confidences*, afin de voir de façon plus claire ce qui relie, et ce qui sépare l'écriture d'Annie Ernaux et la littérature populaire féminine qui a été son introduction

---

[1] Entre-deux décrit en détail par Isabelle Charpentier dans ce volume, autant par rapport à la réception critique des livres d'Annie Ernaux que par rapport à la posture adoptée par l'écrivain elle-même dans les « textes d'accompagnement » qu'elle produit.

à la lecture. Ce sera aussi l'occasion de souligner les immenses changements culturels par rapport à la sexualité qui ont eu lieu pendant la vie d'Annie Ernaux, et dont témoigne son écriture.

Comment donc placer et comprendre cet intertexte ? A qui s'adresse-t-il ? Peut-on justifier le terme « illégitime », emprunté à Pierre Bourdieu, ou même le mot « populaire » ? Il n'est pas possible ici d'explorer les réponses à ces questions de fond, ce qui, d'ailleurs exigerait un autre genre de recherche. Je suggérerais néanmoins que la revue *Confidences* a joué un rôle ambigu, voire même contradictoire, se plaçant entre la pauvreté réelle et les fantasmes du luxe, entre la culture légitime par le langage et la stricte moralité, et la culture illégitime par le contenu : les histoires romantiques, le monde de la féminité.

En premier lieu, la situation modeste des lectrices visées par la revue semble être révélée par les publicités pour des produits de beauté très courants et ne coûtant pas cher, et par leur juxtaposition avec les produits de lessive, la cire Johnson, la margarine Tip etc. Dans les conseils de beauté, notamment une bande dessinée intitulée « Alice au pays de la Beauté », on met l'accent sur l'économie : Alice « conserve tous les petits morceaux de savon et, quand elle en a une quantité suffisante, elle y ajoute un peu d'eau et obtient un savon liquide condensé » (*Confidences*, n° 103, p. 19). On retrouve le même genre de conseils, donnés dans l'intention d'aider les lectrices à faire quelque chose de rien, dans les exemplaires du *Petit Echo de la Mode* de l'époque, et on peut les interpréter autant comme indications d'un lectorat de milieu social populaire que signes des privations de la période de l'après-guerre. Le courrier des lectrices est encore plus révélateur de la situation sociale du lectorat visé ; il n'en est pas moins signifiant si, et c'est fort possible, la rédaction de la revue a rédigé ou même inventé les lettres : « Mon travail est très salissant et mes mains, que je lave avec des cristaux ne sont jamais nettes. Que faire ? » (*Confidences,* n° 102, p. 2) ou encore : « Nous travaillons, mon mari et moi, en usine, mais nous désirerions vivre au grand air. Nous aimerions faire de l'élevage de volailles. Pourrions-nous emprunter de l'argent ? Combien faut-il de nourriture par bête ? » (*Confidences*, n° 105, p. 2).

Les récits romantiques qui dominent la revue et sont sa raison d'être semblent au pôle opposé de ces questions pratiques, terre-à-terre. Le langage déployé et la façon de s'adresser à la lectrice feraient croire à un lectorat d'une classe sociale plus élevée et mieux éduquée que celui suggéré par les lettres et les publicités. Ainsi, le numéro 102 d'octobre 1949 explique le terme « confidences » en faisant allusion à Racine et à Corneille et en citant Samuel Johnson ; le 103 cite Anatole France pour convaincre les lectrices de vivre sans regrets pour le passé. Le langage des récits est formel et soutenu, parfois fleuri ; le milieu social dépeint souvent bourgeois ou aristocratique : « Ce soir-là, je m'étais résignée à subir seule les austères délices d'une soirée chez la cousine Victorine. [...]. Lorsque je pénétrai dans le salon Louis XV où les invités de la cousine sirotaient du malaga en manière d'apéritif, je restai un instant sur le seuil, frappée de stupeur…. » (*Confidences*, 104, « Mon petit amoureux », p. 9).

Placer *Confidences* selon le schéma développé par Pierre Bourdieu dans *La Distinction*, n'est donc pas tout à fait évident. Les pages du courrier ainsi que les publicités semblent suggérer un lectorat visé de milieu modeste, bien que le langage des récits et les conseils philosophiques semés de bons mots littéraires soient peut-être signe d'un lectorat visé plus large, incluant la classe moyenne, ou même bourgeoise. Dans leur article sur Denise Roux, un auteur de la presse populaire féminine, Claude Poliak et Fabienne Pavis observent que pendant les années soixante-dix le lectorat de *Confidences*, avec 37 % de femmes ouvrières ou femmes d'ouvriers, serait « relativement moins populaire » que celui des autres titres féminins (Poliak et Pavis, 1988, p. 75). Pour les années quarante et cinquante, leur observation que *Confidences* « occupait une position intermédiaire, conjuguant des prétentions de "qualité culturelle" et un usage fictionnel du "vécu" (les confidences réécrites des lectrices) » semble tout à fait juste. (Poliak et Pavis, 1988, p. 76). Le contenu romantique ne saurait attirer le regard pur de l'homme ou de la femme cultivée, mais le langage fleuri et formel éloigne ces textes du « franc-parler populaire » décrit par Bourdieu. Ce langage, ainsi que le ton didactique et moralisateur, exprime peut-être aussi une prétention à un rôle plus « légitime », c'est à dire l'éducation, ou pour maintenir la terminologie et ainsi l'analyse de Bourdieu, la domination des femmes du peuple[2] Bourdieu suggère une version nuancée de ce rôle pour les magazines féminins des années soixante, qui, selon lui, sont le produit d'une nouvelle bourgeoisie « des vendeurs de biens et de services symboliques » qui, « par leurs conseils sournoisement impératifs [   ] proposent une morale qui se réduit à un art de consommer, de dépenser et de jouir » (Bourdieu, 1979, p. 356).

Si, en 1979, Bourdieu voit la version années soixante de ce genre de littérature comme la manifestation d'une « transformation du mode de domination » substituant « la séduction à la répression…. la manière douce à la manière forte » (p. 172), dans la revue *Confidences* des années quarante, on ne trouve que très peu de douceur. Dans le domaine de la sexualité, *Confidences* est impitoyable. Les lettres où les lectrices écrivent « confidentiellement » pour avouer qu'elles ont « cédé » à un homme qui ensuite les abandonne, reçoivent toutes la même réponse : « Il faudrait que toutes les jeunes filles qui, comme vous, sont trop confiantes et ajoutent foi aux belles

---

[2] C'est précisément un rôle didactique qui est attribué à ce genre de lecture par la mère dans *Les Armoires vides* : « Déjà sous les draps, le nez collé à mon livre, *Esclave ou Reine, Brigitte jeune fille*, le feuilleton de *Confidences*… C'était ça ma culture, en dehors de l'école, ma mère qui m'achetait des livres sur les conseils du marchand de journaux-tabac… [ ] Elle croyait que tout était bon du moment que c'était de la lecture » (*Les Armoires vides*, p. 94).

paroles du premier venu, lisent votre lettre » (*Confidences*, n° 102, p. 27). Le mariage est le seul but d'une relation avec un homme : « Vous êtes une petite sotte : qu'attendez-vous de ce jeune homme puisqu'il ne peut se marier ? » (*Confidences*, n° 110, p. 2). L'amour compte plus que l'argent mais moins que le devoir : « Ah ! vraiment, l'amour ne sert à rien ? Et l'argent est bien plus important, selon vous ? Eh bien ! Je vous souhaite de tomber amoureuse un jour profondément, de quelqu'un qui se moque de vous ! Peut-être comprendrez-vous alors, en souffrant, tout ce que votre mentalité actuelle a de vil » (*Confidences*, n° 105, p. 2). Dans les réponses, dont le ton est presque sadique, il s'agit autant de punir que de conseiller. L'inévitable conséquence d'une « faute » sexuelle, ou d'un moment de « faiblesse » est une vie gâchée, où il faut renoncer à tout plaisir et réparer sa faute.

Si beaucoup de lectrices étaient, comme la mère d'Annie Ernaux et ses clientes, de milieu modeste, le magazine semble à la fois encourager le désir de s'améliorer (jusqu'à un certain point), et faire passer ce message si terrifiant pour Annie Ernaux : « restez à votre place ». L'écriture d'Annie Ernaux rejette les deux messages et révèle leur contradiction innée. Les objets vendus dans le magasin des parents de Denise, la narratrice des *Armoires vides,* sont les mêmes que l'on retrouve dans les publicités des pages de *Confidences*. Dans le coin mercerie-parfumerie, Denise peut : « soulever les couvercles des boîtes de poudre de riz Tokalon, dévisser les capuchons de rouge Baiser. Brillantines sirupeuses, Roja bleu ou jaune » (*Les Armoires vides,* p. 32 ; *Confidences,* 102, p. 21 et 22 ; 103, p. 24). La référence à ces objets, les outils de la féminité, dans le premier livre d'Ernaux, non seulement donne une impression d'authenticité historique contribuant à l'effet réaliste, mais aussi révèle la hiérarchie sociale qui, évidemment, est un thème majeur : « Les femmes qui viennent aux commissions, avec leurs chaussons, leur cabas de toile cirée, se ressemblent toutes, trop grosses ou trop maigres, toujours déformées, la poitrine fondue, absente ou lourdement coulée à la ceinture, les fesses encerclées par la gaine, les bras mal tournés, brillantine Roja-Flore sur une permanente qui finit toujours en mèches pendouillantes » (*Les Armoires vides,* p. 96). Dès le début de sa carrière d'écrivain, Ernaux fait le lien entre ces signes matériels et physiques et la pauvreté, lien qu'elle continuera à privilégier et qui est fortement nié par les revues populaires féminines, où on a l'impression qu'il suffit d'un peu de brillantine *Roja* et de *Rouge Baiser* pour atteindre le succès social et sexuel.

C'est donc dans ce contexte à la fois moralisateur et romantique, où tout et rien n'est possible pour les femmes, qu'apparaît en octobre 49 un récit qui semble être une version inversée de l'histoire des *Armoires vides*, voire d'Annie Ernaux elle-même. Le parallélisme étonnant de ces deux textes – même le titre de la nouvelle de *Confidences*, « Une Expérience », rappelle certains titres ernausiens – montre l'importance de l'évocation précise du monde social dans l'œuvre ernausienne et ceci même dans le texte qui est, après *Ce qu'ils disent ou rien*, le plus proche du roman de tout le corpus. Autant le style des *Armoires vides* constitue le rejet total et violent de la politesse conventionnelle et du français correct de *Confidences*, autant la ressemblance des thèmes et du milieu évoqué indique qu'Ernaux a réussi le projet qu'elle n'expliquera que plus tard de montrer tout le poids·du contexte social dans la formation de l'individu et dans sa trajectoire.

Premièrement, on reconnaît les détails de la vie quotidienne dans les deux textes : les repas dans la petite cuisine derrière le magasin, souvent interrompus par l'arrivée d'un client, la toile cirée recouvrant la table, la chambre glaciale, le manque de souci esthéthique par rapport au cadre de vie des parents : « La petite boutique aux murs écaillés, avec ses odeurs fortes et tenaces (on n'imagine pas ce que les fruits et primeurs peuvent affecter l'odorat d'une jeune fille qui rêve de délicatesses et de raffinements de toutes sortes!), l'arrière-boutique-cuisine-salle à manger sans air, sans lumière, humide et triste comme une cave » (*Confidences*, n° 102, p. 6). Denise exprime un dégoût semblable : « L'absence de salle à manger et d'entrée, c'était ce qui m'embêtait le plus, la cuisine coincée entre le café et l'épicerie, c'était tout pour recevoir les gens, autant dire rien... L'épicerie, le moisi dans les coins, le désordre » (*Les Armoires vides*, p. 109).

La narration de la nouvelle de *Confidences* est déclenchée par une scène extrêmement signifiante, qui décrit toute la terreur de la honte et de la disgrâce sociale d'une grossesse hors mariage. La jeune héroïne, Agnès, est prise par un malaise dans le magasin de ses parents marchands de fruits et légumes. La fille enceinte perd momentanément connaissance, et garde durant toute la scène « les dents scellées sur la nausée désespérément contenue » (p. 6), terrifiée que son malaise fasse découvrir son secret honteux. L'envie de vomir est aussi un leitmotif des *Armoires vides* (et de *L'Evénement*), lourd de symbolisme et relié à la même crainte de disgrâce sociale : « le flot de viandox est arrivé au bord de la bouche, j'ai bien serré les dents, si j'étais sortie tout le monde aurait su que j'étais enceinte » (*Les Armoires vides,* p. 14). Une différence : la scène de la disgrâce possible des *Armoires Vides* a lieu dans un amphithéâtre; la narratrice, Denise Lesur, a déjà quitté la maison de ses parents pour poursuivre ses études – situation plus difficile à imaginer dans la revue *Confidences* en 49, où l'héroïne est considérée ambitieuse puisqu'elle entreprend une carrière de secrétaire.

Néanmoins, deux pages plus tard, Denise imagine la même scène, son retour à la maison, enceinte, et le plaisir méchant des clients de ses parents qui l'avaient toujours trouvée trop fière : « il en sort de tous les côtés... Ils ont toujours su que je les méprisais, la fille Lesur qui pourrait servir des patates. Ils la tiennent leur vengeance » (*Les Armoires vides*, p. 16). De la même façon, le malaise d'Agnès attire l'attention des clientes du magasin qui l'entourent comme un chœur antique chantant la fin tragique apparemment inévitable : « Les autres clientes accourues se tenaient sur le seuil, en groupe compact, agglutinées par la curiosité » (p. 6). Et pour les mêmes raisons Agnès sait qu'on ne lui pardonnera rien : « Je savais qu'on ne m'aimait pas dans le quartier. On m'accusait d'être fière et ingrate à l'égard de mes parents, ambitieuse, coquette, frivole ». La scène des *Armoires vides* est la première d'une série de scènes de la honte qui traversent l'écriture d'Ernaux et atteignent leur point culminant dans le livre du même nom. Scènes que l'on retrouve donc dans la culture féminine populaire des années quarante, où la sexualité féminine et la honte étaient, semble-t-il des compagnes de route.

Dans les deux textes la découverte possible de la « faute sexuelle » représente une punition, punition de l'ambition, du désir de quitter son milieu d'origine, sa *place* : « Je ne jouirai peut-être plus si tout se déglingue à l'intérieur. Le châtiment. S'ils me voyaient....."Tu finiras mal" » (*Les Armoires vides*, p. 14). Dans les deux textes, le père de l'enfant est de milieu bourgeois et a semblé promettre l'accès à un autre monde – intellectuel pour l'étudiante Denise Lesur, mondain pour la secrétaire Agnès. Dans les deux cas, il abandonne la jeune femme enceinte qui, ne voulant pas avoir recours à l'aide de ses parents, est obligée de s'en sortir seule. Ayant trahi sa classe d'origine, l'héroïne est à son tour trahie. *Les Armoires vides*, comme le récit de *Confidences,* commence par la mise en scène de la disgrâce sociale imaginée, où la narratrice serait soumise au regard hostile, voyeur et même vengeur de ceux qu'elle a « trahis ». A la ressemblance thématique s'ajoute l'aspect théâtral de ces scènes; dans les deux cas il s'agit d'une mise en scène de la honte, où le sujet de la narration devient objet du regard, d'un regard destructeur et menaçant.

Si dans les deux textes le désir d'ascension sociale est lié au désir sexuel, l'objet de ce désir étant de milieu social plus élevé, dans *Les Armoires vides* le lien entre la sexualité et la classe sociale existe aussi à un autre niveau, plus profond. À la première confession, Denise apprend qu'un seul péché intéresse le prêtre, et elle fait immédiatement le lien entre ce péché et son milieu d'origine : « Coupable, coupable. Confusément lié aux rayons de la boutique couverte de conserves, aux fumées et aux cris du samedi soir, à ma mère chaude et lourde, lâchant ses pets et ses gros mots dans la cuisine, le soir » (*Les Armoires vides,* p. 66). La sexualité sous forme de l'amant bourgeois semble représenter un moyen de s'échapper du milieu ouvrier, mais en même temps, de façon classique, l'expression de son désir condamne la narratrice à l'inévitable appartenance à la classe sociale traditionnellement considérée plus proche de l'animal, du corporel. Il y a aussi une punition sexuelle et réelle dans le texte de *Confidences,* où le retour à la classe sociale d'origine à la fin du récit implique la renonciation à toute relation sexuelle.

Comme la phrase des *Armoires vides* que j'ai citée plus haut l'indique, la mère représente l'excès corporel du milieu d'origine. En même temps elle est l'agent principal de la répression de la sexualité de sa fille. Dans les deux textes, en effet, le rapport mère / fille ressort comme thème-clé. Dans *Une Expérience*, l'idée de l'ambivalence par rapport à l'amour maternel est développée : « Un jour, je me vis dans une glace à côté de maman. Je fus saisie par le contraste. Maman, boulotte, trapue, le visage trop rond et la nuque épaisse » (p. 7). Dans *Les Armoires vides,* on retrouve la même tension entre le corps maternel comme présence chaleureuse, réconfortante (les « murs de chair tiède »), et mauvais objet, représentant une version de la féminité que la narratrice rejette de façon violente : « Son indéfrisable de cheveux roux, flamboyants, forme des touffes dans le cou, le rouge Baiser a déteint. Elle croise les bras sur sa blouse tachée, tendue sur ses cuisses larges et écartées » (*Les Armoires vides,* p. 24). Malgré le désir d'ascension sociale de la mère de Denise, comme la mère d'Agnès, elle reste très loin de l'idéal de la femme bourgeoise, idéal qui hante autant les narratrices des *Armoires vides* ou de *La Femme gelée*, que les pages de *Confidences*.

Le fantasme (décrit au masculin par Freud) d'être la fille de quelqu'un d'autre, la construction d'une vie imaginaire, basée, dans le cas des *Armoires vides* sur les mots et les images des récits romantiques, sont communs aussi aux deux textes :

> Avant de savoir lire, je rêvais des heures entières sur les images représentant des belles dames et de beaux messieurs dans de beaux palais... (p. 7).
> Portée par le merveilleux langage de *Lisette* le jeudi, de *Suzette* le mardi, par les magazines féminins que ma mère conserve dans le placard de la cuisine, sous les casseroles, je m'éloignais... L'épicerie-café, mes parents n'étaient sûrement pas vrais, j'allais un soir m'endormir et me réveiller au bord d'une route, j'entrerais dans un château, un gong sonnerait, et je dirais "Bonjour, Papa !" à un élégant monsieur servi par un maître d'hôtel stylé (*Les Armoires vides,* p. 80)[3].

La menace de disparition est remplacée par l'excès, par une présence idéalisée, le fantasme d'une existence supérieure ; dans une dernière ironie, dans *Les Armoires vides* le matériel de ce fantasme est fourni par les magazines. Evidemment ce fantasme entraîne dans les deux textes des sentiments de culpabilité : « D'affreux scrupules me hantaient : n'étais-je pas un monstre ? J'avais le bonheur de posséder des parents tendres et bons et qui ne savaient rien me refuser, et je me permettais de les juger, de les critiquer dans mon for intérieur, de les trouver vulgaires et mesquins » (p. 7). Mais c'est ici que les ressemblances s'arrêtent.

Dans le récit de *Confidences*, la culpabilité est prouvée, assumée. La narratrice, en difficultés financières après avoir placé son fils en nourrice, n'a

---

[3] Voir S. Freud, « Le Roman familial des névrosés » (« Family romances »), in A. Richards ed., *On sexuality*, Londres, Penguin Books, 1977, p. 217-225 ; L. Thomas, *Annie Ernaux : an introduction to the writer and her audience*, Oxford et New York, Berg, 1999, p. 172-173.

plus assez d'argent pour manger elle-même. Après sa quasi-disparition en province pour accoucher, elle disparaît presque totalement en manquant mourir de faim. Elle est sauvée de cette détresse par sa mère qui la reprend, avec le bébé, à la maison. La narratrice revoit le monde d'un autre oeil : tout ce qui était laid avant est maintenant beau, embelli par l'amour, qui est, bien sûr, plus important que l'argent. Elle devient quelqu'un d'autre, peut-être le sujet des fantasmes de ses parents, la fille de leurs rêves. Elle assume son rôle de marchande de légumes avec fierté dans le magasin, où « les bottes d'oignons étalent leur ventre argenté, au milieu de la pourpre des tomates et du vert tendre des laitues », se demandant : « comment j'ai pu être la petite snob que j'ai été, et croire que ma place était ailleurs » (*Confidences*, n° 102, p. 25). La signification du mot « place » pour Annie Ernaux, choisi comme titre du livre basé sur la vie de son père, est bien connue, ainsi que sa volonté de mettre en question toutes les connotations de résignation, de confirmation du statut quo social que l'on retrouve dans le récit de *Confidences*.

Autant dans l'écriture d'Ernaux les références à des magazines comme *Confidences* mettent en question la hiérarchie culturelle analysée par Bourdieu, autant l'écriture ernausienne, notamment dans *Les Armoires vides,* constitue un rejet violent de l'idéologie qu'on y trouve. Denise ne découvrira pas les beautés des légumes; pour elle les épinards garderont leur « vert empoisonné », les tomates leur « rouge mercurochrome » (*Les Armoires vides,* p. 13). En avortant, et peut-être surtout avec la référence à la présence de la concierge (dernière ligne), et le choix de vivre, de continuer à exister, qu'elle implique, la narratrice des *Armoires vides* refuse le destin de l'héroïne du récit de *Confidences*. Ce refus sera exprimé de façon encore plus positive dans *L'Événement*. Ernaux écrit continuellement contre ce message terrifiant pour elle et pour d'autres transfuges de classe, mais c'est dans *Les Armoires vides* que le rejet de ce message est le plus violent. Peut-être que ce récit de *Confidences* a été, non pas une « influence » sur l'auteur mais un aspect du contexte culturel et affectif de son enfance qui a constitué plus tard la nécessité d'écrire, et en particulier, d'écrire *Les Armoires vides*.

Références

« Une expérience », *Confidences,* no. 102, 21 octobre 1949, Paris, Bruxelles, p. 6-7, 23, 25.

« Mon petit amoureux », *Confidences,* no. 104, 4 novembre 1949, Paris, Bruxelles, p. 8-9, 15, 25.

Confidences, no. 102, 21 octobre 1949, Paris, Bruxelles, p. 2, 19, 21-22.

Confidences, no. 105, 11 novembre 1949, Paris, Bruxelles, p. 2, 19.

BARTHES, R., « La Mort de l'auteur », *Mantéia* V, 1968.

BOURDIEU, P., *La Distinction. Critique sociale du jugement*, Paris, Editions de Minuit, 1979.

ERNAUX, A., *Les Armoires vides*, Paris, Gallimard, 1974.

ERNAUX, A., *La Femme gelée*, Paris, Gallimard, 1981.

ERNAUX, A., *La Honte*, Paris, Gallimard, 1997.

ERNAUX, A., *L'Evénement*, Paris, Gallimard, 2000.

FREUD, S., « Le Roman familial des névrosés », 1909 ; « Family Romances », in A. Richards (ed), *On Sexuality : Three Essays on Sexuality and Other Works*, London, Penguin Books, 1977.

POLIAK, C.-F. et Pavis F., « Romance et ethos populaire : la vie et l'œuvre de Denise Roux, auteur de la presse populaire féminine », *Actes de la Recherche en Sciences Sociales*, no. 123, juin 1998.

THOMAS, L., *Annie Ernaux : An Introduction to the Writer and her Audience*, Oxford and New York, Berg, 1999.

THOMAS, L., *Annie Ernaux*, Paris, Editions Stock, à paraître, 2005.

UNE SOCIO-ANALYSE À L'ŒUVRE
DANS *LA PLACE*

Jacques Dubois
Université de Liège

L a question des rapports entre roman et science sociale est aujourd'hui
en débat et ouvre à des échanges fructueux entre critiques, sociologues
et romanciers, les invitant à mettre au jour des convergences entre
leurs différentes pratiques et leurs diverses conceptions. C'est ainsi que l'on
en a fini désormais avec une idée longtemps répandue : elle voulait que les
romanciers de la tradition réaliste aient été les sociologues d'un temps où la
sociologie restait à fonder et que, au moment où celle-ci est apparue, ils aient
cédé la place à ses spécialistes, le roman se consacrant dès lors à bien autre
chose qu'à l'analyse sociale. Aujourd'hui, on préfère considérer qu'auteurs
de « romans du réel » et producteurs d'un savoir social sont entrés en scène
en gros à la même époque, c'est-à-dire dans la première moitié du XIXᵉ
siècle, et ont entretenu depuis lors des relations qui furent tout ensemble de
concurrence et de collaboration, de complémentarité de toute manière. C'est
le point de vue que défend par exemple Wolf Lepenies dans *Les Trois
Cultures*[1] comme c'est celui que l'on peut déduire de certaines considérations
développées par Pierre Bourdieu[2].

Quant à la compétence sociale des romanciers, il faut cependant faire la
part des choses. Le plus souvent, la grande masse de la production romanesque ne fait guère que reprendre les représentations spontanées du social et les
évidences du sens commun, autrement dit se contente de relancer ces pseudo-
savoirs idéologiquement orientés que font circuler parmi le public différentes

---

[1] W. Lepenies, *Les Trois Cultures. Entre science et littérature l'avènement de la
sociologie*. Paris, Éditions de la Maison des sciences de l'homme, 1991 (1985 pour
l'édition allemande).

[2] Voir notamment *Les Règles de l'art. Genèse et structure du champ littéraire*, Paris,
Seuil, « Libre Examen », 1992, et en particulier l'analyse de *L'Éducation sentimentale*
de Flaubert qui ouvre le volume.

catégories de médiateurs – journalistes, publicistes, intellectuels médiatiques –, dont le propos est d'entourer d'un habillage savant ce que l'opinion veut s'entendre dire et qui fait partie d'un discours convenu. On peut même relever que, chez Balzac ou Zola, auteurs dont les liens avec les médias de leur temps sont connus, il est tout un discours d'accompagnement tissé d'idées reçues, de ces idées que s'attela à dénoncer vers la même époque et sur le mode parodique Gustave Flaubert dans *Bouvard et Pécuchet* ou dans son *Dictionnaire des idées reçues*. Mais, chez celui-ci comme chez ceux-là, la fiction dépasse en permanence le niveau du lieu commun discursif et met au jour un contenu de vérité dont la pertinence est d'autant plus grande qu'elle prend un caractère critique.

Il est donc une connaissance du social propre à la littérature – à une partie restreinte de la littérature ou de la fiction – et dont on s'attache aujourd'hui à définir les conditions d'exercice. Ce qui demeure troublant est que des écrivains – mais aussi bien des cinéastes ou des peintres – produisent ainsi une connaissance qui s'avère sociologiquement pertinente sans jamais se plier aux règles et méthodes auxquelles se soumet la discipline sociale. La science du romancier, sans être entièrement infuse, passe par des chemins imprévus. C'est à même ses fictions, autrement dit en prise directe sur le travail de l'imaginaire et de l'écriture, que le roman en vient ainsi à une analyse significative des structures collectives. C'est sans prétendre mener une telle analyse et en négligeant les démarches méthodologiques qu'elle implique mais au contraire en procédant par raccourcis de la représentation qu'il met au jour une connaissance qui d'une certaine manière n'était pas programmée. « Il faudrait s'interroger, écrit Louis Pinto, sur le sentiment d'humilité que pourrait susciter chez le sociologue une confrontation avec diverses catégories de professionnels, romanciers, poètes et autres "faiseurs de mondes" qui disposent d'instruments d'objectivation essentiels quoique non conformes aux visées du savoir scientifique. »[3]

Objectivation : retenons ce terme, qui resservira au moment de parler d'Annie Ernaux et de son mode d'écriture. Il correspond à une notion essentielle pour aborder ce qu'ont de commun travail du sociologue et travail du romancier par-delà les différences. Il attire en particulier l'attention sur le fait que le romancier est en meilleure posture que le sociologue pour donner à comprendre la singularité de l'individu. Si l'on admet, en effet, que ce singulier n'échappe en rien au social parce qu'il en est constitué autant qu'il le constitue, il faut convenir aussi que la science sociale est mal équipée pour le saisir et le cerner. D'une part, ses méthodes la tournent de préférence vers ce qui est nombre ; de l'autre, elle peine à connaître et à reconnaître ce qui se présente à elle sous la forme d'une subjectivité. Objectiver le subjectif, y compris en tant qu'il est porteur de socialité, est proprement la tâche du

---

[3] Louis Pinto, « Voir autrement », dans *Pierre Bourdieu et la philosophie*, *Revue Internationale de Philosophie*, n° 2, 2002, note 2, p. 300.

romancier, celle à laquelle il se voue le plus souvent, même s'il n'atteint pas toujours son but. Mais, pour y parvenir, il lui faut se livrer à une opération critique à l'intérieur même de sa fiction en la faisant porter sur les données immédiates de la représentation et de la croyance. Ainsi, à propos de la *Recherche du temps perdu*, nous avons cru montrer que, après avoir reconduit une série de représentations spontanées et fallacieuses, le héros-narrateur introduisait dans l'univers fictionnel un personnage qui par sa seule présence – une présence tissée de contradictions et essentiellement mobile – disqualifiait les catégories et valeurs dont ce héros-narrateur s'était réclamé jusque-là. Ainsi, pour ne prendre que cet exemple, de l'idée d'hérédité mise à mal par celle d'héritage et cédant devant elle pour proposer une explication plus valide de certains faits mi-individuels mi-collectifs. C'est bien un travail d'objectivation de lui-même que le héros accomplissait ainsi au sein du grand roman, Proust aidant[4].

Dans cette perspective d'une étude des relations entre fiction et savoir sociologique, nous approcherons ici l'œuvre d'Annie Ernaux. Cette œuvre s'offre comme un objet d'investigation idéal à cet égard tant la problématique sociale s'y trouve au cœur même de la représentation – sous la forme par exemple de tout ce qui relève des distinctions de classe et des *habitu*s correspondants – et tant elle est thématisée par l'écrivain même. Il s'agit donc bien d'une production romanesque qui renoue avec la tradition réaliste, cette esthétique sérieuse que décrivait Auerbach, et qui la renouvelle rien qu'à allier une simplicité exigeante de la figuration à une sophistication de la pensée. Mais l'analyste s'avise rapidement que les formes d'objectivation dont l'auteure fait usage ne lui facilitent pas la tâche et qu'il se trouve pris par elles dans une sorte de piège. C'est qu'il est en présence d'une romancière qui dispose d'une « raison » sociologique si forte – mélange de conscience, de méthode et de savoir – qu'il est en peine de faire dire au texte plus qu'il ne dit déjà, de rendre la fiction productive, de démêler dans le savoir manifesté la part de vérité induite. Et il se trouve pris dès lors dans une manière de blocage du jeu fictionnel et critique tel que tout élément de la représentation se fige dans le commentaire du mécanisme social qui le sous-tend. Mais cette disposition de prime abord déroutante ne constitue pas un obstacle dirimant si l'on veut bien considérer qu'elle a pour premier effet de nous extraire des catégories reçues du modèle réaliste et de ce qu'elle se traduit par l'invention d'un genre nouveau que l'on pourrait dénommer fiction sociologique ou, de façon plus alerte, sociologie-fiction. À même leur titre, des romans comme *La Place* ou *La Honte* sont de bons indicateurs de ce que le discours fictionnel est ici surdéterminé par un discours d'une autre nature qui, de toute façon, restreint sa part. Autant dire que les conditions d'examen du rapport entre fiction et sociologie se trouvent radicalement transformées. Les deux discours sont entrés dans une telle proximité ou bien,

---

[4] Voir Jacques Dubois, *Pour Albertine. Proust et le sens du social*, Paris, Seuil, « Liber », 1997.

pour le dire autrement, ils se trouvent dans un rapport si étroitement dialectique que l'analyse doit accepter d'agir sur une crête de signification d'autant plus suggestive qu'elle est resserrée.

On avancera ici l'hypothèse que, dans la plupart de ses ouvrages, Annie Ernaux use d'un modèle romanesque largement inédit dont le propre est de faire que fiction et savoir se génèrent réciproquement et si intimement qu'une tension s'établit nécessairement entre les deux versants du texte. Avec la possibilité qu'un équilibre fécond s'établisse entre l'un et l'autre, suscitant une pratique productive de lecture. Mais aussi avec le risque que l'un des deux versants phagocyte l'autre, assurant la domination d'une sociologie abstraite ou bien celle d'un romanesque un peu court. Cette hypothèse sera ici mise à l'épreuve dans l'ouvrage le plus commenté de l'auteure, *La Place*, texte court et dense, qui, pris entre les deux images de mort qui l'encadrent, est assez exemplaire de ce que nous voulons décrire.

Un roman à sa place

À travers la figure d'un père, *La Place* s'interroge sur ce qu'il advient d'un patrimoine familial et plus largement social lorsqu'un héritier – en fait une héritière – en ascension passe la ligne, change de classe et accède en particulier à un statut intellectuel. Il existe une lignée historique de ce genre de récit, dont la trilogie *Jacques Vingtras* de Jules Vallès serait en quelque sorte l'archétype. Mais *La Place* peut aussi bien renvoyer à une pièce du théâtre contemporain, comme *Conversation en Wallonie* de Jean Louvet. Dans ce cas encore, le texte tourne autour de la figure d'un père défunt et questionne de façon insistante la façon dont un individu affronte un changement d'*habitus* jamais véritablement achevé. Mais, dans l'exemple de Louvet, l'héritier, qui se retrouve professeur de français dans un lycée, est fils d'un ouvrier mineur. Du prolétaire au professeur, la transition est violente, lourde à porter et crée chez le transfuge un sentiment contradictoire, fait de honte d'avoir trahi et de fierté des origines. En soi-même, le cas a quelque chose de théâtral. Dans *La Place*, le dispositif est plus complexe. Il y a d'une part le père qui a connu une ascension en pente douce, ayant successivement été paysan, puis ouvrier sans qualification, puis contremaître pour se retrouver enfin mi-commerçant et mi-tenancier de bistrot ; il a donc toujours occupé une place flottante, marquée par le doute sur la réalité d'un statut et la validité d'un style de vie. Il y a d'autre part la fille qui, elle, a « passé la ligne », a fait des études pour devenir professeur de lettres. Elle est la narratrice et porte sur le père défunt le regard de celle qui voudrait comprendre ce que fut vraiment l'homme dont elle procède et qu'en même temps tout en elle renie ou dénie. Soit une analyse sociale qui, par sa complexité même, s'avère d'emblée de portée romanesque. C'est que, de Balzac à Proust, le roman réaliste a toujours affiché une prédilection pour des statuts composites qui mettent leurs détenteurs, à l'intérieur de l'échange social, en état d'incertitude sur leur identité et de déséquilibre face aux autres.

Si l'on s'en tient à l'histoire du père – inséparable pourtant de celle de la fille –, il s'agit bien d'un être qui a toujours cherché sa place, s'étant élevé petitement dans l'échelle sociale mais jamais assez pour en retirer des satisfactions symboliques durables. Place peu glorieuse que celle de celui qui a vécu du sentiment obscur de ne jamais occuper le lieu qui convient, de toujours se sentir « déplacé », de s'éprouver comme peu maître des règles du jeu à jouer. Cet homme dépourvu de savoir-vivre autant que d'aisance deviendra en douce une honte pour sa fille dès que celle-ci ira à l'école, fréquentera les enfants d'un milieu mieux doté et « saura les choses ». En fait, c'est à tout le groupe d'appartenance que cette fille étendra son sentiment d'indignité jusqu'à percevoir combien le statut familial s'exprime dans la maison d'habitation, avec ce qu'elle a d'hybride et de chaotique, avec son espace où la zone privée est mal cernée et avec ses « cabinets » emblématiques que l'on transbahute d'un endroit à l'autre tout en les « modernisant ».

Comme le veut le titre du roman, « la place » est bien ici un concept-clé, concept qui se tient de façon exemplaire à la charnière du sociologique et du romanesque. Il dit la posture d'un corps dans un espace de vie ; il dit les positions professionnelles d'un individu au long d'une trajectoire ; il dit le statut d'un homme dans une structure sociale. Et il dit encore le point de vue de celle qui tente de décrire ce corps, cet être et ce statut et qui s'efforce d'objectiver sa propre position, sachant qu'elle est à la fois extérieure et intérieure à son objet. Toutes choses qui exigent de la narratrice une forme d'évocation très particulière, la contraignant à ajuster de façon renouvelée sa distance d'observation. En découle, par exemple, cette volonté remarquée de bannir de son évocation tout lyrisme aussi bien que toute ironie alors même que l'implication dans l'histoire racontée est forte, qu'elle procède de ce que l'auteure appelle une « mémoire humiliée » et qu'elle est comme naturellement la porte ouverte aux affects. De là encore, cet effet d'étrangeté que produit une œuvre qui, par un souci extrême de méfiance envers les dérives qui la guettent, donne fréquemment le sentiment de n'aborder son propos qu'avec maintes précautions et par des voies obliques. Mais qu'est-ce qui se joue entre le roman et l'analyse sociale ? Ce sera bien notre question.

Quant au roman

En vérité, Annie Ernaux se refuse à faire du roman au sens plein du terme, encore moins de l'auto-fiction. Et c'est un peu comme si le projet romanesque, qui a initialement existé, se délitait en cours d'élaboration. Écrivant *La Place* et à même le « récit », elle note : « Depuis peu, je sais que le roman est impossible. Pour rendre compte d'une vie soumise à la nécessité, je n'ai pas le droit de prendre d'abord le parti de l'art, ni de chercher à faire quelque chose de "passionnant", ou d'"émouvant" Je rassemblerai les paroles, les gestes, les goûts de mon père, les faits marquants de sa vie, tous

les signes objectifs d'une existence que j'ai aussi partagée. »[5] Nourrie d'un
fort sentiment personnel, la position ainsi formulée se conçoit parfaitement et
appelle le respect. Il n'est pas sûr toutefois qu'elle conduise à une solution
esthétique qui se conforme à ses intentions et à ses vœux. Deux objections
méritent d'être adressées au point de vue du « roman impossible » que défend
la narratrice. D'une part, au nom de quoi ériger en principe qu'il existe une
incompatibilité entre art et exigence existentielle et morale ? De l'autre, il
n'apparaît aucunement que *La Place* échappe au traitement romanesque qui
se voit contesté de l'intérieur. On peut d'ailleurs s'en réjouir tant du point de
vue esthétique que dans l'optique d'une connaissance par la fiction qui est
aussi reconnaissance de ce que méconnaît la *doxa*. Les lecteurs – lecteurs
ordinaires ou lecteurs savants – reçoivent ledit texte comme un « roman », ce
qui ne serait encore qu'une appellation passe-partout et assez dépourvue de
sens, mais aussi et plus précisément comme une fiction. Encore faut-il voir ce
que, en ce cas, on peut mettre dans cette notion.

En gros ceci : les lecteurs lisent *La Place* en tant que fiction par le simple
fait qu'ils étendent au présent texte l'attitude qu'ils réservent à tout roman et
qui consiste à croire sans croire, c'est-à-dire à considérer que les critères de
véridicité sont suspendus pour une certaine durée et qu'il n'y a plus lieu de
démêler le vrai du faux, le réel de l'inventé. C'est donc un peu vainement que
La Place se dénierait comme œuvre de fiction, même si créance est par
ailleurs accordée à l'auteure lorsqu'elle prétend dire le vrai et raconter une
histoire prise à même sa vie. L'essentiel est que cette histoire vraie soit prise
en charge par une pratique de lecture où la fiction est le modèle dominant et
que l'on tire jouissance de son usage comme tel. Et déjà qu'il y ait
« histoire » n'est pas peu de chose. On voit certes que l'auteure lutte contre la
tendance de cette histoire à s'instaurer en ordre du texte (chronologique,
logique, etc.). Ainsi, par exemple, de la volonté de fragmenter au maximum
le fil du récit ou encore de couper court à tout ce qui peut passer pour
événement par un travail d'euphémisation. Mais *l'Enfant* de Vallès ne se
présente pas autrement alors que nous le percevons au premier chef comme
construction fictionnelle – ce qui ne veut pas dire fictive. C'est dire que
l'effort pour aller à contre-pente de tout ce qui est mise en forme narrative
n'empêche nullement le récit de se constituer et de produire l'effet de
croyance inhérent à tout récit. Affaire de code, bien évidemment. Je rejoins à
ce propos Claude Gaugain qui, au sujet d'Ernaux, d'Angot et de Réda, cerne
cette problématique en des termes quelque peu différents des miens :

> Il y a la vie, il y a le roman, il y a le vécu et il y a la fiction. Le roman
> autobiographique, par la force convaincante du vécu, permettrait un
> dépassement des limitations de la fiction réaliste, il serait le moyen
> d'une rupture avec des codes surannés et l'arme de la reconquête

---

[5] Annie Ernaux, *La Place*, Gallimard, « Folio », 2000, p. 24 (1re éd. Gallimard, 1983).

d'une littérature qui n'est plus simplement réaliste et vraisemblable mais réelle et vraie.

Cela n'est pas si simple et, cette conviction aussitôt affirmée, il faut se retourner vers l'autre face du "vécu". Il apparaît alors non pas comme antinomique au roman mais comme un nouveau procédé de la fiction que l'on retrouve d'ailleurs dans les romans reportages et dans les reality shows[6].

Que, dans *La Place*, ça raconte ne suffirait pas encore à fonder le texte en fiction. Mais ça raconte de façon orientée. Avec un enjeu : qu'arrive-t-il lorsque deux vies fortement contiguës, celle du père et celle de la fille, se mettent à diverger et que, en conséquence, les deux agents en cause cessent d'avoir le même angle de vue sur le monde ? Qu'en est-il de ce strabisme social ? Qui gagne et qui perd ? Avec conséquemment un pathos tout autant : comment les protagonistes vont-ils endurer la souffrance inhérente à ce divorce ? Quel est le sens de cette souffrance et comment pouvons-nous la partager ? Ainsi, malgré les réticences de l'auteure même, les conditions sont remplies pour que s'accomplisse ce qui est paradoxalement l'enchantement romanesque et qui découle toujours à quelque titre du malheur. Que ces conditions soient de différentes manières déjouées n'y change pas grand'chose. On pourrait même soutenir que la dénégation auctoriale ne fait qu'ajouter du piquant à l'emprise romanesque. Toujours est-il que ce roman est un beau roman et cette fiction une vraie fiction.

On ne fait pas ici, cela va sans dire, le procès d'un texte, de ses intentions, de la qualité de l'expérience vécue qu'il relate. On soutiendra même que l'exigence critique avec laquelle l'auteure traite le roman autobiographique représente une véritable avancée littéraire à caractère démystificateur. Mais il est permis de reverser le refus de s'abandonner aux formes ordinaires du genre romanesque qu'exprime Annie Ernaux au compte d'un travail fictionnel bien compris et gros de possibles. Ainsi, dans *La Place* comme en d'autres textes, la volonté de mise à distance narrative déjà évoquée veut que la narratrice raconte son existence comme une histoire qui ne serait pas entièrement la sienne et en vienne à parler d'elle-même comme d'une autre. Technique féconde d'objectivation, encore une fois. Mais ce dédoublement, qui n'est pas sans faire penser à celui du narrateur-héros dans *À la Recherche du temps perdu*, joue précisément sur cette fine crête entre savoir et fiction dont on a parlé. À « désillusionner » le « je » ancien, le « je » nouveau le fait entrer dans une « légende » tout autant qu'il en atteste la véracité. Et du fait même un personnage prend naissance qui va vivre en texte à ce titre.

---

[6] Claude Gaugain, « De quelques lignes de fuite du récit autobiographique dans les années 1990 : de l'autoperformance intime au journal d'un dehors », dans *Les Romans du je*, sous la dir. de Ph. Forest et Cl. Gaugain, Nantes, éd. Pleins Feux, coll. « Horizons comparatistes », 2001, p. 151-152.

Plus largement il n'est pas rare que, dans la présente fiction, les procédures d'objectivation se retraduisent en procédés de stylisation et donc en effets esthétiques. Ainsi les petits constats isolés auxquels l'auteure aime à se livrer et dont on reparlera plus loin en raison de leur forte teneur sociale se convertissent sans peine à la lecture en énoncés poétiques qui rappellent les « je me souviens » de Georges Perec. Comme chez ce dernier, il s'agit là de furtives attestations de fidélité à un passé et à une mémoire que la lecture reçoit comme entourée d'une aura émotionnelle et poétique. Ainsi posée dans sa qualité de fiction et comme délestée de la nécessité contraignante de se réclamer d'un vécu, *La Place* est mieux à même de se lire en génératrice d'un savoir, de cette analyse sociale que le fictionnel est pleinement à même de proposer.

Quant au savoir

Poser la fiction comme effet général surplombant tout ce qui relève du travail mémoriel et de sa fidélité à un vécu ne préjuge pas de la position d'un savoir sociologique au sein du texte. Il serait assez vain d'ailleurs de se demander si ce savoir est, dans l'ordre de l'écriture, antérieur ou postérieur au travail fictionnel. En fait, ils se génèrent réciproquement à la faveur d'un travail permanent de l'un sur l'autre : la connaissance appelle l'illustration concrète à connotation imaginaire autant que la narration se prolonge comme d'elle-même en savoir. Mais ils se trouvent également en rapport de tension. L'auteure s'inquiète d'ailleurs de voir l'un prendre le pas sur l'autre et ruiner le projet central qui repose sur un équilibre difficile à maintenir :

> j'ai l'impression de perdre au fur et à mesure la figure particulière de mon père. L'épure tend à prendre toute la place, l'idée à courir toute seule. Si au contraire je laisse glisser les images du souvenir, je le revois tel qu'il était, son rire, sa démarche, il me conduit par la main à la foire et les manèges me terrifient, tous les signes d'une condition partagée avec d'autres me deviennent indifférents. À chaque fois, je m'arrache du piège de l'individuel[7].

L'épure du côté de la sociologie, l'image du côté de la fiction. Comment maintenir la balance entre les deux ? Comment faire pour que le général ne trahisse pas la vérité du particulier concret et comment agir pour que ce dernier ne se délite pas dans une complaisance au souvenir où se perdrait la dimension réflexive ? Sensible à cette contradiction interne, Annie Ernaux la dépasse ou la résout en plus d'une occasion sur un mode qui n'était peut-être pas prévu d'elle-même. Curieusement, c'est lorsque le roman donne vie à de petits instantanés mémoriels, surgissant sans trop d'attache ni avec la trame narrative ni avec l'analyse, que l'on a la sensation d'aller au plus près d'une vérité sociale sans qu'elle soit d'emblée énonçable et précisément parce

---

[7] *La Place*, p. 45.

qu'elle ne l'est pas. On citera quelques-unes de ces notations pour faire ressentir leur poids de sens. Certaines s'inscrivent malgré tout dans le mouvement narratif mais sans s'y intégrer vraiment :

> Par le régiment mon père est entré dans le monde. (…) Il eut le droit d'échanger là ses dents rongées par le cidre contre un appareil. Il se faisait prendre en photo souvent (p. 34).
> On se fait photographier avec ce qu'on est fier de posséder, le commerce, le vélo, plus tard la 4 CV, sur le toit de laquelle il appuie une main, faisant par ce geste exagérément remonter son veston. Il ne rit sur aucune photo (p. 55-56).

D'autres apparaissent en paragraphes brefs et détachés :

> Dans la cour, l'hiver, il crachait et il éternuait avec plaisir (p. 69).
> À la fin de l'été, en septembre, il attrape des guêpes sur la vitre de la cuisine avec son mouchoir et il les jette sur la plaque à feu continu du poêle allumé déjà. Elles meurent en se consumant avec des soubresauts (p. 91).

Par leur forme nominalisée, tels de ces énoncés résonnent comme particulièrement symptomatiques, affichant d'emblée une portée sociale :

> Chaque dimanche, manger quelque chose de bon (p. 77).
> Un jour, avec un regard fier : « je ne t'ai jamais fait honte » (p. 93).

Ces notations latérales sont très représentatives du fonctionnement textuel. Dans ce qu'elles ont de suspendu, elles conjoignent l'effet de réel requis par un certain type de fiction avec ce que l'on peut appeler un « effet de social », qui livre un matériau brut dont le sens n'est pas arrêté et qui est tout prêt à être repris en charge par une sociologie plus méthodique. Les notations ethnographiques qu'Annie Ernaux rassemblera dans *Journal du dehors* s'y annoncent. On notera que les exemples pris sont surtout des échappées sur une « culture du pauvre » dont on sait combien elle est malaisée à identifier. Elles pointent, mais sans plus, chez le personnage du père telle propension au rire ou telle recherche d'une aise. Ainsi, Richard Hoggart se glisse dans les interstices d'un discours qui a visiblement, quant à l'évocation des structures sociales de base, une dette envers la pensée de Pierre Bourdieu.

Au sein de ces structures que l'enquête saisit dans l'espace fort restreint d'une famille de trois personnes, l'objet principal de l'investigation est la figure paternelle. La vie de cet homme qui n'eut jamais la maîtrise de son destin est à l'enseigne du « peu », du « moins », du « sans », du « presque ». Elle a sa grammaire qui est faite de privation mais plus encore du sentiment d'indignité habitant celui qui estimait n'avoir pas droit aux formes cultivées du désir et de la jouissance. Dans son cas, on est plus ou moins heureux de vivre, mais on ne sait comment faire pour donner forme et sens au bonheur. Avec toutefois, de temps à autre, une audace, un exploit, un moment de gloire (le ravitaillement astucieux de la famille et des amis pendant la guerre). Tableau d'une culture infirme, même si cette culture existe. On devine tout de même que la narratrice a noirci le tableau pour la raison qu'elle, qui fut de ce monde, qui partagea cette vie, ne détient plus la clé de cet héritage qu'elle a « déposé au seuil de sa vie bourgeoise », et qu'en conséquence elle ne perçoit plus dans cette façon de vivre que le « manque » ou la déficience.

Et c'est ainsi que le travail d'objectivation se fait dialectique fine. Se logeant dans le creux du portrait paternel comme une version d'elle-même qui lui est devenue étrangère, la narratrice porte un regard perplexe et négatif sur ce qui fut sa culture, qui a cessé de l'être mais dont elle garde néanmoins par-devers elle quelques stigmates. Et c'est là une étrange entreprise spéculaire qui se joue entre identité et altérité. Ainsi, elle se perçoit « autre » dans le miroir mais tout en se reconnaissant et jusqu'à se demander comment elle a pu être celle-là qu'elle fut ; par ailleurs et comme en retour, l'image du miroir renvoie à l'être d'aujourd'hui qu'elle est devenue comme à quelqu'un qui à son tour est situé dans une histoire, en est le produit et lui apparaît presque tout autant comme « une autre », simple moment dans une trajectoire de vie. Ce qui induit l'idée que l'être d'hier et l'être d'aujourd'hui sont pris tous deux dans la logique d'un système distinctif où les supériorités sont toutes relatives et où les habitus ne prévalent l'un sur l'autre qu'en raison des positions dans l'espace social. On verra donc la romancière évoquer à quelques reprises des « moments » du mode d'être bourgeois dont elle relève désormais, faisant ressortir ce qu'ils ont eux-mêmes d'illusoire et combien ils sont imbus de fausse supériorité. « Ce jeu des idées, écrit-elle à propos des conversations intellectuelles de son nouveau milieu, me causait la même impression que le *luxe*, sentiment d'irréalité, envie de pleurer. »[8]

L'articulation fiction-savoir

Mais le travail d'analyse sur la place du père dans l'espace social et au sein des pratiques culturelles se traduit à même la construction du texte. Ainsi la forme fragmentée qui domine le roman d'Ernaux et dont on a donné quelques échantillons est à l'image de cette culture infirme dont nous avons parlé et qui ne s'exprime qu'en bribes et affleurements maladroits. Il y va d'une fidélité à ce qui n'a jamais eu l'occasion de se constituer en style accompli et qui est resté à l'état de bricolage : l'auteure choisit donc d'en rendre compte sous l'aspect d'une mosaïque et avec d'autant plus d'à propos que cette culture bricolée qu'est celle du père a largement disparu et ne subsiste qu'à travers les souvenirs honteux de la fille.

---

[8] *La Place*, p. 113.

Il est par ailleurs des éléments du dispositif de représentation qui se prêtent mieux que d'autres à l'analyse sociale et permettent à celle-ci de se déployer comme naturellement. Il est clair que ce lieu hybride qu'est la boutique-bistrot est singulièrement propice à la mise en scène de différentes formes de relation familiales ou extra-familiales. Lieu où le public empiète sur le privé et qui exprime le désarroi du groupe consécutif à une ascension incertaine, cet endroit marqué est surtout donné par la romancière comme celui où l'économique et le symbolique sont dans une proximité telle qu'ils interagissent en permanence. Ainsi tout manque d'égards du commerçant envers la clientèle éloigne celle-ci et représente une perte de revenus ; dans l'autre sens, toute fréquentation irrégulière du négoce est discrètement sanctionnée par le commerçant en forme de mauvais accueil et de livraison de produits médiocres. De part et d'autre, les manquements aux attentes de type symbolique connaissent une traduction matérielle. Plus largement, toute une confusion s'établit entre les échanges proprement mercantiles et les rituels habituels du don. Ainsi, au gré de cet exemple trivial qu'est la fréquentation de la boutique, la situation fictionnelle permet de dénuder des rapports d'échange aussi bien dans leurs stratégies complexes et détournées que dans leur violence élémentaire.

La boutique-bistrot a son temps propre et l'on peut allègrement parler d'un chronotope, avec toute la socialité à laquelle il ouvre. Tandis que le temps racontant est un temps éclaté, en rupture de chronologie (et en cela marqué littérairement donc culturellement), le temps raconté est, en cours de récit, le site d'une concurrence, peu à peu indiquée. Il y a le temps du père qui se marque comme archaïque, héritant de vieux usages comme ce repas important fait dans l'après-midi. Il y a le temps de la mère, plus évolué, avec l'irruption désorganisatrice du moderne dans l'ancien : temps sans temps, soumis aux exigences et corvées du magasin. Il y a enfin le temps de la fille, écolière puis lycéenne, temps inconnu du milieu peuple avec devoirs et lectures au logis et sorties du soir. Ainsi, au sein d'une durée partagée qui est celle de la famille, on voit, au gré de menus affleurements, que des temps sociaux différents s'opposent et distinguent les acteurs qu'ils emblématisent. Ces temporalités séparées sont probablement, avec le langage, ce qui va créer le plus de distance entre les protagonistes, « cette distance, écrit Annie Ernaux, venue à l'adolescence entre lui et moi. Une distance de classe, mais particulière, qui n'a pas de nom. Comme de l'amour séparé. »[9] En profondeur, c'est le clivage entre deux cultures qui s'est produit, l'une mal dessinée, pauvre mais fortement ancrée, l'autre récemment acquise, mal assimilée encore mais affichant ses premières lettres de noblesse, la prétention de ses titres. On rejoint ainsi le propos principal d'un roman dont le tour de force est précisément de ne donner réponse à des questions générales que dans les termes les plus particuliers.

---

[9] *La Place*, p. 23.

Ainsi, à l'intérieur des vastes territoires du roman et au moment où plus d'un écrivain agit expérimentalement sur les limites du genre, sur son vraisemblable, sur le rapport de la fiction au réel, Annie Ernaux élabore un romanesque original qui se définit par un travail de génération réciproque de la fiction et d'un savoir (de caractère social principalement). Elle inscrit de la sorte sa création dans la grande tradition du réalisme critique. Mais, dans un roman comme *La Place* qui remplit le programme en cause de la façon la plus stricte, elle ne reconduit le projet réaliste qu'en le circonscrivant à un tout petit univers de représentation. De plus, elle fait en sorte que fiction comme savoir ne se formulent que sur un mode discret, qui tient à la fois de l'euphémisme et de l'allusion, et ne maintiennent entre eux qu'une très subtile distance. Aussi s'en faut-il de peu pour que le texte ne bascule tantôt dans l'essai laconique et tantôt dans le récit épuré, alors même que savoir et fiction se trouvent si entremêlés. C'est bien ce qui arrive dans un autre ouvrage d'Ernaux, *La Honte*[10], qui choisit de privilégier le discours du « savoir » alors même que cet ouvrage débute sur une grande image à caractère fantasmatique liée encore au roman familial de la narratrice. Cette accentuation de tendance propre à un autre texte ne dément toutefois pas le principe général de production. C'est d'abord que *La Honte* peut très bien se lire en commentaire métatextuel de *La Place* et qu'en même temps ce même ouvrage montre que, de proche en proche, une raréfaction du romanesque n'empêche pas qu'un discours du savoir plus méthodique continue à être reçu comme produit de la gestation fictionnelle.

---

[10] A. Ernaux, *La Honte*, Paris, Gallimard, « Folio », 2002 (1re éd. Gallimard, 1997).

CHAPITRE III
APPROCHES SOCIOLOGIQUES
DE L'ENTRE-DEUX

« BRISER DES SOLITUDES... »
LES DIMENSIONS PSYCHOLOGIQUES, MORALES ET CORPORELLES DES RAPPORTS DE CLASSE CHEZ PIERRE BOURDIEU ET ANNIE ERNAUX

Christian Baudelot
(ENS)

1.

Chacun se souvient de l'article, plein d'émotion, qu'Annie Ernaux a consacré à Bourdieu après sa mort[1]. Elle y disait son chagrin. Elle rappelait le « *choc ontologique* » qu'avait constitué pour elle au début des années 70 *Les Héritiers* et *La Reproduction* dont la lecture avait transformé sa vision du monde social et de sa place dans ce monde. « Irruption, écrit-elle, d'une prise de conscience sans retour sur la structure du monde social », à l'image de ce qu'elle ressentit quinze ans plus tôt en découvrant, comme beaucoup de jeunes femmes de sa génération, *Le Deuxième Sexe*, de Simone de Beauvoir. Cette prise de conscience était douloureuse puisqu'elle enregistrait, comme une donnée objective, une relation de domination. Mais elle était aussi libératrice, puisqu'elle brisait les solitudes : vécus à l'origine comme des souffrances personnelles dont on s'estime responsable, les sentiments d'indignité, d'infériorité, voire de honte, peuvent alors être regardés en face pour ce qu'ils sont : des effets objectifs, directs ou indirects, des nombreux mécanismes de domination dont sont également victimes des millions et des millions d'autres individus. En manifestant le caractère social et collectif d'une souffrance personnelle, le sociologue contribue, en la relativisant, à la soulager et à doter celles et ceux qui la ressentent d'armes critiques et protectrices.

Il y a plus pourtant dans cet article du *Monde* que le simple témoignage de reconnaissance d'une lectrice d'origine populaire à un sociologue qu'elle remercie de l'avoir aidée à transformer sa vision du monde. Beaucoup plus :

---

[1] Annie Ernaux, « Bourdieu, le chagrin », *Le Monde*, janvier 2002.

un sentiment profond de fraternité entre un écrivain et un sociologue. Cette « onde fraternelle » évoquée à la fin pour manifester que le chagrin qu'elle éprouve est en fait partagé par de nombreuses autres personnes, ce « nous » exprimant le collectif de lecteurs en deuil au sein duquel elle se confond sont des expressions qui ne trompent pas. Sous la peine et la modestie du propos, une proximité intellectuelle, et surtout de profondes affinités dans l'expérience et la vision du monde social. La lecture de Bourdieu a sûrement été fondamentale dans le travail sur soi qu'a dû accomplir Annie Ernaux pour analyser son rapport au monde social. Elle le dit elle-même et il n'y a aucune raison de ne pas la croire. Si décisive qu'elle ait pu être, la « découverte » de Bourdieu par Annie Ernaux tient pourtant davantage de la confirmation d'une expérience que de la révélation d'une nouvelle façon de voir le monde, de la convergence que de la conversion. « Tu ne me chercherais pas, si tu ne m'avais déjà trouvé ! » Et pour cause : « ... pour peu, écrit-elle dans le même article, qu'on soit issu des couches sociales dominées, l'accord intellectuel qu'on donne aux analyses rigoureuses de Bourdieu, se double du sentiment de l'évidence vécue, de la véracité de la théorie en quelque sorte garantie par l'expérience : on ne peut pas, par exemple, refuser la réalité de la violence symbolique lorsque, soi et ses proches, on l'a subie. »

Il y a entre Bourdieu et Annie Ernaux des communautés de points de vue et d'analyse sur la réalité sociale et les rapports de classe qu'il est exclu de réduire à des effets de lecture ou d'emprunts. Mieux vaut alors évoquer les profondes affinités entre les expériences primitives qu'ils ont pu se faire du monde social dans leur enfance et leur adolescence, au Béarn ou dans le pays de Caux. Mieux vaut évoquer la parenté de leurs trajectoires sociales où l'école, réalité à double face, a joué un si grand rôle. Ce n'est pas dans la lecture des livres que se forgent les habitus et les visions du monde mais sous les multiples pressions de la vie quotidienne, pressions exercées depuis la prime enfance et qui s'inscrivent de façon indélébile dans les corps. Si Annie Ernaux a si bien compris Bourdieu, s'il existe tant d'affinités entre leurs conceptions respectives des rapports de classe, c'est parce que la façon dont elle parle des rapports de classe, elle l'a elle-même, avant de lire Bourdieu, « apprise par corps ». Chez l'un comme chez l'autre la question des rapports de classe est une question brûlante et profondément impliquante, puisqu'il s'agit d'une affaire personnelle, en ce sens qu'elle concerne tous les aspects de la personne jusqu'aux plus intimes. Et qu'en parlant de sa personne, Annie Ernaux parle aussi beaucoup des autres. *De te fabula narratur.*

Je tiens par honnêteté intellectuelle à préciser la nature de mon rapport personnel aux travaux de l'un et l'autre. Je suis sociologue et ai été entièrement formé par Bourdieu dont la rencontre en 1963 a constitué pour moi un « choc ontologique » de même nature que pour AE. Cette rencontre a décidé d'une reconversion professionnelle puisque j'étais parti pour être professeur de lettres. J'ai lu La Place début 1985, à un moment où j'étais déjà un « sociologue confirmé ». Ce livre et tous les autres ont énormément compté pour moi. J'y ai d'abord trouvé une matière vivante pour enseigner une sociologie des rapports de classe que je ne pouvais mener moi-même, n'ayant pas connu ces expériences. J'y ai aussi mieux compris, - mieux senti, mieux ressenti plutôt - ce que pouvait représenter une violence symbolique en actes pour ceux qui la subissaient. Cette compréhension, plus affective que conceptuelle, n'allait pas non plus sans douleur ni culpabilité, puisqu'elle touchait directement la part d'héritier qui me définissait. Tout cela pour dire que je suis personnellement impliqué dans la lecture de Bourdieu et d'Annie Ernaux.

2.

Il n'en a pas toujours été ainsi. Fortement marquée du sceau d'un marxisme sommaire, la conception que se faisait la sociologie des classes sociales et des rapports de classe jusqu'au milieu des années 60, était très peu impliquante pour les individus. Tout se passait en dehors d'eux. L'essentiel se résumait dans l'affrontement séculaire entre deux classes : la bourgeoisie chargée de tous les vices et de tous les péchés et le prolétariat des ouvriers d'industrie, porteur d'un avenir radieux pour l'humanité dès lors qu'il se sera délivré de ses chaînes. Entre ces deux pôles, rien sinon des poussières d'individus et un certain nombre de groupes sociaux, *a priori* suspects, résidus de modes de production antérieurs et condamnés à dépérir rapidement : les petits paysans, les artisans, les commerçants. Considérés depuis Marx et Lenine comme des alliés naturels de la réaction, ces groupes sociaux en déclin faisaient objectivement fonction de *cheville anti-ouvrière* de l'histoire. Cette dernière catégorie n'avait pas fait l'objet d'un traitement plus amène de la part de grands écrivains : qu'on songe à la figure de *Maigrat* dans Germinal. Ne faisant pas partie du camp du peuple, il était exclu de les considérer, en dépit de leurs conditions d'existence souvent très précaires, comme appartenant aux catégories populaires. Voués à une disparition rapide, ces groupes sociaux auxquels était refusé le statut de classe étaient considérés comme quantité négligeable et frappés d'inexistence dans le cadre de la théorie.

Le lieu où se manifestaient les rapports de classe sous la forme d'une lutte permanente était géographiquement circonscrit : l'usine et ses abords avec parfois des débordements dans la rue. Le concept clé permettant de penser les rapports de classe était celui d'exploitation. Les enjeux essentiels étaient de nature économique : salaires, temps de travail, conditions de travail. Les dimensions subjectives en étaient absentes, le seul concept disponible pour les penser étant à l'époque la notion très globale de *conscience de classe*, concept à lui tout seul chargé d'établir un lien entre l'instance objective de l'économique et l'étage subjectif du psychologique. A mi-chemin entre l'individuel et le collectif, la *conscience de classe* était d'ailleurs considérée comme une donnée innée chez les ouvriers, sous les formes de la force qui leur permettait à certains moments de se lever tous ensemble « comme un seul homme ». Moteur de l'histoire avec un grand H, la lutte de classe se livrait entre des grands blocs historiques dont les individus se trouvaient écartés dans leur vie quotidienne. Surtout, jusque dans les années soixante, la question des rapports de classe ne donnait pas lieu en sociologie à des enquêtes concrètes, les seules existantes se déroulant dans le cadre industriel des grandes entreprises.

Tout commence à changer dans les années soixante avec les premières enquêtes de Bourdieu en Algérie et au Béarn, puis sur les étudiants, avec Jean-Claude Passeron. Et c'est ici aussi que nous retrouvons Annie Ernaux puisqu'ils vont l'un et l'autre partager cette même conception de la violence quotidienne des rapports de classe et la mettre en œuvre avec des moyens différents dans leurs œuvres respectives. Cherchons d'abord à caractériser à grands traits ce qui la constitue.

A la dimension strictement économique des rapports de classe qui n'est jamais évacuée (ni chez l'une : la crainte de la faillite et de la perte de la clientèle, ni chez l'autre, le concept de capital économique), s'en ajoute une autre qui, relativement autonome, lui est en quelque sorte orthogonale : les formes culturelles et symboliques que prennent les rapports de classe dans les interactions de la vie quotidienne et dans le rapport avec les institutions – l'école en particulier. Le concept wébérien de domination s'ajoute alors à celui, marxiste, d'exploitation, le premier devenant, à l'état pratique, chez Annie Ernaux, à l'état pratique et théorique chez Bourdieu, l'un des ressorts majeurs de l'analyse et de la description des rapports quotidiens de classe. Les domaines de la langue et des goûts vont alors devenir des objets de prédilection pour analyser ou rendre sensibles la nature conflictuelle de ces rapports, les formes de domination ou de résistance à cette domination. « Tout ce qui touche au langage est dans mon souvenir motif de rancœur et de chicanes douloureuses, bien plus que l'argent » (*La Place*). Façons de dire et de parler, affirmation de goûts en matière d'alimentation, musique, littérature, vêtements ou de décoration intérieure, autant de manifestations quotidiennes de l'existence de sa personne et de sa relation aux autres. Autant d'occasions aussi de mettre en scène des rapports de classe : exclusion, mépris, vulgarité… En enrichissant les rapports de classe de leurs dimensions culturelles et symboliques, Bourdieu généralisait ainsi les domaines de la lutte dont il faisait une donnée quotidienne de l'existence. Les domaines mais aussi les partenaires. Alors que le spectacle de l'affrontement séculaire entre bourgeoisie et prolétariat pouvait se contempler de loin, sans implication particulière, l'irruption du culturel et du symbolique dans les rapports de classe ne laissait plus personne sur la touche. Ils n'en mourraient pas tous, mais tous étaient atteints et concernés. La lutte de classe devenait ainsi quotidienne et se jouait sur les scènes les plus triviales de la vie de tous les jours, publiques et privées : à table, en classe, dans les magasins, les restaurants, les bals et les dancings, sur les cours de tennis ou les terrains de foot. Elle se livre même au sein de la cellule familiale. Annie Ernaux évoque avec son père « une distance de classe, mais particulière, qui n'a pas de nom » (*La Place*). Quant à sa mère, « à certains moments, elle avait dans sa fille en face d'elle, une ennemie de classe » (*Une femme*).

Contrairement à la conception antérieure d'un marxisme sommaire, le rapport de classe, la relation prime alors sur la définition de la classe. Un groupe social, un milieu se définit de façon relationnelle ou structurale par les rapports qu'il entretient avec d'autres groupes. Les groupes sociaux dont il s'agit ne font jamais l'objet de définitions précises à l'aide de critères exclusifs (la propriété des moyens de production, la nature du travail, le taux d'exploitation, la tranche de revenus ou le niveau de diplôme...)[2]. Il s'agit plutôt de milieux aux contours flous (le *par chez nous* de *La Honte* qui désigne le pays de Caux, le *chez nous* qui désigne à la fois un quartier et le commerce et la maison des parents, la notion de quartier étant elle-même à géométrie variable). Ces ensembles n'existent concrètement en tant que groupes que dans la confrontation à d'autres groupes qui les définit ainsi par un ensemble d'écarts, de différences, de distinctions[3]. Le plus important ce sont moins les liens qui les unissent entre eux, comme l'était le ciment supposé de la conscience de classe, que la nature des rapports qu'ils entretiennent avec l'extérieur, ceux du dessus, du dessous ou d'à côté. Alors des différences minimes invisibles à l'œil du statisticien le plus attentif deviennent des abîmes de classe, des gouffres sociaux. Ainsi par exemple celle qui sépare les enfants des commerçants du centre-ville de ceux de la périphérie d'une ville de 7 000 habitants. Ainsi de cette extrême sensibilité (en bas) à des détails passés inaperçus en haut « comme s'il n'était donné qu'aux inférieurs de souffrir de différences que les autres estiment sans importance »(*Une femme*). Ce passage de l'absolu au relatif, dans la définition de la classe sociale est lourd de conséquences. Il ouvre largement le jeu. Il redonne un statut social à part entière, « *une place* » avec toutes les

---

[2] « Une classe sociale n'est pas définie par une propriété (s'agirait-il de la plus déterminante comme le volume et la structure du capital), ni par une somme de propriétés (propriétés de sexe, d'âge, d'origine sociale ou ethnique – part des blancs et des noirs par exemple, des indigènes et des immigrés, etc. -, de revenus, de niveau d'instruction, etc.) ni davantage par une chaîne de propriétés..., mais par la structure des relations entre toutes les propriétés pertinentes qui confère à chacune d'elles et aux effets qu'elle exerce sur les pratiques, leur valeur propre » (Pierre Bourdieu, *La Distinction,* Minuit, 1979, p.118).

[3] « L'espace social est défini par l'exclusion mutuelle, ou la *distinction*, des positions qui le constituent...Les agents sociaux...sont situés en un lieu de l'espace social, lieu distinct et distinctif qui peut être caractérisé par la position relative qu'il occupe par rapport à d'autres lieux (au-dessus, au-dessous, entre, etc...) et par la distance qui le sépare d'eux » (*Méditations pascaliennes*, Seuil, 1997, p. 161).

ambiguïtés du terme, mais une place quand même à des groupes, des fractions de classe, des classes hier reléguées dans les poubelles de l'histoire au profit du face à face historique et exclusif entre les deux grands chiens de faïence qui fascinent encore Arlette Laguiller.

Tous ces travailleurs de l'entre-deux, les petits commerçants, en particulier, – ni bourgeois, ni ouvriers, ni salariés –, peuvent alors se prévaloir d'une position de classe, d'un milieu social qui est le leur et à partir duquel ils voient et affrontent le monde. Chaque individu se voit alors doté d'emblée d'un point de vue de classe sur la société, sans avoir à exciper de ses quartiers de noblesse ouvrière ou bourgeoise. La place se définit moins absolument que relationnellement comme rang. La représentation du monde social s'en trouve enrichie et nuancée puisqu'un groupe social ou un individu se trouve toujours dans une configuration d'entre-deux… et souvent davantage, ce qui ouvre la porte à la division du moi social, aux situations de « double je », et à tout un ensemble de porte-à-faux dont Annie Ernaux a plus d'une fois démonté les mécanismes.

Ces deux apports décisifs de Pierre Bourdieu – la prise en compte du culturel et du symbolique dans les rapports de classe conçus dans une perspective relationnelle et structurale – s'inscrivent dans une conception entièrement nouvelle de la relation entre l'individu et la société. Conçus dans la tradition durkheimienne comme deux ordres de réalités séparées et relativement inconciliables, ils sont depuis Marcel Mauss, George Mead, Edward Sapir et surtout Norbert Elias beaucoup mieux articulés. Bourdieu ajoute sa pierre à l'entreprise en montrant que le social existe et se dépose dans l'individu en s'incarnant – au sens propre d'incorporation - dans des habitus. Le social est dans l'individu. Il fait corps avec lui. « Les jambes, les bras sont pleins d'impératifs engourdis », écrit Bourdieu pastichant Proust. L'individu abstrait n'existe pas. Il n'y a pas d'un côté un être transcendantal et universel qui serait l'essence de l'homme et de l'autre, des attributs sociaux variables et externes qui s'y ajouteraient comme des vêtements sur un corps. Chacun est indissociablement constitué des manières de vivre et de sentir, des modes de pensée, des façons de se tenir et de se porter, par les pressions continues, les conditionnements imposés par les conditions matérielles d'existence, les sourdes injonctions de la « violence inerte » des structures économiques et sociales. « L'ordre social s'inscrit dans les corps à travers cette confrontation plus ou moins dramatique mais qui fait toujours une grande place à l'affectivité et aux transactions affectives avec l'environnement social[4].» Le social s'incarnant dans l'individuel, il devient alors possible d'en explorer les dimensions à la fois morales, psychologiques et corporelles. C'est sous ces formes concrètes et sensibles qu'il existe. Surtout, l'une des façons dont le social s'inscrit dans les parties les plus personnelles et les plus intimes des individus, est ce que George Mead

---

[4] *Méditations pascaliennes*, p. 168.

appelle « l'autrui généralisé », c'est à dire, à l'image de l'œil dans la tombe de Caïn, la présence insistante de l'autre au sein de son propre moi. L'autre social, c'est le double sentiment de se sentir de façon permanente sous le regard de l'autre et de devoir sans cesse lui rendre compte de ses comportements (qu'en dira-t-on ?). Mais c'est aussi intégrer la norme au sein même de son propre moi et souvent y consentir. C'est sans doute là que résident les aspects les plus pervers et les plus puissants de la domination. Ce sont ceux-là sur lesquels Bourdieu a beaucoup insisté et aussi ceux dont Annie Ernaux a fait ses objets de prédilection. C'est en particulier le thème central de *La Honte*.

La pression lancinante des rapports de classe est depuis *Les Armoires vides* au cœur de son œuvre et de sa perception du monde. Elle y revient sans cesse, donnant à chaque fois l'impression d'en avoir épuisé l'analyse, puis la reprenant à nouveau, ajoutant des notations, des faits, faisant surgir de nouvelles façons de sentir. Comme d'un processus de connaissance ininterrompu et toujours inachevé. Et pour cause, puisque les dimensions sociales de l'être font entièrement corps avec lui et concernent tous les aspects de l'être. C'est sans doute dans *La Honte* que se trouve l'expression la plus développée et la plus systématique de la conception que se fait Annie Ernaux des rapports de classe. Examinons-les de près.

Dans un premier temps, celui de l'objectivation, Annie Ernaux montre qu'elle maîtrise à la perfection les techniques de description d'un milieu social, telles que les ont progressivement élaborées les ethnologues et les sociologues. Elle procède méthodiquement allant du lointain au proche, du cadre écologique d'ensemble, le « par chez nous » du pays de Caux, s'étendant au nord de la Seine entre Rouen et le Havre, villes à la fois proches et lointaines, à l'univers quotidien de la ville d'Y, qui se caractérise elle par des relations d'inter-connaissance (on y connaît chacun et chacun vous connaît), critère objectif, particulièrement pertinent, répertorié comme tel par les ethnologues pour qualifier le sentiment d'appartenance à un territoire. De la ville, on passe ensuite au « chez nous » du quartier, avec son plan, sa partie haute et sa partie basse d'où l'on passe de l'opulence à la pauvreté, de l'urbain au rural et de l'espace au resserrement. S'interposent dans cette description quelques notations provenant de la confrontation entre le tableau résultant de l'objectivation et de la perception laissée par les souvenirs : les écarts de richesse ou de statut social au sein du quartier n'étaient pas pensés comme tels mais sous la forme brutale et binaire –« sens pratique » selon Bourdieu - d'une frontière marquant plus une différence de nature (« ils n'étaient pas comme nous ») qu'un écart de revenus. La disposition matérielle du café-épicerie, avec ses deux pièces séparées par une cuisine où se rencontrent la sphère professionnelle et la sphère publique, ses objets, ses modes de circulation, la composition sociale de sa clientèle fait ensuite l'objet d'une description.

Sont après reconstruits les codes et les normes, les principes et les valeurs qui régissaient les comportements familiaux sans que personne ne les ait jamais pensés ni formulés comme tels : « Ici, rien ne se pense, tout s'accomplit ». Manières de table, soins du corps, gestes masculins et féminins (« sentir ses bas et sa culotte le soir », « cracher dans ses mains avant de saisir la pelle »), formules de politesse. C'est ensuite au tour des rythmes sociaux des jours de la semaine (lundi, jour des restes, mardi de la lessive, …) et des âges de la vie (« avoir ses règles et le droit de porter des bas »), et des valeurs morales dominantes : le courage, la santé, la dureté au mal, la politesse avec les autres et la rudesse entre soi, et la valeur suprême, l'idéal à atteindre : « être comme tout le monde » , ne pas se faire remarquer. « Il ne faut pas péter plus haut qu'on l'a ». Le respect de toutes ces normes représentait un enjeu vital puisqu'il en allait de la survie de l'entreprise. Y manquer risquait de faire perdre des clients et de faire faillite.

Après les codes familiaux, le même souci d'objectivation est apporté à la reconstruction de l'univers du pensionnat catholique, lieu de la religion et du savoir, univers de croyance et de salut social reposant sur la douceur et la persuasion, en partie dominé par la figure de Mlle L, idéal lumineux de la rigueur et du savoir et animée de bonnes dispositions pour la narratrice : image positive et désirable de la norme sociale d'un nouveau monde. Figure à ne décevoir sous aucun prétexte.

L'ordre de l'exposition décline ici avec un grand talent d'observation les chapitres d'un guide ou d'un manuel d'ethnographie à l'usage des néophytes. Après le cadre écologique, les règles et les normes, les rythmes sociaux, les valeurs pour chacune des deux instances de socialisation, la famille et l'école. Tableau remarquable de finesse et de précision d'un café et d'un petit commerce d'alimentation des années cinquante dans une petite ville de province dont l'ethnologue ou le sociologue qui en seraient les auteurs pourraient tirer un sentiment légitime de fierté professionnelle. On y ajoute quelques photos en noir et blanc et voilà un très bon chapitre d'un volume d'une collection de sciences humaines patronnée par le Musée des Arts et Traditions Populaires aux éditions Berger Levrault.

Mais, surprise, l'essentiel est encore à venir.

A la reconstruction objective des codes et des cadres sociaux, succède une description tout aussi objectivante des relations que la narratrice entretenait avec ses camarades et de ses principes subjectifs de classement. Les « crâneuses » sont à la fois les plus jeunes, les plus mignonnes et les filles de commerçants ou de représentants de centre-ville. Les « pas crâneuses » ont au contraire de la terre à leurs souliers : elles sentent la campagne. Conclusion : le jugement spontané de la fille de douze ans opère à partir de critères où le psychologique, le physique, le moral et le social sont étroitement confondus.

Et puis, tout d'un coup, à propos d'une ceinture élastique noire et de la chanson *Voyage à Cuba*, qui refusent obstinément à la narratrice le service que la petite madeleine ou l'odeur de la première flambée de l'automne avait procuré à Marcel Proust – ressusciter un passé l'assurant de la permanence de son être et de son identité – , quelques lignes sur les cadres sociaux de la mémoire. Sens de la notation : seules des classes riches et anciennes ont les moyens de se payer les moyens matériels nécessaires à l'entretien de leur mémoire collective, condition sine qua non d'une mémoire individuelle : terres, châteaux, maisons, meubles, tableaux, temps, etc... Vivant dans un milieu de logements, d'objets matériels et de biens culturels éphémères (*Voyage à Cuba* contre la sonate de César Frank) et « voués à la disparition », les personnes issues de classes populaires, travaillées par la fragmentation du moi, ont beaucoup plus de mal que les autres à se penser comme des personnes continues et permanentes et à être assurées de leur identité. Maurice Halbwachs l'avait signalé pendant l'entre-deux guerres. Une remarque de cet ordre exonère définitivement les rapports de classe de leurs dimensions folkloriques. Il en va de l'identité de la personne.

Et puis, c'est la scène terrible du retour à la maison la nuit, de la fête de la Jeunesse des écoles chrétiennes à Rouen, le dimanche 22 juin. Le corps de la mère dans une chemise de nuit, « froissée et tâchée », sans robe de chambre, entrevu « pour la première fois avec le regard de l'école privée ». « Comme si à travers l'exposition du corps sans gaine, relâché et de la chemise douteuse de ma mère, c'est notre vraie nature et notre façon de vivre qui étaient révélées. » C'est ici que culmine la conception la plus tragique des rapports de classe chez Annie Ernaux. Tout y est : la honte, vécue comme un sentiment d'indignité personnelle (« le pire dans la honte, c'est qu'on croit qu'on est seul à la ressentir »), la fonction du corps, comme représentation de la position sociale d'indignité mais aussi comme réceptacle durablement actif du sentiment de honte, le regard porté de l'extérieur par la fille qui intériorise la vision supposée de Mlle L., encore à ses côtés, la vision d'un monde social coupé en deux avec d'un côté les « gens normaux » et de l'autre, le camp de ceux marqués par « la violence, l'alcoolisme et le dérangement mental » dans lequel cette scène relègue définitivement la narratrice.

Plutôt que de commenter lourdement cette scène à laquelle l'écriture d'Annie Ernaux empêche d'ajouter quoi que ce soit, il me semble plus pertinent de citer un passage des *Méditations pascaliennes* dont la parenté de l'inspiration est particulièrement frappante: « La reconnaissance pratique par laquelle les dominés contribuent souvent à leur insu, parfois contre leur gré, à leur propre domination en acceptant, par anticipation, les limites imposées, prend souvent la forme de l'émotion corporelle (honte, timidité, anxiété, culpabilité), souvent associée à l'impression d'une régression vers des relations archaïques, celles de l'enfance et de l'univers familial. Elle se trahit dans des manifestations visibles, comme le rougissement, l'embarras verbal, la maladresse, le tremblement, autant de manières de se soumettre, fût-ce malgré soi et à son corps défendant, au jugement dominant, autant de façons d'éprouver, parfois dans le conflit intérieur et le "clivage du moi", la complicité souterraine qu'un corps qui se dérobe aux directives de la conscience et de la volonté entretient avec la violence des censures inhérentes aux structures sociales.[5] » Leçon de la leçon : la violence, symbolique ou non, des rapports sociaux, n'est pas un vain mot. A titre indicatif, les *Méditations pascaliennes* et *La Honte* ont été publiées, tous les deux, la même année en 1997. L'hypothèse de l'emprunt appliqué est difficile à soutenir.

3.

Elle est d'autant plus improbable qu'il est impossible de décrire et d'analyser de cette façon les rapports sociaux lorsqu'on ne les a pas personnellement vécus. Bourdieu a maintes fois défini et utilisé un concept, stratégique dans sa théorie du monde social, qu'il appelle « le sens pratique ». Le *sens pratique* est cette forme très particulière de connaissance, pratique, corporelle, intuitive de sa propre position dans l'espace social, qui permet aux individus de s'y orienter et de s'y mouvoir sans trop se tromper. Le sens pratique est ce qui commande son expérience de la place occupée et les conduites à tenir pour la tenir (tenir sa place) et s'y tenir (rester à sa place). Le *sense of one's place* est un sens pratique qui n'a rien à voir avec la conscience de classe. C'est une connaissance pratique qui ne se connaît pas. Elle peut prendre la forme de l'émotion (malaise de celui qui se sent déplacé, assurance de celui qui se sent à sa place), s'exprimer dans des conduites d'évitement (silences, approbation muette, etc…) ou d'ajustement (hyper-correction langagière). Elle intériorise la force des contraintes extérieures sous la forme du sens des limites, de la résignation consentie (« le lycée, ce n'est pas pour nous »). Elle n'exclut pas non plus des formes de résistance.

Ce « sens pratique », Annie Ernaux le montre plus d'une fois à l'œuvre dans le cadre de son milieu familial. Dans *La Place*, celui du père de la narratrice est infaillible. Sa raideur timide et sans question devant les personnes jugées importantes avait la fonction « très intelligente » de percevoir son infériorité mais de la refuser en la cachant du mieux possible. Idem, pour cette façon de déjouer constamment le regard critique des autres par la politesse, etc… L'entreprise intellectuelle de *La Honte* consiste justement, pour l'auteur, à tenter de retrouver le sens pratique qui était le sien à l'âge de douze ans. Le livre pourrait s'appeler en Bourdieu théorique « *A la recherche du sens pratique perdu* ». Mais dans cette entreprise, ni Proust, ni Bourdieu ne pouvaient lui apporter le moindre secours. Proust parce que contrairement à lui et pour des raisons qui tiennent aux cadres sociaux de la mémoire, elle affirme « qu'il n'y a pas de vraie mémoire de soi. » Bourdieu parce que, si ce qu'elle recherche est bien le sens pratique de ses douze ans – « ce qui m'importe, c'est de retrouver les mots avec lesquels je me pensais et pensais le monde autour. Dire ce qu'étaient pour moi le normal et l'inadmissible, l'impensable même » –, ce sens pratique de ces

---

[5] *Ibid.*, p.203.

douze ans, elle est la seule à posséder les clés lui permettant d'y accéder. Le sens pratique est ici ce qui rapproche et sépare le sociologue de l'écrivain. Une chose est de l'identifier, de l'analyser et de le formaliser, une autre d'en décrire les modalités et les catégories concrètes qui ne sont *totalement* accessibles qu'à la très rare fraction de ceux qui les mettent en œuvre *et* qui sont en même temps capables de les objectiver. Le travail de soi sur soi à accomplir étant considérable, très rares sont les sociologues comme les écrivains qui y parviennent jusqu'au bout. Annie Ernaux est de celles-là. C'est ce qui fait, pour le sociologue, la valeur inestimable de ses travaux.

4.

Finissons par un paradoxe. Classe sociale et rapports de classe sont des concepts sociologiques. Ils sont censés désigner de vastes ensembles d'individus qui partagent une communauté de traits (place dans les rapports de production, modes de vie, culture, des formes variables de solidarité, etc...). Le concept de classe et de rapports de classe implique a priori des dimensions collectives. Elles sont quasiment inexistantes chez Annie Ernaux.

Les parents ne semblent pas liés à d'autres commerçants. Au contraire, c'est une faille, un gouffre qui semble s'ouvrir entre les petits et les commerçants de centre ville qui ne sont pas gros pour autant, au sens de l'Insee. La stratification sociale l'emporte sur les solidarités. Le café-épicerie semble un isolat social sans équivalent, le barreau unique d'une échelle en dessous duquel et au dessus duquel s'étagent d'autres classes apparemment plus fournies.

La description du milieu familial élargi ne donne pas non plus le sentiment d'une unité de condition. Quant au milieu, le *chez nous* décrit dans *Les Armoires vides, La Place, La Honte,* avec ses lois, ses codes, ses valeurs, etc.., il semble se résumer à la cellule familiale.

Plusieurs raisons peuvent expliquer le phénomène. Cet entre-deux social que constituent les petits indépendants, seuls dans l'exercice quotidien de leur profession, isolés les uns des autres et vivant toute implantation nouvelle comme des concurrences déloyales est un milieu peu propice à l'expression des solidarités et des actions collectives. La position de la narratrice en rupture de classe et divisée entre une classe populaire d'origine et une classe petite-bourgeoise d'arrivée n'incite pas non plus à une vision collective des rapports de classe. D'autant que l'école joue un rôle contradictoire et profondément déstabilisant. Elle est un puissant facteur d'intégration à la petite bourgeoisie et de désintégration des habitus d'origine. Un moi divisé est souvent condamné à la solitude.

Mais au delà de ces explications « objectives », il y a ce parti pris de décrire les rapports de classe à partir des effets qu'ils exercent sur la personne de la narratrice. Le monde social qu'elle décrit est celui qu'elle finit par porter en elle. Celui qu'engendre sa propre vision du monde. Triomphe idéaliste de la subjectivité ? ? ? Regard sociologique irrémédiablement biaisé ? ? ?

Paradoxalement, c'est par la description et l'analyse la plus fine et la plus personnelle, la plus singulière, la plus intime de ces effets de classe, qu'Annie Ernaux parvient à restituer leurs dimensions collectives. Ses lecteurs et ses lectrices ne s'y sont pas trompés qui reconnaissent dans ces analyses des expérience qu'ils - elles ont vécues sous des formes assez parentes pour se sentir concernés et instruits. Les études réalisées par Isabelle Charpentier en témoignent clairement. Comme Bourdieu, qu'elle remerciait à ce titre, Annie Ernaux a largement contribué aussi à « briser des solitudes ».

ANNIE ERNAUX,
« ETHNOLOGUE ORGANIQUE »
DE LA MIGRATION DE CLASSE

Gérard Mauger
Centre de Sociologie Européenne

Les trajectoires des intellectuels de première génération sont homologues des trajectoires d'émigration / immigration[1] : « immigré » dans tel ou tel champ de production symbolique (artistique, littéraire, scientifique, etc.), l'intellectuel de première génération est toujours, en premier lieu, un « émigrant » des classes populaires. De sorte que la reconstitution de trajectoires biographiques d'intellectuels de première génération conduit à la fois à étudier la division au sein du monde d'accueil entre boursiers et héritiers[2], à mettre en évidence une contradiction interne au

---

[1] Dans les deux cas, le départ du milieu d'origine - les classes populaires / le pays d'origine - et les modalités de l'accès au milieu d'accueil - le monde des intellectuels / le pays de destination - sont les deux faces indissociables d'une même réalité qui ne peuvent s'expliquer l'une sans l'autre. Sur ce sujet, voir Abdelmalek Sayad, *L'Immigration ou les Paradoxes de l'altérité*, Bruxelles, de Boeck et Paris, Éditions universitaires, 1991 et *La Double Absence : des illusions de l'émigré aux souffrances de l'immigré*, Paris, Éditions du Seuil, 1999 ; Pierre Bourdieu et Loïc Wacquant, « L'ethnologue organique de la migration algérienne », *Agone*, n° 25, 2001, p. 67-76.

[2] Dans les multiples divisions internes au champ intellectuel, les « boursiers » s'opposent aux « héritiers » au moins de deux façons : par les déficiences, les manques perceptibles dans l'écart qui séparent les manières d'être et de faire des néophytes de celles qui ne s'acquièrent que par l'ancienneté, d'une part, et par l'importation de vestiges de « culture populaire » dans le monde des intellectuels associée à l'hystérésis des habitus et des ethos de classe, d'autre part. Sur l'opposition entre boursiers et héritiers, voir Pierre Bourdieu et Jean-Claude Passeron, *Les Héritiers. Les étudiants et la culture*, Paris, Éditions de Minuit, 1964 et Richard Hoggart, *La Culture du pauvre. Étude sur le style de vie des classes populaires en*

monde d'origine (les injonctions contradictoires – mandat d'ascension sociale et rappel à l'ordre de l'entre soi – auxquelles, comme tous les immigrants, sont soumis les boursiers[3]) et à analyser la socio-genèse du clivage des habitus induit par l'accumulation de capital scolaire chez « les émigrants » des classes populaires[4].

Décrivant sans complaisance ni condescendance son monde d'origine, retraçant la lente et douloureuse métamorphose de la « petite fille d'épiciers-cafetiers » en écrivain, l'œuvre d'Annie Ernaux peut être perçue comme une contribution à l'analyse de cette forme particulière de mobilité sociale[5]. Au prix d'une véritable psychanalyse sociale, à travers l'anamnèse d'expériences restées présentes, oubliées ou refoulées, Annie Ernaux reconstitue une

---

Angleterre, Paris, Éditions de Minuit, 1970 (chapitre 10 : « Déracinés et déclassés », p. 345-376).

[3] Sur ce sujet, voir Gérard Mauger, « Les Héritages du pauvre », *Les Annales de la Recherche Urbaine,* n° 98, mars-avril 1989, p. 112-117 et « L'Héritage des déshé-rités », *Migrants-formation*, n° 98, septembre 1994, p. 44-55.

[4] Une analyse méthodique d'un échantillon de trajectoires d'intellectuels de première génération devrait permettre de reconstituer le système complet des déterminations de « l'exil », les conditions sociales de possibilité de réussites scolaires improbables et la différenciation ultérieure des trajectoires biographiques et des habitus (le champ des possibles biographiques des intellectuels de première génération). L'analyse des dispositions des intellectuels de première génération permet de distinguer au moins quatre postures autobiographiques (successives ou simultanées, compatibles ou non) qu'il faudrait associer à des types de trajectoires et/ou à des positions dans l'espace social : l'effacement du stigmate des origines, la réhabilitation populiste, la schizophrénie sociale et la posture réflexive (sur ce sujet, voir Gérard Mauger, « Les Autobio-graphies littéraires. Objets et outils de recherche sur les milieux populaires », *Politix*, n° 27, 1994, p. 32-44).

[5] Annie Ernaux revendique d'ailleurs l'apparentement de son œuvre à la sociologie : « Ceci n'est pas une biographie, ni un roman naturellement, peut-être quelque chose entre la littérature, la sociologie et l'histoire », écrit-elle, par exemple, à propos d'*Une femme* (Paris, Éditions Gallimard, 1987, p. 106). Cette « annexion » de son œuvre par la sociologie n'implique évidemment pas de l'y réduire et de méconnaître son appartenance au champ littéraire. Par ailleurs, elle pose le problème du statut sociologique à accorder aux productions littéraires et de leur spécificité par rapport à la sociologie. Ainsi faudrait-il situer cette contribution dans l'histoire sociale des discours - profanes et savants - qui rendent compte des phénomènes de mobilité sociale (cf. Dominique Merllié et Jean Prévot, *La Mobilité sociale*, Paris, La Découverte, 1991 et Dominique Merllié, *Les Enquêtes de mobilité sociale*, Paris, PUF, 1994), c'est-à-dire à la fois identifier la perspective (explicite ou implicite) par rapport au répertoire des explications proposées - de l'« idéologie du don » et du « quotient intellectuel » (cf. Patrice Pinell, « L'Invention de l'échelle métrique de l'intelligence », *Actes de la recherche en sciences sociales,* n° 108, juin 1995, p. 19-35) à la sociologie de l'héritage culturel (cf. Pierre Bourdieu et Jean-Claude Passeron, *Les Héritiers, op. cit.* et *La Reproduction*, Paris, Éditions de Minuit, 1970) - et identifier l'écart entre écriture littéraire et écriture sociologique (cf. Gérard Mauger, « Les Autobiographie littéraires », *art. cit.*).

histoire singulière mais exemplaire. Dans cette psychanalyse sociale, le langage – comme dans la psychanalyse – occupe une place centrale. Réactiver la mémoire ensevelie d'une langue maternelle disqualifiée et refoulée par la langue scolaire révèle les schèmes de perception, d'appréciation et d'action du monde d'origine : ainsi a-t-elle répertorié les langages qui la traversaient et définissaient la perception qu'elle avait d'elle-même et du monde[6]. Langue originelle refoulée et retrouvée qui, enchâssée dans la langue scolaire[7] (« la langue de l'ennemi »[8]), restitue le code d'un habitus enseveli au fil d'une trajectoire de miraculée scolaire qui l'a d'abord vouée au bilinguisme et à une forme de schizophrénie sociale, de clivage du moi : « je sais qu'il y a en moi la persistance d'une langue au code restreint, concrète, la langue originelle, dont je cherche à recréer la force au travers de la langue élaborée que j'ai acquise », écrit-elle[9]. Mais si l'expérience de la domination de classe et des humiliations qu'elle inflige, de la souffrance qu'imposent l'éloignement puis la séparation du groupe d'origine, du mal-être que provoque le clivage de soi, est, en toute rigueur, singulière[10], Annie Ernaux, aux antipodes du psychologisme et d'un narcissisme littéraire fasciné par son irréductible singularité, se sert de sa subjectivité « pour retrouver, dévoiler des mécanismes ou des phénomènes plus généraux, collectifs ».[11] Irrémédiablement à distance de son monde

---

[6] *La Honte*, Paris, Éditions Gallimard, 1997, p. 108.

[7] Elle est signalée dans *La Place*, Paris, Éditions Gallimard, 1984, *Une femme, op. cit.*, *La Honte*, *op. cit* ., par des italiques.

[8] L'expression est empruntée à Jean Genet cité par Annie Ernaux dans *L'Ecriture comme un couteau. Entretien avec Frédéric-Yves Jeannet*, Paris, Éditions Stock, 2003, p. 33.

[9] *L'Ecriture comme un couteau, op. cit.*, p. 89-90.

[10] Chaque habitus réalise une intégration unique, dominée par les premières expériences, des expériences chronologiquement ordonnées qui définissent chaque trajectoire singulière. Mais, « s'il est exclu que tous les membres de la même classe (ou même deux d'entre eux) aient fait les mêmes expériences et dans le même ordre, il est certain que tout membre de la même classe a des chances plus grandes que n'importe quel membre d'une autre classe de s'être trouvé affronté en tant qu'acteur ou en tant que témoin aux situations les plus fréquentes pour les membres de cette classe » (Pierre Bourdieu, *Esquisse d'une théorie de la pratique*, Genève, Éditions Droz, 1972, p. 187). C'est pourquoi tout habitus individuel est une variante structurale d'un habitus de groupe ou de classe : tout membre de la même classe a, en effet, des chances plus grandes de faire l'expérience des situations caractéristiques de cette classe que n'importe quel membre d'une autre classe.

[11] *L'Ecriture comme un couteau, op. cit.*, p. 43-44. Apparentée à une sorte de psychanalyse sociale, l'œuvre d'Annie Ernaux l'est aussi à la sociologie de Pierre Bourdieu : « Ce que j'avais à dire - pour aller vite, le passage du monde dominé au monde dominant, par les études - je ne l'avais jamais vu exprimé comme je le sentais. Et un livre m'autorisait, en quelque sorte, à entreprendre cette mise à jour. Un livre me poussait comme aucun texte dit littéraire ne l'avait fait, à oser affronter cette

d'origine (au terme du chemin qu'il lui a fallu parcourir pour s'en éloigner) et de son monde d'accueil (au terme du chemin parcouru pour y accéder), elle revendique « une distance objectivante »[12], à laquelle elle était prédisposée par son éloignement des deux mondes. « Émigrée de l'intérieur », témoin d'elle-même, analyste méticuleuse de son univers d'origine et des mécanismes qui l'en ont éloignée[13], des effets qu'engendre la migration de classes sur le migrant et sur le monde d'origine[14], Annie Ernaux se fait ainsi ethnologue organique de la migration de classe. Son œuvre se situe, en effet, là où le plus personnel et le plus impersonnel se rejoignent. « *La Place*, *Une femme*, *La Honte* et en partie *L'Evénement*, sont moins autobiographiques que auto-socio-biographiques. (…) D'une manière générale, les textes de cette seconde période sont avant tout des "explorations", où il s'agit moins de dire le "moi" ou de le "retrouver" que de le perdre dans une réalité plus vaste, une culture, une condition, une douleur, etc. », écrit-elle[15].

Ethnographe des classes dominées : la culture du pauvre

En quête de l'héritage qu'elle a dû déposer au seuil du monde bourgeois et cultivé[16], des codes et des règles des cercles où elle était enfermée[17], Annie Ernaux évoque son enquête rétrospective : « pour atteindre ma réalité d'alors, je n'ai pas d'autre moyen sûr que de rechercher les lois et les rites, les croyances et les valeurs qui définissaient les milieux, l'école, la famille, la province, où j'étais prise et qui dirigeaient, sans que j'en perçoive les contradictions, ma vie »[18]. Il s'agit en somme d'être « ethnologue de soi-même ». Ainsi se fait-elle porte-parole, écrivain public des classes

---

histoire, ce livre, c'était *Les Héritiers* de Bourdieu et Passeron, découvert au printemps », écrit Annie Ernaux (*L'Ecriture comme un couteau, op. cit.*, p. 87).

[12] *L'Ecriture comme un couteau, op. cit.*, p. 34.

[13] On peut rapprocher cette tentative de celles - explicitement sociologiques - de Richard Hoggart, *33 Newport Street. Autobiographie d'un intellectuel issu des classes populaires anglaises*, Paris, Hautes Études, Gallimard, Le Seuil, 1991. Cf. aussi, plus récemment, Gérard Noiriel, « Un désir de vérité » (in Gérard Noiriel, *Penser avec, penser contre. Itinéraire d'un historien*, Paris, Belin, 2003, p. 249-278) et Gérard Mauger, « Entre engagement politique et engagement sociologique » (communication aux Journées d'études de Limoges « Reconversions militantes » des 20 et 21 mars 2003, à paraître).

[14] La suite logique de ce programme de recherche conduirait à l'étude de l'immigration dans l'univers d'accueil, des formes et des modalités d'accès de ces « nouveaux entrants » (oblats, parvenus, nouveaux riches, *self-made man*, etc.), de ses effets sur le migrant et sur l'univers d'accueil : elle est ébauchée par Annie Ernaux dans *La Femme gelée*, Paris, Éditions Gallimard, 1981.

[15] *L'Ecriture comme un couteau, op. cit.*, p. 22.

[16] *La Place, op. cit.*, p. 111.

[17] *La Honte, op. cit.*, p. 108.

[18] *Ibid.*, p. 37-38.

dominées[19], en s'efforçant de reconstituer le « point de vue de (son) père mais aussi de toute une classe sociale ouvrière et paysanne au travers des mots enchâssés dans la trame du récit. »[20] On peut mettre en évidence, en effet, dans l'œuvre d'Annie Ernaux, comme dans celle de Richard Hoggart[21], une description analytique des principes structurants de l'habitus populaire : rapports au temps et à l'espace, vision de l'espace social, rapport à la condition et ethos de classe.

À l'inverse de l'expérience de l'espace - indissociablement géographique et social[22] – des classes dominantes, auxquelles la maîtrise matérielle et symbolique des moyens de transports et de communication assure, au moins virtuellement, une forme d'ubiquité sociale, celle des classes populaires est étroitement circonscrite.

La nécessité matérielle et les forces de rappel de l'habitus (qui tend à se mettre à l'abri des crises et des mises en question critiques en s'assurant un milieu auquel il est aussi adapté que possible) confinent dans « l'entre soi » : les gens « haut placés » sont, pour la plupart, hors de vue, hormis les contacts obligés avec le monde médical ou le monde scolaire. « Chez nous, explique Annie Ernaux[23], désigne encore 1) le quartier 2) inextricablement, la maison et le commerce de mes parents. » Au delà s'étend un monde virtuel : « En juin 52, je ne suis jamais sortie du territoire qu'on nomme d'une façon vague mais comprise de tous, par chez nous (…). Au-delà commence l'incertain, le reste de la France et du monde que par là-bas, avec un geste du bras montrant l'horizon, réuni dans la même indifférence et inconcevabilité d'y vivre (…) Croyance générale qu'on ne peut aller quelque part sans connaître et admiration pour ceux ou celles qui n'ont pas peur d'aller partout »[24].

Parce que « le rapport pratique à l'à venir, dans lequel s'engendre l'expérience du temps, dépend du pouvoir et des chances objectives qu'il ouvre »[25], à l'inverse des usages libres et libertaires du temps des intellectuels ou des usages planifiés du temps dans les stratégies de carrière de cadres supérieurs qui ont « de l'avenir », la ponctuation du temps, hebdomadaire ou biographique, des classes populaires est cyclique : « la semaine s'égrène en "jours de" définis par des usages collectifs et familiaux,

---

[19] « Moi, narratrice, venue du monde dominé, mais appartenant désormais au monde dominant, je me proposais d'écrire sur mon père et la culture du monde dominé » (*L'Ecriture comme un couteau, op. cit.*, p. 78).

[20] *Ibid.*, p. 79.

[21] Richard Hoggart, *La Culture du pauvre, op. cit.*, et *33 Newport Street, op. cit.*

[22] Sur ce sujet, voir Pierre Bourdieu, « Effets de lieux », in Pierre Bourdieu (dir.), *La Misère du monde*, Paris, Éditions du Seuil, 1993, p. 159-167.

[23] *La Honte, op. cit.*, p. 49.

[24] *Ibid.*, p. 40-41.

[25] Pierre Bourdieu, *Méditations pascaliennes,* Paris, Éditions du Seuil, 1997, p. 264.

des émissions de radio »[26] et « le temps de la vie s'échelonne en "âge de", faire sa communion et recevoir une montre, avoir la première permanente pour les filles, le premier costume pour les garçons, etc. »[27] Toutefois, ces cycles immuables s'inscrivent dans le flux incontrôlé d'un mouvement historique d'ascension collective : « On ne cesse d'invoquer le *progrès* comme une force inéluctable à laquelle on ne peut ni ne doit résister, dont les signes se multiplient, le plastique, les bas nylon, le stylo à bille, la Vespa, le potage en sachet et l'instruction pour tous. »[28]

Cette inscription dans un espace géographique restreint délimite la vision de l'espace social : « en 52, se souvient Annie Ernaux, je ne peux pas me penser en dehors d'Y. (…) Il n'y a pas pour moi d'autre monde »[29]. Les structures de l'espace habité fonctionnent comme une sorte de symbolisation de l'espace social. Dans le cas d'Annie Ernaux, les positions sociales sont ordonnées selon la distribution « centre / périphérie » – « la valeur des quartiers diminue au fur et à mesure qu'on s'éloigne du centre »[30] – mais aussi selon leur degré de familiarité (du monde des proches à un monde étranger sinon exotique) : « en moins de trois cents mètres, on passe de l'opulence à la pauvreté, de l'urbanité à la ruralité, de l'espace au resserrement. Des gens protégés, dont on ignore tout, à ceux dont on sait ce qu'ils touchent comme allocations, ce qu'ils mangent et boivent, à quelle heure ils se couchent »[31]. L'expérience répétée de l'inscription de l'ordre social (« les gens haut placés » / « le fond du panier ») dans l'ordre des choses (centre / périphérie) tend à l'inscrire dans les esprits en tant que catégories de perception et d'appréciation (haut / bas, inconnu / connu, autre / même) : « en 52, il me suffisait de regarder les hautes façades derrière une pelouse et des allées de gravier pour savoir que leurs occupants *n'étaient pas comme nous* », écrit-elle.[32]

Aux distances dans l'espace géographique (Rouen / Yvetôt) correspondent des écarts dans le temps historique (l'avenir / le passé) et dans l'espace social (« ce qui se fait » / « faire paysan ») : « faire paysan, explique Annie Ernaux, signifie qu'on n'est pas évolué, toujours en retard sur ce qui se fait, en vêtements, langage, allure »[33] ; « à Rouen, on se sent vaguement "en retard", sur la modernité, l'intelligence, l'aisance générale de gestes et de paroles. Rouen est pour moi l'une des figures de l'avenir »[34].

---

[26] *La Honte, op. cit.*, p. 58.

[27] *Ibid.*, p. 59.

[28] *Ibid.*, p. 60.

[29] *Ibid.*, p. 42.

[30] *Ibid.*, p. 45.

[31] *Ibid.*, p. 48.

[32] *Ibid.*, p. 49.

[33] *La Place, op. cit.*, p. 70.

[34] *La Honte, op. cit.*, p. 42.

Cette vision restreinte de l'espace social délimite le champ des possibles. Ainsi la mère d'Annie Ernaux se définit-elle par rapport à quatre positions visibles, connues et classées : les filles de la campagne, les bonnes, les vendeuses et les ouvrières. Si elle est « fière d'être ouvrière dans une grande usine », c'est que cette position représente « quelque chose comme être civilisée par rapport aux sauvages, les filles de la campagne restées derrière les vaches, et libre au regard des esclaves, les bonnes des maisons bourgeoises obligées de "servir le cul des maîtres"», bien qu'elle sente « tout ce qui la séparait, de manière indéfinissable de son rêve : la demoiselle de magasin »[35]. C'est à l'intérieur de cet espace restreint que se définit la représentation de la chute (la déchéance) – « deux images de terreur, la prison pour les garçons, l'enfant naturel pour les filles »[36] – et de l'ascension (la promotion), métaphores spatiales qui inscrivent dans le mouvement des corps la vision de l'espace social[37] : « Ils avaient peur (…) de tout perdre pour finalement *retomber ouvriers* », écrit Annie Ernaux.[38]

De même que Pierre Bourdieu fait du « choix du nécessaire » le principe générateur de l'habitus des classes dominées – « la nécessité impose un goût de nécessité qui implique une forme d'adaptation à la nécessité et, par là, d'acceptation du nécessaire, de résignation à l'inévitable »[39] –, Annie Ernaux décrit dans *La Place* « une vie soumise à la nécessité ».[40] « Comment décrire la vision d'un monde où tout *coûte cher* ? », s'interroge-t-elle[41]. Une vie soumise à la nécessité impose l'apprentissage de savoir-faire spécifiques – « ne pas jeter l'argent par les fenêtres »[42], « ne pas perdre la nourriture », « être propre sans *user trop d'eau* »[43], être « obligés de regarder sur tout »[44] – associés à une division sexuelle du travail domestique. Le ménage est

---

[35] *Une femme, op. cit.*, p. 31.

[36] *Ibid.*, p. 26-27.

[37] « L'incorporation insensible des structures de l'ordre social s'accomplit sans doute, pour une part importante, au travers de l'expérience prolongée et indéfiniment répétée des distances spatiales dans lesquelles s'affirment des distances sociales, et aussi, plus concrètement, au travers des *déplacements et des mouvements du corps* que ces structures sociales converties en structures spatiales, et ainsi *naturalisées*, organisent et qualifient socialement comme ascension ou déclin (…), entrée (…) ou sortie (…), rapprochement par rapport à un lieu central et valorisé », écrit Pierre Bourdieu (« Effets de lieux », *art. cit.* ; cf. aussi Pierre Bourdieu, *Méditations pascaliennes, op. cit.*, chapitre 4 : « La connaissance par corps », p. 153-193).

[38] *La Place, op. cit.*, p. 39.

[39] Pierre Bourdieu, *La Distinction. Critique sociale du jugement*, Paris, Éditions de Minuit, 1979 (chapitre 7 : « Le choix du nécessaire », p. 433-461).

[40] *La Place, op. cit.*, p. 24.

[41] *Ibid.*, p. 58.

[42] *La Femme gelée, op. cit.*, p. 33.

[43] *La Honte, op. cit.*, p. 55.

[44] *Une femme, op. cit.*, p. 38.

féminin : sa mère « tenait bien sa maison, c'est-à-dire qu'avec un minimum d'argent, elle arrivait à nourrir et habiller sa famille (…) Connaissant tous les gestes qui accommodent la pauvreté. Ce savoir, transmis de mère en fille pendant des siècles, s'arrête à moi qui n'en suis que l'archiviste »[45]. Le bricolage est masculin : « tous les après-midi il filait à son jardin, toujours net. Avoir un jardin sale, aux légumes mal soignés indiquait un laisser-aller de mauvais aloi, comme se négliger sur sa personne ou trop boire »[46].

À cette gestion matérielle de la nécessité correspond sa gestion spirituelle, à l'accommodation objective une adaptation subjective, à la soumission à la nécessité le « goût du nécessaire ». Il se manifeste dans une forme d'ascétisme, dans la définition de « ce qu'il faut » qui se réfère souvent à un passé de dénuement encore présent dans les mémoires : « On avait tout *ce qu'il faut* », disaient les parents d'Annie Ernaux[47]. Le goût de nécessité oriente également le regard porté sur le monde (« vers le bas » / « vers le haut ») : « il y avait plus malheureux que nous », écrit-elle[48]. Mais l'expérience quotidiennement répétée de la soumission à la nécessité impose surtout d'apprendre à se contenter des biens accessibles : « sois heureuse avec ce que tu as »[49], « on était heureux quand même. Il fallait bien »[50]. Au goût du nécessaire est également associée une forme d'hédonisme. « Faire avec » sans se plaindre est non seulement une disposition conforme à une vertu cardinale – le courage –, mais aussi un savoir-faire dicté par une forme d'économie psychologique : il est beaucoup plus coûteux psychologiquement de se plaindre d'une condition intangible que de « prendre son parti des choses sans trop s'en faire »[51].

Le courage est une valeur primordiale de l'ethos des classes populaires : « par-dessus tout, l'orgueil de leur force de travail. Ils admettaient difficilement qu'on soit plus courageux qu'eux », rappelle Annie Ernaux[52]. Si le courage peut valoir le rachat de travers moraux comme « l'alcoolisme »[53] – « on louait le courage au travail, capable sinon de racheter une conduite du

---

[45] *Ibid.*, p. 26.

[46] *La Place, op. cit.*, p. 67.

[47] *Ibid.*, p. 56.

[48] *Ibid.*, p. 44.

[49] *Ibid.*, p. 58.

[50] *Ibid.*, p. 32.

[51] « Peut-être une tendance profonde à ne pas s'en faire, malgré tout », note Annie Ernaux (i*bid.*, p. 66).

[52] *Une femme, op. cit.*, p. 32.

[53] La réprobation populaire de l'alcoolisme n'est sans doute pas étrangère au fait qu'il porte atteinte à la force de travail. « Il était sérieux, c'est-à-dire, pour un ouvrier, ni feignant, ni buveur, ni noceur », écrit Annie Ernaux à propos de son père (*La Place, op. cit.*, p. 35). La faute est pardonnable, si elle ne nuit pas au travail : « Parfois des ivrognes se rachetaient par un beau jardin cultivé entre deux cuites » (*La Place, op. cit.*, p. 67).

moins de la rendre tolérable, il boit mais il n'est pas feignant »[54] –, la valorisation du courage fait de la maladie une faute morale : « la santé était une qualité, écrit-elle, elle n'a pas de santé, une accusation autant qu'une marque de compassion. (…) D'une façon générale, on accordait difficilement aux autres le droit d'être pleinement et légitimement malades ; toujours soupçonnés de s'écouter »[55]. La valorisation du courage moral a pour corollaire la sobriété dans l'expression des sentiments : « ne pas se plaindre », « ne pas s'écouter », « ne pas se laisser aller » implique de « ne rien laisser paraître »[56] ; « il n'y avait presque pas de mots pour exprimer les sentiments », remarque Annie Ernaux[57].

Le refus d'être jugé sur sa position sociale et la revendication de la prééminence des classements moraux (« c'est une bonne personne » / « elle vaut pas cher ») suppose leur indépendance par rapport aux classements sociaux, l'autonomie de l'excellence morale par rapport à l'excellence sociale : « les conversations classaient les faits et gestes des gens, leur conduite, dans les catégories du bien et du mal, du permis, même conseillé, ou de l'inadmissible »[58] ; « on évaluait les personnes en fonction de leur sociabilité. Il fallait être simple, franc et poli »[59] ; « la politesse était la valeur dominante, le principe premier du jugement social. Elle consistait, par exemple, à : *rendre* (…), ne pas *déranger* les gens (…), ne pas leur *faire affront* (…). La politesse permettait d'*être bien* avec les gens et de ne pas donner prise aux commentaires »[60].

La prééminence accordée à « la valeur morale » (courage et civilité) est associée à l'affirmation de l'appartenance à une « commune humanité » et à une « vision naturaliste du monde » qui récuse les hiérarchies sociales[61]. Cette croyance en une « commune humanité » apparaît, par exemple, dans l'espoir nourri par le père d'Annie Ernaux de trouver auprès de son beau-fils une « connivence d'hommes » : « il exultait, sûr de pouvoir considérer mon futur mari comme son fils, d'avoir avec lui, par-delà les différences d'instruction, une connivence d'hommes ».[62] Elle permet également à sa

---

[54] *La Honte, op. cit.*, p. 63.

[55] *Ibid.*, p. 63-64.

[56] Annie Ernaux décrit en ces termes l'attitude de son père confronté à l'éloignement de sa fille : « Fierté de ne rien laisser paraître, dans la poche avec le mouchoir par-dessus » (*La Place, op. cit.*, p. 99).

[57] *La Honte, op. cit.*, p. 70.

[58] *Ibid.*, p. 63.

[59] *Ibid.*, p. 64.

[60] *Ibid.*, p. 65-66.

[61] Dans la conception freudienne, « le déni » (*Verleugnung*) est un mode de défense consistant en un refus par le sujet de reconnaître la réalité d'une perception traumatisante. Dans le cas présent, il s'agit d'une forme de cécité qui préserve une croyance.

[62] *La Place, op. cit.*, p. 94.

mère de proclamer son exigence d'égalité : « une de ses phrases favorites :
« je vaux bien ces gens-là. »[63]

Cette revendication d'une « commune humanité » a pour corollaire
« l'idéologie du don » sur fond de vision naturaliste du monde social[64]. Qu'il
s'agisse d' « intelligence » : « l'argent donne pas tout, heureusement, l'intelligence pousse où elle veut », déclare sa mère[65] ; « moi, sa fille, sa fille, (…)
j'avais la grâce, des facultés »[66], « l'impression que c'était inné (le droit à la
parole), ça aussi, si on l'avait manqué à la naissance, c'était fichu », pense
son père[67]. Et la distribution aléatoire de « l'intelligence » (donc du
« savoir ») l'est aussi pour les « qualités morales » (donc pour « les bonnes
manières ») : à la « conviction profonde que le savoir et les bonnes manières
étaient la marque d'une excellence intérieure, innée »[68] se trouve ainsi
associée « une représentation idéale du monde intellectuel et bourgeois »[69]
choyé par la Providence[70].

« Jalousie / fierté » et conditions sociales de l'ascension sociale

Comment rendre compte des « miraculés scolaires » qui semblent
invalider la théorie de l'héritage culturel et conforter « l'idéologie du don » ?
À priori, la réussite scolaire des enfants issus de milieux populaires semble
être doublement paradoxale. D'une part, parce que tout projet d'ascension
sociale contrevient aux règles implicites de la dialectique « jalousie/fierté ».
D'autre part, parce que la réussite scolaire suppose des ressources
substituables à un héritage culturel négatif ou nul (du point de vue de la
valeur qui lui est accordée sur le marché scolaire). L'univers des classes
populaires est soumis, en effet, à deux tendances contradictoires : la
compétition et l'exigence d'égalité. Aux forces centrifuges (chacun s'efforce
de « s'en sortir ») s'opposent des forces centripètes (quiconque tente de
« s'élever » est soupçonné de prétention). Mais, dans des relations où règne
non une égalité effective mais une « exigence d'égalité », la dialectique
« jalousie / fierté » tend à préserver la cohésion de « l'entre soi ». Dans le
système d'accusations réciproques (jaloux/fier), c'est l'appartenance de

---

[63] *Ibid.*, p. 37.

[64] C'est pourquoi « corriger et dresser les enfants, réputés malfaisants par nature, était
le devoir de bons parents » (*La Honte, op. cit.*, p. 61).

[65] *Ce qu'ils disent ou rien*, Paris, Éditions Gallimard, 1977, p. 23.

[66] *Les Armoires vides*, Paris, Éditions Gallimard, 1974, p. 68.

[67] *Ibid.*, p. 126.

[68] *La Place, op. cit.*, p. 94.

[69] *Ibid.*, p. 92.

[70] « La conscience des déterminants économiques et sociaux de la dépossession
culturelle varie presque en raison inverse de la dépossession culturelle », note Pierre
Bourdieu (in *La Distinction, op. cit.*, p. 452).

classe des deux accusateurs qui est en jeu : l'accusation de « fierté » menace d'exclusion, l'accusation de « jalousie » réaffirme la co-appartenance[71].

L'effort d'ascension sociale, qui contrevient à l'exigence d'égalité et aux rappels à l'ordre du principe de conformité, est le produit et l'expression d'une relation historique de domination de classe à la fois matérielle et symbolique : l'incitation à l'exil dans le monde des autres fait ressurgir la domination déniée[72]. « Jamais, elle ne le dit vraiment, mais on se comprend entre nous, que c'est moche d'être ouvrier (…) S'élever qu'est-ce qui pourrait dire que c'est mal »[73]. Si son père et sa mère participent à « la lutte pour arriver »[74], ils incarnent les deux pôles des dispositions populaires par rapport à l'ascension sociale[75] : sa mère, la volonté de s'en sortir, quitte à braver l'accusation de fierté[76] ; son père, la volonté de ne pas s'y exposer ; « tous deux, le même désir d'arriver, mais chez lui, plus de peur devant la lutte à entreprendre, de tentation de se résigner à sa condition, chez elle de conviction qu'ils n'avaient rien à perdre et devaient tout faire pour s'en sortir coûte que coûte »[77]. Le rapport de force favorable à la mère a sans doute joué un rôle décisif dans l'ascension sociale improbable de la fille : « des deux, elle était la figure dominante, la loi »[78], « il l'a suivie, elle était la volonté sociale du couple »[79]. Cette volonté d'ascension sociale s'inscrit au présent dans leur propre trajectoire (d'ouvriers à petits commerçants) et au futur dans l'avenir de leur fille (de la fille d'épiciers-cafetiers au professeur). L'ascension des parents s'opère dans un monde ordonné par des critères économiques : « heureux qu'ils étaient d'offrir au beau-frère chaudronnier ou

---

[71] Sur ce sujet, voir Florence Weber, *Le Travail à côté. Étude d'ethnographie ouvrière*, Paris, INRA, EHESS, 1989 (chapitre 3 : « Fierté et jalousie : exigence d'égalité et groupe d'appartenance », p. 172-192).

[72] En fait, la gestion collective de la migration de classe relève de l'État. La politique de « démocratisation » du système scolaire (80 % d'une classe d'âge au niveau du baccalauréat), associée au chômage de masse et à la dévalorisation de la force de travail simple, a provoqué une profonde transformation des rapports à l'école des familles populaires (cf. Stéphane Beaud et Michel Pialoux, *Retour sur la condition ouvrière. Enquête aux usines Peugeot de Sochaux-Montbéliard*, Paris, Fayard, 1999, deuxième partie : « Le Salut par l'école », p. 159-289). Elle a de multiples conséquences : cf., entre autres, Pierre Bourdieu et Patrick Champagne, « Les Exclus de l'intérieur », in Pierre Bourdieu (dir.), *La Misère du monde, op. cit.*, p. 597-603, et Stéphane Beaud, *80 % au bac. Et après ?...*, Paris, Éditions La Découverte, 2002.

[73] *Ce qu'ils disent ou rien, op. cit.*, p. 117.

[74] *Une femme, op. cit.*, p. 45.

[75] L'un et l'autre apparaissent comme des formes de « courage » : celui qu'il faut pour défier l'adversité, en la combattant ou en la supportant sans mot dire.

[76] « La jeunesse de ma mère, cela en partie : un effort pour échapper au destin le plus probable, la pauvreté sûrement, l'alcool peut-être » (*Une femme, op. cit.*, p. 34).

[77] *Une femme, op. cit.*, p. 39.

[78] *Ibid.*, p. 59.

[79] *Ibid.*, p. 39.

employé de chemin de fer le spectacle de la profusion »,[80] note Annie Ernaux (même si « dans leur dos, ils étaient traités de riches, l'injure »[81]). Celle de leur fille est culturelle[82]. La stratégie familiale d'ascension sociale se manifeste dans le choix de l'école privée pour leur fille : « dire "ma petite fille va au pensionnat" – et non simplement "à l'école" – permet de faire sentir toute la différence entre le mélange au tout-venant et l'appartenance à un milieu unique, particulier, entre la seule soumission à l'obligation scolaire et le choix précoce d'une ambition sociale »[83].

Mais toute mobilisation pour « s'élever » dans tel ou tel registre s'expose à la condamnation de la prétention de « se croire différent », à l'accusation de fierté.[84] « *Être comme tout le monde* était la visée générale, l'idéal à atteindre »[85] : « "On est comme les copains", dit mon père, "fais donc comme tout le monde" qu'elle dit »[86]. D'où les perpétuels rappels à l'ordre du « conformisme populaire »[87], lancés à la cantonade (« ça, ils peuvent pas l'endurer, qu'on se croie, surtout quand on est sorti de rien, faut pas l'oublier »[88]) ou à l'adresse de leur fille (« ne pas *me croire, faire de l'étalage* »[89]). La condamnation morale associée au soupçon de prétention sociale implique une double vigilance à l'égard des pratiques « classantes » de l'entourage et des classements dont on est soi-même l'objet (« *Qu'est-ce qu'on va penser de nous ?* (les voisins, les clients, tout le monde) »[90]). Cette vigilance s'exerce à l'égard de leur fille : « sous toutes les paroles, des uns et des autres, les miennes, soupçonner des envies et des comparaisons. Quand

---

[80] *La Place, op. cit.*, p. 44-45.

[81] *Ibid.*, p. 45.

[82] De façon générale, « les stratégies de reconversion par lesquelles les individus ou les familles visent à maintenir ou à améliorer leur position dans l'espace social en maintenant ou en augmentant leur capital au prix d'une reconversion d'une espèce de capital dans une autre plus rentable et/ou plus légitime (par exemple du capital économique en capital culturel), dépendent des chances objectives de profit qui sont offertes à leurs investissements dans un état déterminé des instruments institution-nalisés de reproduction (…) et du capital qu'elles ont à reproduire » (Pierre Bourdieu, « Classement, déclassement, reclassement », *Actes de la recherche en sciences sociales*, n° 24, novembre 1978, p. 19).

[83] *La Honte, op. cit.*, p. 85-86.

[84] La prétention affichée (ou déniée mais néanmoins perçue) contrevient à la revendication de « commune humanité » et à « l'exigence d'égalité ». D'où l'obligation de « rester simple » qui permet de cumuler les bénéfices symboliques de la domination et ceux de la dénégation.

[85] *La Honte, op. cit.*, p. 66.

[86] *Les Armoires vides, op. cit.*, p. 136.

[87] Richard Hoggart, *La Culture du pauvre, op. cit.*, p. 131.

[88] *Ce qu'ils disent ou rien, op. cit.*, p. 70-71.

[89] *La Honte, op. cit.*, p. 68.

[90] *La Place, op. cit.*, p. 61.

je disais, "il y a une fille qui a visité les châteaux de la Loire", aussitôt, fâchés, "Tu as bien le temps d'y aller. Sois heureuse avec ce que tu as" ».[91] L'attention aux faits et gestes de l'entourage instruit de perpétuels procès : « au souper, ils ont parlé des cousins chez qui ils avaient fait un saut dans l'après-midi, toute la soirée à comparer, pour qu'ils aient arrangé leur maison aussi bien, faut qu'ils rognent sur la nourriture, avec ce qu'ils gagnent, moi je dis que c'est un mauvais calcul. Mon père était d'accord. Et les études du gosse ça coûtera, s'il continue, vaut mieux donner un bon bagage à ses enfants. Ils ont épilogué tout le repas là-dessus. (…) Ma mère blablatait toujours sur les cousins, ils ne devraient jamais aller chez personne, ils reviennent mécontents quand ça leur paraît plus beau que leur maison »[92]. Ces classements, indissociablement sociaux et moraux, ne visent néanmoins que l'univers restreint des « presque semblables » : « la jalousie sociale définit (…) un champ de concurrence qui oppose des égaux, ou plutôt des presque égaux, des individus dont chacun peut prétendre à une supériorité sur l'autre. (…) Le simple fait que la jalousie soit possible signifie concurrence pour un même enjeu, compétition tendant vers un même but, partage des mêmes valeurs en définitive », note Florence Weber[93]. C'est pourquoi la jalousie-rivalité n'est possible que dans des mondes d'interconnaissance où la comparaison reste possible. Entre « étrangers culturels », elle cesse, faute d'une unité de compte commune[94] : « ici (chez l'oculiste) la différence ne la gênait pas, au contraire, ça prouvait peut-être que c'était un grand spécialiste. Les cousins du Havre par contre qui voulaient leur en mettre plein la vue, là, elle n'encaissait pas. Au fond, plus la différence était grande plus elle l'acceptait »[95].

Tenter de se soustraire à l'accusation de fierté impose la dénégation[96] de la stratégie familiale de réussite scolaire : « toujours cerné par l'envie et la jalousie, cela peut-être de plus clair dans sa condition », écrit Annie Ernaux à

---

[91] *La Place, op. cit.*, p. 58. La condamnation de la jalousie est un corollaire de celle de la prétention : la jalousie témoigne, en effet, d'une participation déçue à « la lutte pour arriver ».

[92] *Ce qu'ils disent ou rien, op. cit.*, p. 54-55.

[93] Florence Weber, *Le Travail à côté, op. cit.*, p. 175.

[94] « Sauf exception, les membres des classes dominées "n'ont pas idée" de ce que peut être le système des besoins des classes privilégiées ni davantage de leurs ressources dont ils ont aussi une connaissance très abstraite et sans correspondance aucune avec le réel », note Pierre Bourdieu (in *La Distinction, op. cit.*, note 4, p. 437).

[95] *Ce qu'ils disent ou rien, op. cit.*, p. 57.

[96] Dans le lexique freudien, la « dénégation » (*Verneigung*) est le procédé par lequel le sujet, tout en formulant un désir, une pensée, un sentiment, jusqu'ici refoulé, continue à s'en défendre en niant qu'il lui appartienne. L'intériorisation simultanée de dispositions promotionnelles et de dispositions morales qui condamnent la prétention impose la dénégation.

propos de son père[97]. La dénégation de la prétention culturelle auprès des clients passe, chez sa mère, par l'invocation de la nécessité matérielle : « c'est pas pour faire bien, mais l'école libre, c'est moins loin que la communale, c'est plus pratique pour la conduire, on est tellement occupés »[98]. Quant à son père, il « se dépatouille » en invoquant « le don pour les études » décrit comme une fatalité naturelle : « elle aime bien apprendre, on va pas l'empêcher, hein ? (...) Quand ça plaît... »[99], « on ne l'a jamais poussée, elle avait ça dans elle »[100]. Mais, dans la mesure où son père soupçonne chez les autres l'explication alternative de la réussite scolaire par l'héritage économique (une stratégie prétentieuse de parvenu), il redoute que l'invocation de l'idéologie du don apparaisse comme un prétexte dissimulant « la véritable cause » de leur investissement scolaire : « il ne faut surtout pas avoir l'air de me pousser, on croirait qu'ils ont les moyens... »[101], il craint « qu'on les imagine riches pour m'avoir ainsi poussée »[102]. L'*allodoxia* populaire quant aux conditions de la réussite scolaire (idéologie du don et confusion entre héritage culturel et héritage économique) se double d'une méconnaissance du travail intellectuel (trop éloigné du travail manuel pour apparaître comme travail) : « il disait que j'apprenais bien, jamais que je travaillais bien. Travailler, c'était seulement travailler de ses mains »[103]. C'est pourquoi il lui faut aussi écarter le soupçon de paresse, voire d'anormalité, pesant sur sa fille[104] : « devant la famille, les clients, de la gêne, presque de la honte que je ne gagne pas encore ma vie à dix-sept ans, autour de nous toutes les filles de cet âge allaient au bureau, à l'usine ou servaient derrière le comptoir de leurs parents. Il craignait qu'on ne me prenne pour une paresseuse et lui pour un crâneur »[105].

Comment rendre compte par ailleurs de ces réussites scolaires en dépit du dénuement culturel ou des handicaps culturels (langagiers) et symboliques à surmonter ? La réussite scolaire s'inscrit d'abord dans la pente ascensionnelle de la trajectoire familiale qu'elle permet de prolonger[106] : les parents

---

[97] *La Place, op. cit.*, p. 92.

[98] *Les Armoires vides, op. cit.*, p. 48.

[99] *Ibid.*, p. 89-90.

[100] *La Place, op. cit.*, p. 81.

[101] *Les Armoires vides, op. cit.*, p. 90.

[102] *La Place, op. cit.*, p. 91.

[103] *Ibid.*, p. 81.

[104] Soupçon qu'il comprend assez pour l'anticiper chez les autres : « Il a pris son parti de me voir mener cette vie bizarre, irréelle : avoir vingt ans et plus, toujours sur les bancs de l'école » (*La Place, op. cit.*, p. 91).

[105] *Ibid.*, p. 81.

[106] Sur les conditions sociales de possibilité de la réussite scolaire des enfants de familles populaires, voir Pierre Bourdieu, « La Transmission de l'héritage culturel », in Darras, *Le Partage des bénéfices*, Paris, Éditions de Minuit, 1966, p. 383-420. Voir aussi Claude F. Poliak, *La Vocation d'autodidacte*, Paris, Éditions L'Harmattan,

d'Annie Ernaux n'appartiennent plus au « bord le plus humilié »,[107] « ils sont parvenus peu à peu à une situation supérieure à celle des ouvriers autour d'eux ».[108] La limitation des naissances favorise l'ascension sociale en concentrant les investissements matériels et affectifs sur l'enfant unique : « ils ne voulaient qu'un seul enfant pour qu'il soit plus heureux »[109] ; « il avait appris la condition essentielle pour ne pas reproduire la misère des parents : ne pas s'oublier dans une femme ».[110]

Mais, dans le cas d'Annie Ernaux, « s'élever » est surtout une injonction maternelle : « ma mère était une femme orgueilleuse (...), révoltée, ne supportant pas la "haute", arrogante, de la ville »,[111] « c'est ma mère qui avait le plus de violence et d'orgueil, une clairvoyance révoltée de sa position d'inférieure dans la société et le refus d'être seulement jugée sur celle-ci »[112]. La conscience de son « infériorité sociale » associée au refus de la cécité volontaire sur « la haute » (corollaire obligé de la préservation de « l'entre soi »), le refus de réduire toute hiérarchie humaine à cette hiérarchie sociale sont au principe du mandat d'ascension sociale par procuration confié à sa fille : « son désir le plus profond était de me donner tout ce qu'elle n'avait pas eu »[113], « prête à tous les sacrifices pour que j'aie une vie meilleure que la sienne »[114], elle « voulait une fille qui ne prendrait pas comme elle le chemin de l'usine, qui dirait merde à tout le monde, aurait une vie libre et l'instruction était pour elle ce merde et cette liberté »[115]. Pour elle, en effet, l'ascension sociale est d'abord spirituelle et se confond avec l'ascension scolaire et culturelle : « s'élever, pour elle, c'était d'abord apprendre (elle disait : "il faut meubler son esprit") et rien n'était plus beau

---

1992 ; Bernard Lahire, *Tableaux de familles. Heurs et malheurs scolaires en milieux populaires,* Paris, Hautes Études, Gallimard, Le Seuil, 1995 ; et Gérard Mauger, « Élection parentale, élection scolaire », in Patrice Huerre et Laurent Renard (dir.), *Parents et adolescents. Des interactions au fil du temps,* Éditions Érès, 2001, p. 99-115.

[107] *La Place, op. cit.,* p. 43.

[108] *Une femme, op. cit.,* p. 48.

[109] *Ibid.,* p. 42.

[110] *La Place, op. cit.,* p. 38. « Il faut peut-être supposer que la volonté de limiter le nombre des naissances et la volonté de donner une éducation secondaire aux enfants expriment, chez les sujets qui les associent, une même attitude profonde », note Pierre Bourdieu (« La Transmission de l'héritage culturel », *art. cit.,* p. 399 ; cf. aussi Pierre Bourdieu et Alain Darbel, « La Fin d'un malthusianisme ? », in Darras, *Le Partage des bénéfices, op. cit.,* p. 135-154).

[111] *L'Écriture comme un couteau, op. cit.,* p. 68.

[112] *Une femme, op. cit.,* p. 32.

[113] *Ibid.,* p. 51.

[114] *Ibid.,* p. 65.

[115] *La Femme gelée, op. cit.,* p. 39.

que le savoir. (...) Elle a poursuivi son désir d'apprendre à travers moi »[116]. La religion est sans doute la clé d'une vision du monde élargie à ceux de « la haute » qu'elle croise sur les bancs de l'église (« depuis sa jeunesse, les processions et autres festivités religieuses représentent pour elle des occasions honnêtes de sortir et de se montrer bien habillée dans une compagnie de bon aloi »[117]), vision ordonnée selon des critères spirituels plus que matériels (« pour ma mère, la religion fait partie de tout ce qui est élevé, le savoir, la culture, la bonne éducation. L'élévation, faute d'instruction, commence par la fréquentation de la messe, l'écoute du sermon, c'est une façon de s'ouvrir l'esprit »[118]). Au principe de sa « bonne volonté culturelle », de sa volonté de faire de sa fille « un exemple », la religion remplit de multiples fonctions : « la religion de ma mère, façonnée par son histoire d'ouvrière d'usine, adaptée à sa personnalité violente et ambitieuse, à son métier, est une pratique individualiste, un moyen de mettre tous les atouts de son côté pour garantir la vie matérielle, un signe d'élection qui la distingue du reste de la famille et de la plupart des clientes du quartier, une revendication sociale, montrer aux bourgeoises dédaigneuses du centre-ville qu'une ancienne ouvrière, par sa piété – et sa générosité à l'église –, vaut mieux qu'elles, le cadre d'un désir généralisé de perfection, d'accomplissement de soi dont mon avenir fait partie »[119].

De ce fait, la religion, perçue par son père comme une pratique prétentieuse (associée au « beau langage » et aux « bonnes manières »), est une source permanente de conflit familial. Car si son père partage l'espérance que sa fille sera « mieux que lui »[120] et rêve (pour elle) d'ascension sociale[121], il incarne dans l'univers familial la vigilance tant à l'égard de la prétention qu'elle implique que des humiliations auxquelles elle expose : « leitmotiv, *il ne faut pas péter plus haut qu'on l'a*. La peur d'être déplacé, d'avoir honte »[122]. D'où sa volonté de « rester à sa place » associée à l'expérience de la domination : « mon père (...) refusait d'aller dans les endroits où il ne se sentait pas à "sa place" et de beaucoup de choses, il disait qu'elles n'étaient pas pour lui »[123]. Refus de s'exposer à la confrontation avec les gens « haut placés », bien qu'il ait appris à « sauver la face »[124] dans ce genre de circonstances : « devant les personnes qu'il jugeait importantes (...) il avait une raideur timide, ne posant jamais aucune question. Bref, se

---

[116] *Une femme, op. cit.*, p. 57.

[117] *La Honte, op. cit.*, p. 100.

[118] *Ibid.*, p. 102.

[119] *Ibid.*, p. 103.

[120] *La Place, op. cit.*, p. 74.

[121] *L'Ecriture comme un couteau, op. cit.*, p. 33.

[122] *La Place, op. cit.*, p. 59.

[123] *Une femme, op. cit.*, p. 55.

[124] Erving Goffman, *Les Rites d'interaction*, Paris, Éditions de Minuit, 1974.

comportant avec intelligence. Celle-ci consistait à percevoir notre infériorité et à la refuser en la cachant le mieux possible »[125]. Refus d'aller à l'école, ce temple du savoir : « l'école (…) était pour lui un univers terrible. (…) Il refusait d'aller aux fêtes de l'école, même quand je jouais un rôle. Ma mère s'indignait, « il n'y a pas de raison pour que tu n'y ailles pas ». Lui, « "mais tu sais bien que je vais jamais à *tout ça*" »[126]. Ce refus intimidé se double de tentatives vaines de disqualification de l'univers religieux « sous forme de remarques irritées à l'égard de [sa femme] "tu es toujours pendue à l'église", "qu'est-ce que tu peux bien raconter au curé", ou de plaisanteries sur le célibat des prêtres auxquelles elle ne répond jamais, comme s'il s'agissait d'insanités indignes d'être relevées »[127]. Tentatives vaines car, « dépourvu des signes d'une véritable religion, donc du désir de *s'élever*, (son) père *ne fait pas la loi* »[128]. Sa mère qui est « le relais de la loi religieuse et des prescriptions de l'école »[129] « lui *faisait la guerre* pour qu'il retourne à la messe, où il avait cessé d'aller au régiment, pour qu'il perde ses *mauvaises manières* (c'est-à-dire de paysan ou d'ouvrier) »[130]. Ce conflit « religieux » est redoublé d'un conflit « linguistique » où s'incarne l'opposition entre une « fidélité à soi » à la fois prudente (parce que se sachant dominée) et indifférente (parce que cantonnée dans l'entre soi) et une tentative intrépide d'appropriation d'un langage étranger : « il lui était indifférent de "bien parler" et il continuait d'utiliser des tournures de patois. Ma mère, elle, tâchait d'éviter les fautes de français (…). Elle hasardait quelquefois dans la conversation des expressions dont on n'avait pas l'habitude, qu'elle avait lues ou entendu dire par des "gens bien" »[131] ; « bavard au café, en famille, devant les gens qui parlaient bien il se taisait. (…) Toujours parler avec précaution, peur indicible du mot de travers »[132]. La « bonne volonté culturelle » maternelle, ses tentatives d'appropriation de la langue scolaire, sa volonté de rapprochement avec l'univers scolaire, scellent l'alliance avec sa fille scolarisée, confortent l'identification de la fille à la mère : « je la croyais supérieure à mon père, parce qu'elle me paraissait plus proche que lui des maîtresses et des professeurs. Tout en elle, son autorité, ses désirs et son ambition, allait dans le sens de l'école ».[133]

---

[125] *La Place, op. cit.*, p. 60.

[126] *La Place, op. cit.*, p. 73-74.

[127] *La Honte, op. cit.*, p. 107.

[128] *Ibid.*

[129] *Ibid.*, p. 100.

[130] *La Place, op. cit.*, p. 43.

[131] *Une femme, op. cit.*, p. 55.

[132] *Ibid.*, p. 63.

[133] *Une femme, op. cit.*, p. 58.

La double absence ou la socio-genèse d'un habitus clivé

Au fil d'une ascension sociale et culturelle qui les éloigne progressivement de leur milieu d'origine, la position des « miraculés scolaires » dans le cercle familial est progressivement redéfinie jusqu'à s'y trouver irrévocablement déplacés. Déplacés dans leur monde d'origine, ils ne le sont souvent pas moins dans leur nouveau milieu. Partagés entre la séduction – y compris sexuelle – qu'exercent sur eux les classes domi-nantes[134] et le ressentiment à leur égard, divisés entre dénigrement du monde d'origine et nostalgie d'un monde perdu, entre la honte de soi et des siens et la honte de cette honte, consumés par le doute, l'auto-dénigrement et la culpabilité, ils sont *a-topos*, sans place, sans feu ni lieu, « dé-placés » au double sens d'incongrus et d'importuns. Voués au mal-être et au malaise, « émigrés de l'intérieur », les intellectuels de première génération sont, comme les immigrés, voués à une « double absence »[135].

Annie Ernaux, qui se désigne elle-même comme une « immigrée de l'intérieur »[136], reconstitue « le conflit culturel » qu'elle a vécu, « écartelée entre (son) milieu familial et l'école »[137], sa progressive intériorisation des schèmes de classement du « monde des autres » et la disqualification qu'elle induit d'elle-même et de son monde d'origine : « c'est sans doute au travers de la fréquentation de l'école privée – jusqu'en classe de première – que j'ai découvert bientôt la honte et l'humiliation qui me frappaient, à une époque où l'on ne peut que ressentir, non penser clairement les différences entre les élèves. Différences qu'on ne relie pas, d'abord, à l'origine sociale explici-tement, à l'argent et à la culture dont disposent les parents, et qu'on vit sur le mode de l'indignité personnelle, de l'infériorité et de la solitude. La réussite scolaire elle-même, dans ce cas, n'est pas vécue comme une victoire, mais une chance précaire, bizarre, une espèce d'anomalie, on est de toute façon dans un monde qui ne vous appartient pas. Comme enfant vivant dans un milieu dominé, j'ai eu une expérience précoce et continue de la réalité des luttes de classes[138]. Bourdieu évoque quelque part "l'excès de mémoire du stigmatisé", une mémoire indélébile. Je l'ai toujours »[139].

---

[134] L'alliance matrimoniale dans l'univers d'accueil scelle la séparation entre les deux mondes et l'écartèlement du migrant (Cf. Yvette Delsaut, « Le Double mariage de Jean Célisse », *Actes de la recherche en sciences sociales*, n° 4, 1976, p. 3-20).

[135] Cf. Abdelmalek Sayad, *La Double absence, op. cit.*

[136] *L'Ecriture comme un couteau, op. cit.*, p. 35.

[137] *Ibid.*, p. 51.

[138] Cette expérience ordinaire de la lutte des classes est, pour l'essentiel, indépen-dante des orientations politiques de l'univers familial : en l'occurrence, « le milieu petit commerçant », « peu politisé » et « plutôt à droite » (*ibid.*, p. 66). « Il n'y a pas passage automatique de l'expérience sociale, ni de la conscience sociale d'ailleurs, à la conscience politique », note Annie Ernaux (*ibid.*, p. 70).

[139] *Ibid.*, p. 69.

Dans *Les Armoires vides*, Annie Ernaux se propose de « voir où commence le cafouillage », de rechercher comment elle a commencé à détester son monde d'origine et comment elle en est venue à détester son monde d'accueil : « ce n'est pas vrai, je ne suis pas née avec la haine, je ne les ai pas toujours détestés, mes parents, les clients, la boutique... Les autres, les cultivés, les profs, les convenables, je les déteste aussi maintenant »[140]. Tout a commencé avec la découverte du monde des autres (qui cesse d'être un monde « virtuel » perçu à travers les injonctions muettes de l'espace architectural, pour être « constaté », « éprouvé », dans les interactions avec « les crâneuses » de l'école privée et devenir « réel ») et l'apprentissage du langage scolaire : « j'ai laissé mon vrai monde à la porte et dans celui de l'école, je ne sais pas me conduire »[141]. Dans l'arène scolaire, les classements scolaires co-existent avec les classements sociaux (économiques et corporels) convertis en classements moraux (crâneuses / pas crâneuses) : « il y avait pour moi d'autres classements que celui du carnet de notes, ceux qui, à vivre dans un groupe, s'élaborent au fil des jours et se traduisent par "j'aime", "je n'aime pas" telle fille. D'abord la séparation entre "crâneuses" et "pas crâneuses", entre "celles qui se croient", parce qu'elles sont choisies pour danser aux fêtes, vont en vacances à la mer – et les autres. Être crâneuse est un trait physique et social, détenu par les plus jeunes et les plus mignonnes qui habitent le centre-ville, ont des parents représentants ou commerçants »[142]. L'immigration dans le monde des autres implique l'apprentissage d'une langue étrangère (la langue scolaire) : « pire qu'une langue étrangère, on ne comprend rien en turc, en allemand, c'est tout de suite fait, on est tranquilles. Là, je comprenais à peu près tout ce qu'elle disait, la maîtresse, mais je n'aurais pas pu le trouver toute seule, mes parents non plus, la preuve c'est que je ne l'avais jamais entendu chez eux. Des gens tout à fait différents »[143]. Ainsi est-elle peu à peu devenue bilingue : « je porte en moi deux langages », constate-t-elle[144] ; « une fois le seuil de la boutique franchi, je retrouve ma voix ordinaire, pas celle de l'école, emberlificotée, trop douce, je jette mon cartable n'importe où »[145]. Ainsi s'est-elle peu à peu dédoublée : « je me sentais séparée de moi-même », écrit-elle[146]. Mais il ne s'agit pas seulement d'un clivage entre deux langues et deux mondes

---

[140] *Les Armoires vides, op. cit.*, p. 15.

[141] *Ibid.*, p. 58.

[142] *La Honte, op. cit.*, p. 92.

[143] *Les Armoires vides, op. cit.*, p. 50.

[144] *Ibid.*, p. 72.

[145] *Ibid.*, p. 64-65.

[146] *La Place, op. cit.*, p. 98. « Le boursier appartient (...) à deux mondes qui n'ont presque rien en commun, celui de l'école et celui du foyer. Une fois au lycée, il apprend vite à utiliser deux accents, peut-être même à se composer deux personnages et à obéir alternativement à deux codes culturels », écrit Richard Hoggart (*La Culture du pauvre, op. cit.*, p. 352-353).

différents : les uns sont dominants, les autres dominés. L'acculturation
scolaire permet d'échapper – au moins dans l'enceinte scolaire - à la
domination sociale des « crâneuses » : « c'est comme ça que j'ai commencé
à vouloir réussir, contre les filles, toutes les autres filles, les crâneuses, les
chochotes, les gnangnans… Ma revanche, elle était là, dans les exercices de
grammaire, de vocabulaire (…) Pour conserver ma supériorité, ma
vengeance, je pénétrais de plus en plus dans le jeu léger de l'école »[147] ; « on
dit de moi, *l'école est tout pour elle* »[148]. Mais, insurrection contre la
domination, la réussite scolaire est, dans ce cas, indissociablement trahison :
l'identification implique, en effet, l'auto-disqualification[149]. Le clivage de
l'habitus induit par l'acculturation scolaire implique progressivement la
disqualification des dispositions antérieures et leur refoulement : « je pensais
(que mon père) ne pouvait plus rien pour moi. Ses mots et ses idées n'avaient
pas cours dans les salles de français ou de philo, les séjours à canapé de
velours rouge des amies de classe »[150]. Le dédoublement de l'habitus des
miraculés scolaires passe par les tentatives vaines de cloisonnement social
entre les deux mondes et l'apprentissage de la solitude (en s'isolant peu à peu
du monde des siens sans pouvoir s'intégrer au monde des autres) : « il me
semble que je n'étais amie avec personne à l'école privée. Je n'allais chez
aucune fille et aucune ne venait chez moi »[151] ; « étant la seule de la famille
et du voisinage à aller à l'école privée, en dehors de la classe je n'avais de
complicité scolaire avec personne »[152] ; « je ne voulais plus jouer pour un
empire avec les filles du quartier (…). Mais je n'avais pas invité les filles de
l'école chez moi. C'était pas possible. (…) Les inviter, j'aurais préféré
tomber malade »[153] ; « le pire, c'était que la classe, les filles, ce n'était pas
non plus mon vrai lieu. Pourtant j'y aspirais de toutes mes forces »[154] ; « ça
s'est mis à grandir ce sentiment bizarre, n'être bien nulle part, sauf devant un
devoir, une composition, un livre dans un coin de la cour »[155]. L'éloignement
du monde d'origine s'inscrit dans l'espace (le repli dans sa chambre) et dans
les interactions (l'interruption des échanges) et redouble le sentiment
d'étrangeté[156] : « je travaillais mes cours, j'écoutais des disques, je lisais,
toujours dans ma chambre. Je n'en descendais que pour me mettre à table.

---

[147] *Les Armoires vides, op. cit.*, p. 66-67.
[148] *La Honte, op. cit.*, p. 100.
[149] Mes parents « qui sont ouvriers, il faut que je sois ce qu'ils disent, pas ce qu'ils sont » (*Ce qu'ils disent ou rien, op. cit.*, p. 9).
[150] *La Place, op. cit.*, p. 83.
[151] *La Honte, op. cit.*, p. 98.
[152] *Ibid.*, p. 99.
[153] *Les Armoires vides, op. cit.*, p. 81.
[154] *Ibid.*, p. 112.
[155] *Ibid.*, p. 86.
[156] Annie Ernaux lit alors *L'Etranger* d'Albert Camus (*Ce qu'ils disent ou rien, op. cit.*).

On mangeait sans parler. Je ne riais jamais à la maison. Je faisais de "l'ironie". C'est le temps où tout ce qui me touche de près m'est étranger »[157]. L'intériorisation du langage, des schèmes de perception et d'appréciation du monde des autres impose de se voir soi-même et de voir les siens avec le regard des autres provoquant la honte de soi et des siens. Auto-classements humiliants : « je me vois et je ne ressemble pas aux autres… Je ne veux pas le croire, pourquoi je ne serais pas comme elles, une pierre dure dans l'estomac, les larmes piquent. Ce n'est plus comme avant. Ça, l'humiliation. À l'école, je l'ai apprise, je l'ai sentie »[158] ; « quand ai-je eu une trouille folle de leur ressembler, à mes parents… Pas en un jour, pas une grande déchirure… (…) Le monde n'a pas cessé de m'appartenir en un jour. Il a fallu des années avant de gueuler en me regardant dans la glace, que je ne peux plus les voir, qu'ils m'ont loupée… »[159]. Classement des siens en dépit des résistances initiales[160] : « je n'en parlais à personne, mais à l'école, en me promenant devant les magasins du centre, en lisant, j'avais appris à comparer. Il y avait les gens bien et les autres »[161] ; « je venais pour la première fois de voir ma mère avec le regard de l'école privée »[162] ; « je les haïssais tous les deux, j'aurais voulu qu'ils soient autrement, convenables, sortables dans le véritable monde »[163] ; « étrangère à mes parents à mon milieu, je ne voulais plus les regarder »[164]. Et à la honte se superpose la honte de cette honte : « c'est venu, la découverte. Ils bafouillent tous les deux devant les types importants, le notaire, l'oculiste, lamentable. Si on leur parle de haut, c'est la fin, ils ne disent plus rien. (…) Fallait encore que je me mette à mépriser mes parents. Tous les péchés, tous les vices »[165] ; « c'est moi que je hais. Je leur suis monté dessus, ils triment au comptoir et je les méprise… »[166] Annie Ernaux évoque ainsi la douleur éprouvée lorsqu'elle a commencé à s'éloigner de son père : « douleur sans nom, mélange de culpabilité, d'incompréhension et de révolte (pourquoi mon père ne lit-il pas, pourquoi a-t-il des "manières frustes", comme il est écrit dans les romans ?)[167] ; douleur dont on a honte, qu'on ne peut avouer ni expliquer à

---

[157] *La Place, op. cit.*, p. 79.

[158] *Les Armoires vides, op. cit.*, p. 55.

[159] *Ibid.*, p. 46-47.

[160] « Mes parents, je voulais pas les placer quelque part. (…) Je les croyais à part» (*Les Armoires vides, op. cit.*, p. 91).

[161] *Les Armoires vides, op. cit.*, p. 90.

[162] *La Honte, op. cit.*, p. 110.

[163] *Les Armoires vides, op. cit.*, p. 105.

[164] *Ibid.*, p. 112.

[165] *Ibid.*, p. 92-93.

[166] *Ibid.*, p. 155.

[167] *L'Écriture comme un couteau, op. cit.*, p. 32-33. « Manières frustes » qui ne lui apparaissent telles qu'à travers les catégories de perception intériorisées à l'école privée (ou « apprises » dans les romans).

personne »[168]. L'insertion dans le monde des autres (« qui m'était ouvert parce que j'avais oublié les manières, les idées et les goûts du mien »[169]) parachève la rupture avec le monde d'origine : « j'émigre doucement vers le monde petit-bourgeois, admise dans ces surbooms dont la seule condition d'accès, mais si difficile, consiste à ne pas être *cucul*. Tout ce que j'aimais me semble *péquenot* (...) Même les idées de mon milieu me paraissent ridicules, des *préjugés* (...) L'univers pour moi s'est retourné »[170] ; « j'ai glissé dans cette moitié du monde pour laquelle l'autre n'est qu'un décor »[171].

On comprend que la fierté que suscite le boursier dans son univers d'origine soit toujours redoublée de la suspicion – indicible – de trahison voire d'apostasie : objet d'une fierté ambiguë, il est aussi objet de soupçon[172]. En fait, le boursier ébranle les fondements de l'ordre social en fragilisant les frontières entre « Eux » et « Nous ». Son parcours accéléré de mobilité dans une hiérarchie culturelle qui ravale le groupe en même temps qu'elle l'élève par l'élévation de l'un des siens, délégitime, déstabilise, met en cause, les codes moraux et culturels du monde d'origine. C'est pourquoi la fierté associée à l'exhibition sociale requiert dissimulation collective et ne va pas sans duplicité sociale : il s'agit à la fois d'affirmer (voire d'exhiber) la distance croissante avec l'univers d'origine et de la nier (« elle n'est pas fière »). L'appartenance de l'un de ses ressortissants au monde des autres importe la domination « à demeure ». Le départ – la réussite scolaire et l'ascension sociale – sape graduellement le travail de prévention et de préservation (à commencer par la clôture sur lui-même[173]) par lequel le groupe cherche à maintenir un contrôle moral sur ses membres, accélère l'érosion du groupe[174]. Le miraculé scolaire ne peut que décevoir les attentes qu'il comble. L'insertion espérée dans le monde des autres le sépare de lui-même et de son monde d'origine : « je ne suis plus dans leur circuit, rien de

---

[168] Cette douleur est associée à la honte de ses proches (inspirée par l'intériorisation du racisme de classe qui porte à voir dans les siens des « beaufs ») et à la honte de cette honte. Douleur indicible aux siens : il faudrait leur dire qu'ils sont devenus objets de honte. Douleur indicible aux autres : ce serait reconnaître sa défaite symbolique.

[169] *La Place, op. cit.*, p. 93.

[170] *Ibid.*, p. 79.

[171] *Ibid.*, p. 96.

[172] Sur ce sujet, voir Florence Weber, *Le Travail à côté, op. cit.*

[173] « Les attentes des autres sont autant de renforcements des dispositions imposées par les conditions objectives », note Pierre Bourdieu (*in La Distinction, op. cit.*, p. 444). Sur la frontière entre « Eux » et « Nous », voir Richard Hoggart, *La Culture du pauvre, op. cit.*, et Florence Weber, *Le Travail à côté, op. cit.*

[174] Sur ce sujet, cf. Stéphane Beaud, Michel Pialoux, *Retour sur la condition ouvrière. Enquête aux usines Peugeot de Sochaux-Montbéliard*, Paris, Éditions Fayard, 1999.

commun avec eux. Pourtant jusqu'à sept ou huit ans, je leur ressemblais, (…) ça me dégoûte de me rappeler ce que j'aimais, ce que j'admirais »[175]. La coexistence de dispositions clivées s'avère impossible. L'intériorisation des dispositions dominantes qu'impose l'acculturation scolaire disqualifie les dispositions dominées : « j'ai été coupée en deux, c'est ça (…). Le cul entre deux chaises, ça pousse à la haine, il fallait bien choisir. Même si je voulais, je ne pourrais plus parler comme eux, c'est trop tard »[176] ; « il n'y a peut-être jamais eu d'équilibre entre mes deux mondes. Il a bien fallu en choisir un, comme point de repère, on est obligé. Si j'avais choisi celui de mes parents, (…) je n'aurais pas voulu réussir à l'école, ça ne m'aurait rien fait de vendre des patates derrière le comptoir, je n'aurais pas été à la fac. Il fallait bien haïr toute la boutique, le troquet, la clientèle de minables à l'ardoise. Je me cherche des excuses, on peut peut-être s'en sortir autrement »[177].

La réalisation du mandat paternel (fidélité) implique *de facto* le mépris du monde du père (trahison) : « j'étais devenue prof, passée dans l'autre monde, celui pour lequel nous étions des gens modestes, ce langage de condescendance »[178] ; « mon père est entré dans la catégorie des *gens simples* ou *modestes* ou *braves gens* »[179] ; « peut-être sa plus grande fierté, ou même, la justification de son existence : que j'appartienne au monde qui l'avait dédaigné »[180]. Antithèse affective, la fierté éprouvée, indissociable du mépris ressenti[181], cette « distance de classe particulière, qui n'a pas de nom, comme de l'amour séparé », écrit Annie Ernaux,[182] les voue, l'un et l'autre, au silence : « il n'osait plus raconter des histoires de son enfance. Je ne lui parlais plus de mes études »[183]. Les tentatives de son père pour combler par le don de ses économies (accumulation de capital économique) l'écart creusé par l'école (accumulation de capital culturel) sont nécessairement vaines[184] : « il a voulu que ses économies servent à aider le jeune ménage, désirant compenser par une générosité infinie l'écart de culture et de pouvoir qui le séparait de son gendre »[185]. D'où les tentatives symétriques et non moins

---

[175] *Les Armoires vides, op. cit.*, p. 43.

[176] *Ibid.*, p. 171.

[177] *Ibid.*, p. 77.

[178] *L'Ecriture comme un couteau, op. cit.*, p. 33.

[179] *La Place, op. cit.*, p. 80.

[180] *Ibid.*, p. 112.

[181] Aveuglement ou dénégation, ce propos de son père indique, quoi qu'il en soit, ce qui constitue désormais l'enjeu des relations avec sa fille : « Un jour avec un regard fier : "je ne t'ai jamais fait honte" » (*ibid.*, p. 93).

[182] *Ibid.*, p. 23.

[183] *Ibid.*, p. 80.

[184] Comme l'étaient les tentatives imaginaires de l'élève de l'école privée qui « brodait » pour « en mettre plein la vue », « pour être à la hauteur » (*Les Armoires vides, op. cit.,* p. 64), cherchant à combler l'écart avec les familles des « crâneuses ».

[185] *La Place, op. cit.*, p. 95.

vaines de sa fille pour transformer son père et réduire l'écart culturel qui
s'est creusé entre eux : « puisque la maîtresse me "reprenait", plus tard j'ai
voulu reprendre mon père (...) Il est entré dans une violente colère. Une
autre fois : "Comment voulez-vous que je ne me fasse pas reprendre, si vous
parlez mal tout le temps !" Je pleurais. Il était malheureux. Tout ce qui
touche au langage est dans mon souvenir motif de rancœur et de chicanes
douloureuses, bien plus que l'argent »[186] ; « je croyais toujours avoir raison
parce qu'il ne savait pas *discuter*. Je lui faisais des remarques sur sa façon de
manger ou de parler. J'aurais eu honte de lui reprocher de ne pas pouvoir
m'envoyer en vacances, j'étais sûre qu'il était légitime de vouloir le faire
changer de manières ».[187]

Son père impute aux livres et aux mots qui rappellent la présence de
l'univers scolaire installé à demeure dans le domicile familial,[188] l'isolement
de sa fille qu'il soupçonne d'« anormalité » : « il s'énervait de me voir à
longueur de journée dans les livres, mettant sur leur compte mon visage
fermé et ma mauvaise humeur. La lumière sous la porte de ma chambre lui
faisait dire que je m'usais la santé. Les études, une souffrance obligée pour
obtenir une bonne situation et *ne pas prendre un ouvrier*. Mais que j'aime me
casser la tête lui paraissait suspect »[189] ; « un jour : "les livres, la musique,
c'est bon pour toi. Moi je n'en ai pas besoin pour *vivre*" »[190]. En fait,
l'épreuve de la réalité de l'ascension scolaire met à jour le *double bind*
inhérent aux stratégies de scolarisation des familles populaires que l'on peut
résumer en ces termes : « ne deviens pas ce que je veux que tu deviennes ».
Le mandat de réussite se double d'un désir d'échec refoulé, mais
ressurgissant sous forme de colères, lapsus sociaux où se révèle l'ambiguïté
du mandat d'ascension sociale et où s'exprime le désir censuré d'une fille
dans laquelle il puisse se reconnaître[191] : « et toujours la peur OU PEUT-
ÊTRE LE DÉSIR que je n'y arrive pas »[192] ; «"on aurait été davantage
heureux si elle avait pas continué ses études !" qu'il a dit un jour. Moi aussi
peut-être »[193] ; « il aurait peut-être préféré avoir une autre fille »[194].

Le caractère structural de ces injonctions contradictoires apparaît
également dans la relation mère-fille. Bien que la fille ait rempli un mandat
maternel plus que paternel de réussite scolaire, la transformation de leurs
relations est homologue. Le modèle qu'a été sa mère fait désormais honte à

---

[186] *Ibid.*, p. 64.

[187] *Ibid.*, p. 82.

[188] « Le mot "prof" lui déplaisait, ou "dirlo", même "bouquin" » (*ibid.*, p. 80).

[189] *Ibid.*, p. 80.

[190] *Ibid.*, p. 83.

[191] Sur ce sujet, voir Gérard Mauger, « Les Héritages du pauvre », *art. cit.*

[192] *La Place, op. cit.*, p. 80.

[193] *Les Armoires vides, op. cit.*, p. 171.

[194] *La Place, op. cit.*, p. 82.

la fille : « je trouvais ma mère voyante. (…) J'avais honte de sa manière brusque de parler et de se comporter, d'autant plus vivement que je sentais combien je lui ressemblais. Je lui faisais grief d'être ce que, en train d'émigrer dans un milieu différent, je cherchais à ne plus paraître »[195]. Et sa mère ne peut que percevoir sa fille comme une de ces femmes dont l'arrogance muette suscitait sa colère : « souvent, cette réflexion de colère à mon égard : "ça va au pensionnat et ça ne vaut pas plus cher que d'autres". À certains moments, elle avait dans sa fille en face d'elle, une ennemie de classe ».[196]

Pour sa mère, comme pour son père, la fierté ressentie est indissociable du mépris soupçonné : « à l'égard de ce monde, ma mère a été partagée entre l'admiration que la bonne éducation, l'élégance et la culture lui inspiraient, la fierté de voir sa fille en faire partie et la peur d'être, sous les dehors d'une exquise politesse, méprisée »[197]. La fierté (à la famille, elle raconte que sa fille et son gendre « ont une belle situation »[198]) est consubstantielle au « sentiment d'indignité », de la honte et de la colère (un jour avec colère : « je ne fais pas bien dans le tableau »[199]). Elle transpose la domination culturelle (réelle) en domination économique (imaginaire) : « j'ai mis longtemps à comprendre que ma mère ressentait dans ma propre maison le malaise qui avait été le mien, adolescente dans les "milieux mieux que nous" »[200]. L'ambiguïté du mandat d'ascension sociale et le regret percent dans la colère et l'incompréhension de la souffrance sociale de sa fille (mise sur le compte de l'ingratitude) : « pour ma mère, se révolter n'avait eu qu'une seule signification, refuser la pauvreté, et qu'une seule forme, travailler, gagner de l'argent et devenir aussi bien que les autres. D'où ce reproche amer, que je ne comprenais pas plus qu'elle ne comprenait mon attitude : "Si on t'avait fichue en usine à douze ans, tu ne serais pas comme ça. Tu ne connais pas ton bonheur" »[201].

Écrire, une activité politique

Selon Annie Ernaux, « écrire est (…) une activité politique, c'est-à-dire qui peut contribuer au dévoilement et au changement du monde ou au contraire conforter l'ordre social, moral existant »[202], « écrire, précise-t-elle, était ce qu'(elle pouvait) faire de mieux comme acte politique eu égard à (sa) situation de transfuge de classe »[203]. On peut voir, en effet, dans son œuvre

---

[195] *Une femme, op. cit.*, p. 63.
[196] *Ibid.*, p. 65.
[197] *Ibid.*, p. 71.
[198] *Ibid.*, p. 77.
[199] *Ibid.*, p. 77.
[200] *Ibid.*, p. 76.
[201] *Ibid.*, p. 65.
[202] *L'Ecriture comme un couteau, op. cit.*, p. 74.
[203] *Ibid.*, p. 74.

celle d'une « intellectuelle organique de la migration de classe », au sens de Gramsci[204].

La théorie implicite - mais d'autant plus efficace qu'elle est implicite - de la migration de classe que contient l'œuvre d'Annie Ernaux dévoile les effets de la violence symbolique inhérente à la domination de classe (qui ne se réduit pas à l'exploitation économique). Si elle peut apparaître comme une porte parole de la migration de classe, si son écriture est « agissante », c'est en raison de la valeur collective du « je » autobiographique[205] : « la valeur collective du "je", du monde du texte, c'est le dépassement de la singularité de l'expérience, des limites de la conscience individuelle qui sont les nôtres dans la vie, c'est la possibilité pour le lecteur de s'approprier le texte, de se poser des questions ou de se libérer »[206]. Mais elle dit plus, même si elle le dit aussi, que ce qui est énoncé, avec toute la sécheresse abstraite du langage conceptuel, dans une analyse sociologique de la trajectoire des intellectuels de première génération : ce que j'ai tenté de faire ici... L'exemplification confère à la théorie implicite la force émotionnelle de la littérature, exerce un effet de révélation sur celles et ceux qui partagent tout ou partie des propriétés génériques de l'auteur : « à la façon des paraboles du discours prophétique, (elle livre) un équivalent plus accessible d'analyses conceptuel-les, abstraites »[207]. Elle rend sensible, y compris à travers les traits les plus singuliers de l'énonciation (qui font « le style » de l'écrivain) les structures objectives que le travail scientifique s'efforce de dégager. Capable d'émouvoir sans sacrifier au pathos, elle peut incliner à la conversion de la pensée et du regard qui est souvent la condition préalable de la compréhension : « tant de gens m'ont dit, m'ont écrit, l'importance que l'un ou l'autre de mes livres avait eu dans leur vie, leur sentiment de ne plus être seul après l'avoir lu... Je ne peux pas m'étendre là-dessus – c'est quelque chose de si fort, si bouleversant, secret aussi. Vous savez, quand quelqu'un me dit "Vous avez écrit à ma place" ou "Ce livre, c'est moi", de toutes les gratifications que donne l'écriture, c'est pour moi la plus forte», écrit Annie Ernaux.[208]

Également exposée à des lectures redoutées ou refusées, Annie Ernaux s'efforce de les prévenir en indiquant la posture dont le texte est le produit et en livrant ainsi les instruments d'une lecture compréhensive capable de la

---

[204] Les « intellectuels organiques » d'un groupe ou d'une classe sont ceux qui s'en font les porte parole, expriment sa vision du monde et contribuent à faire le groupe en la diffusant.

[205] « Je dis souvent "nous" maintenant, parce que j'ai longtemps pensé de cette façon et je ne sais pas quand j'ai cessé de le faire » (*La Place, op. cit.*, p. 61).

[206] *L'Ecriture comme un couteau, op. cit.*, p. 80.

[207] Pierre Bourdieu, « Comprendre », in Pierre Bourdieu (dir.), *La Misère du monde, op. cit.,* p. 903-925.

[208] *Ibid.*, p. 110.

reproduire[209]. Énonçant un discours sur les classes dominées[210], elle ne pouvait éviter de prendre position dans le répertoire des discours possibles sur le sujet : entre misérabilisme et populisme, « entre la réhabilitation d'un mode de vie considéré comme inférieur, et la dénonciation de l'aliénation qui l'accompagne »[211]. Ce qu'elle désigne comme « l'écriture plate », équivalent littéraire de l'objectivation sociologique, est l'expression de la vigilance qui lui permet d'échapper à toute complaisance : « le grand danger, je m'en suis aperçue, c'était de tomber dans le misérabilisme ou le populisme, donc d'échouer complètement à offrir la réalité, à la fois objective et subjective, de mon père et du monde dominé. Également de me situer du côté de ceux qui considèrent ce monde comme étranger, exotique, le monde d'« en bas » (…). De trahir deux fois ma classe d'origine : la première, qui n'était pas vraiment de ma responsabilité, par l'acculturation scolaire, et la seconde, consciemment, en me situant dans et par l'écriture du côté dominant »[212].

La socio-analyse, telle que la pratique Annie Ernaux, sous-tendue par l'idée que le plus personnel est le plus impersonnel, est également « politique » dans la mesure où elle permet d'imputer le malheur sous toutes ses formes, y compris les plus intimes et les plus secrètes, à des causes sociales collectivement occultées. Elle ne le fait pas disparaître, mais elle permet de le convertir en symptômes lisibles, susceptibles d'être traités politiquement, donnant à ceux qui l'éprouvent les moyens de maîtriser au moins la représentation qu'ils en ont. Ce regard, à la fois objectivant et compréhensif, décharge l'individu du fardeau de la responsabilité morale et permet d'assumer son habitus sans culpabilité, ni souffrance. La connaissance des contraintes et des limites liées au fait d'occuper une position déterminée dans l'espace social et à une trajectoire permet d'en neutraliser les effets : instrument de libération de l'inconscient social inscrit dans les institutions et dans les habitus, elle offre un moyen de s'affranchir de cet inconscient. La socio-analyse est sans doute une des seules défenses réelles contre la violence symbolique : décrivant les mécanismes qui la fondent, elle exerce un effet critique qui permet de s'affranchir de l'inconscience, complice du déterminisme.

---

[209] Sur la réception de l'œuvre d'Annie Ernaux, voir Isabelle Charpentier, *Une intellectuelle déplacée. Enjeux et usages sociaux et politiques de l'œuvre d'Annie Ernaux (1974-1998)*, Amiens, Université de Picardie, 3 volumes, 849 p.

[210] Il ne peut y avoir d'« écriture d'en bas » qu'émanant de ceux qui n'y sont plus par le fait même de leur accession à la culture lettrée : « les classes populaires ne parlent pas, elles sont parlées », écrit Pierre Bourdieu (« Une classe-objet », *Actes de la recherche en sciences sociales*, n° 17-18, 1977).

[211] *La Place, op. cit.*, p. 54-55.

[212] *L'Ecriture comme un couteau, op. cit.*, p. 78-79.

ANNIE ERNAUX :
UN ENGAGEMENT LITTÉRAIRE
ET UNE CONSCIENCE FÉMINISTE

Delphine Naudier
CNRS-CSU

Dans le cadre de cette communication, j'aimerais éclairer la trajectoire littéraire d'Annie Ernaux en prenant pour angle d'analyse l'ambivalence du rapport des écrivaines au féminisme depuis 1970.

L'auteure, en effet, a commencé à être publiée au moment le plus fort des luttes féministes, en 1974. L'œuvre d'Annie Ernaux réactive la question de savoir si les écrivaines qui plus que les autres disposent d'une tribune, d'une notoriété et du pouvoir de proposer des représentations, ont intérêt à se revendiquer publiquement féministes. Quels sont les bénéfices et les coûts d'un tel engagement ? Comment articuler l'impératif de singularité qui régit la carrière d'écrivain dans le champ littéraire et l'investissement au nom d'une cause commune à toutes les militantes où le « nous » contribue à la montée en généralité de la revendication ? En d'autres termes, comment le militantisme qui « constitue une forme d'institution de réassurance permanente d'une identité valorisante car liée à une cause vécue comme transcendant la biographie individuelle » (Neveu, 2001, 81) peut-il se combiner avec les valeurs individualistes qui régissent les conduites des écrivains et des écrivaines ? Et ce d'autant plus pour les femmes, qui sont déjà classées dans la littérature féminine, catégorie mineure et secondaire.

En cela le mouvement féministe ou la référence au féminisme ne contribue-t-il pas à marquer davantage les écrivaines ? Après avoir été féminines, elles deviennent féministes. La littérature féminine apparaît dès lors comme une forme pacifiée des rapports sociaux de sexe, où les femmes auraient cédé à cette forme d'assignation. La littérature féministe, quant à elle, serait celle qui exprime la violence des rapports de sexe dès lors que les femmes disposent du pouvoir de dévoiler les preuves de la construction sociale et symbolique de leur domination. Ce qu'a fait Simone de Beauvoir en 1949 dans son essai *Le Deuxième Sexe* sans précisément se penser féministe. De la littérature féminine à la littérature féministe, ce déplacement sémantique significatif de l'évolution des rapports de force entre les hommes et les femmes, reproduit les schémas qui réduisent leur participation littéraire à leur appartenance sexuée.

Bien que le contexte féministe ait pu favoriser la venue à l'écriture d'écrivaines, s'inscrire dans le champ littéraire conduit à adopter certaines conduites afin de se démarquer de la sphère militante. Quand l'entrée dans la carrière coïncide avec le mouvement, la motivation première des prétendantes demeure la reconnaissance littéraire. Il s'agit de travailler en tant qu'auteur et d'être reconnu comme écrivain. C'est donc une identité littéraire singulière qu'entend imposer chaque écrivaine. En cela, c'est un travail de construction identitaire qui anime chaque auteur. L'identité étant « à la fois le sentiment subjectif d'une unité personnelle, d'un principe fédérateur durable du moi, et un travail permanent de maintenance et d'adaptation de ce moi à un environnement mobile » (Neveu, 2001, 81). C'est bien entre un « je » individuel et un « nous » collectif et militant que chaque écrivaine doit pouvoir se positionner. Et c'est entre ce « je » et ce « nous » qu'Annie Ernaux a tenté de trouver sa place.

En effet, l'évaluation en termes sexués disqualifie toute prétention littéraire ; c'est pourquoi les bénéfices acquis en publiant dans un contexte historique qui suscite une offre culturelle à destination des femmes, impliquent des stratégies d'adhésion mesurée si ce n'est d'évitement. Par ces conduites, les auteures tentent de contrôler en partie la réception que l'on peut faire de leurs œuvres. Entre l'assignation sexuée, la possibilité de profiter du climat féministe qui offre aux prétendantes un accès plus aisé au circuit éditorial et la volonté de se maintenir dans le champ littéraire, les marges de manœuvre possibles varient selon les positions occupées par les écrivaines.

Il s'agira de rappeler, dans un premier temps, l'ambivalence des écrivaines par rapport au féminisme, qui peut fonctionner comme un stigmate dont il faut se défaire. Nous verrons ensuite comment, au début de sa carrière, Annie Ernaux a affirmé ne pas « écrire féministe » et a tenté de dévoiler non pas la domination masculine mais la domination sociale. Il s'agira enfin de déceler comment Annie Ernaux, composant avec le féminisme, opère un renversement dans son œuvre et impose sa propre définition des rapports sociaux de sexe. En ce sens, le « je » individuel peut retrouver un « nous » collectif, féminin et militant.

L'ambivalence du rapport au féminisme : se défaire du stigmate

L'attention portée à la cause des femmes a favorisé l'accès au champ littéraire et permis d'acquérir une notoriété à nombre d'auteures dont les publications s'ajustaient aux attentes du lectorat. A cette époque, en effet, nombre de collections sont créées, certaines maisons comme Grasset publient ce que Françoise Verny nomme des « romans d'émancipation » (1990, p. 242-245) et des essais féministes. De plus, en 1973, sont fondées les éditions Des femmes spécialisées dans la publication exclusive d'œuvres d'auteurs féminins. Mais nous insisterons surtout sur la charge stigmatisante de la désignation ou de l'auto-désignation qu'incombe le marquage féministe.

Une auteure comme B.Groult[1] a pu transformer son statut de romancière « sans prétention » en écrivaine féministe revendiquant ce statut. L'auteure déclare en effet avoir été « si peu considérée comme une féministe qu'en 1971 personne ne [lui] a proposé de signer la Déclaration sur l'avortement » (1997, p. 137) ; c'est en 1975, en publiant son essai *Ainsi soit-elle,* qu'elle est identifiée au féminisme tout en étant en dehors des grands courants concurrents qui composent ce champ de luttes. Elle a, en outre, ajouté à son militantisme féministe, celui de la défense des droits des écrivains en co-fondant en 1977 avec Marie Cardinal le Syndicat des écrivains de langue française. Ces différents engagements l'ont conduite à s'investir et à occuper des fonctions dans les institutions propres au champ littéraire, tant au sein de ce syndicat qu'en devenant jurée du Prix Femina en 1977. Elle s'est engagée aussi dans le champ politique en étant nommée Présidente de la commission de féminisation des noms de métiers créée par Yvette Roudy au cours des années 80. Bien qu'elle n'ait pas bénéficié d'une plus grande reconnaissance littéraire (aucun prix ne lui a été décerné) son adhésion revendiquée au féminisme n'a nullement altéré sa carrière d'écrivain. En misant sur les voies institutionnelles, elle a cumulé les bénéfices que lui offrait son appartenance aux réseaux mondains antérieure à son ancrage dans le monde des Lettres. Reconnue dans aucun des deux univers avant la vague du féminisme, ses dispositions militantes associées à son capital social ont contribué à construire sa visibilité sociale et littéraire. L'absence de reconnaissance des pairs a été compensée par la prise de fonction au cœur des institutions, tirant ainsi les bénéfices d'une reconnaissance sociale en dépit d'une consécration littéraire. En ce cas, la combinaison de l'aura militante et du succès public atténue l'image d'écrivaine populaire auteure de romans sentimentaux.

Autre chose est de se défaire de l'étiquette de militante pour recueillir les suffrages des pairs et une garantie de la reconnaissance de leurs qualités littéraires. Des auteures telles que Xavière Gauthier[2] ou Christiane Rochefort[3] ont payé un lourd tribut. Ce marquage féministe se traduit par une telle

---

[1] Née en 1920 à Paris, sa mère avait une maison de couture, son père est décorateur, son oncle est le couturier Paul Poiret, sa marraine la peintre Marie Laurencin et son troisième mari l'éditeur et conseiller culturel de François Mitterrand, Paul Guimard.

[2] Xavière Gauthier a connu un parcours littéraire chaotique, a renoncé à être reconnue en tant que poète et s'est reconvertie dans l'enseignement universitaire au début des années 80 après avoir dirigé entre 1977 et 1980 la revue *Sorcières.*

[3] Christiane Rochefort a obtenu la reconnaissance littéraire en 1988, à l'âge de 71 ans, après trente ans de carrière, en recevant le prix Médicis qui couronne habituellement un jeune auteur inventeur « d'un ton nouveau ».

stigmatisation qu'il oblitère toute légitimité dans le registre des lettres : « J'ai été, dit Christiane Rochefort, marquée idéologiquement par l'écriture féministe, ça a changé mon statut social, d'écrivain, je devenais féministe » (*Magazine littéraire*, n° 182, janvier 1982).

Même si certaines auteures ont pu transformer leurs handicaps sociaux et culturels en atouts car leurs caractéristiques sociales en faisaient des figures idéales-typiques de la domination sociale des femmes, ces profits fondés surtout sur les stratégies éditoriales qui leur échappent en partie, n'ont pas été suffisants pour construire une carrière à long terme.

La visibilité publique du marquage féministe fait payer cher cet engagement pour celles qui ont investi dans l'action militante au cours des années 70. Les bénéfices conjoncturellement acquis sont difficilement rentabilisables à long terme. Le capital acquis dans les rangs féministes ne suffit pas à maintenir dans le champ littéraire lorsque la notoriété littéraire était fortement teintée de féminisme. Ainsi Victoria Thérame[4], publiée aux éditions Des Femmes en 1974, ne réussira jamais à survivre au reflux du féminisme et au changement de politique éditoriale d'Antoinette Fouque. Incarnant tous les stéréotypes de la femme socialement dominée, l'auteure est promue comme symbole de la lutte contre l'ordre patriarcal et capitaliste lors de la publication d'*Hosto blues* (Naudier, 2000, p. 267-273). Elle raconte :

> Comme tout fonctionnait mélangé, littérature et militantisme, on m'envoyait dans toute la France faire des débats à la fois pour le mouvement des femmes et mes livres, vous comprenez. Alors, je leur servais, bon ça me servait à moi mais ça leur servait à elles pour se faire connaître en tant qu'Editions des femmes, éditrices et mouvement des femmes (…). On bénéficiait les unes des autres, ma célébrité faisait qu'elles pouvaient arriver avec le mouvement des femmes et qu'au lieu de faire un débat uniquement sur moi, elles faisaient sur moi, moi écrivain plus les éditions Des femmes.

---

[4] Née en 1937 à Marseille dans un milieu populaire, elle quitte l'Ecole après avoir obtenu son Certificat d'études. Intimement convaincue qu'elle est écrivain, elle envoie très jeune des manuscrits à tous les éditeurs parisiens renommés. En 1960, un de ses manuscrits est publié chez René Julliard qui ne mise finalement pas sur elle. Quatorze ans plus tard, elle saisit sa chance en ajustant son écriture à ce qu'elle pressent être dans l'air du temps. Refusée partout, la maison d'édition Des Femmes est son ultime recours. Son livre *Hosto blues* est un best-seller en 1974. Après deux autres livres publiés aux éditions Des Femmes, elle n'a plus de maison d'édition. L'essoufflement des luttes féministes et le changement de ligne éditoriale de la maison ont raison de la carrière de Victoria Thérame. Exclue de cette maison située aux marges du champ littéraire, la romancière se trouve hors jeu du champ littéraire. Elle connaît un important vagabondage éditorial et publie quelques recueils de poésie chez des éditeurs régionaux.

Les succès publics obtenus par les auteurs de best-sellers redoublent leur discrédit en dehors de l'espace militant. Aussi des auteures comme Marie Cardinal ou Annie Leclerc dénoncent-elles, dans *Autrement dit*, les revers de la fortune publique dans le monde des Lettres en déployant une rhétorique féministe justifiant le déclassement des œuvres de femmes par la suprématie masculine de cet univers.

La tension entre l'identité féministe et la défense individuelle de l'identité littéraire est très forte. Si nombre d'auteures sont associées à la lutte des femmes en racontant des histoires d'émancipation féminine, c'est parce que leurs écrits sont en résonance avec l'évolution des rapports sociaux de sexe. Si la médiatisation des luttes féministes bénéficie aux auteures, en ce qu'elle augmente les chances de publication, elle peut aussi piéger symboliquement celles qui se situent dans un tel contexte. En effet, s'il est admissible de miser sur un thème porteur, le féminisme, il l'est moins d'avouer l'usage social fait de la cause des femmes pour accéder ou se maintenir dans le champ littéraire, ce qui explique nombre de discours de dénégation. Trois raisons génèrent ce type de rhétorique. D'une part, parce que cette stratégie est inavouable publiquement, elle fait apparaître les auteures comme des récupératrices[5], comme des traîtres à la cause des femmes. D'autre part, parce que l'adhésion des écrivaines au mythe de l'artiste désintéressé et soumis à sa seule inspiration reste prégnante. Elle est même constitutive de l'identité d'écrivain. Enfin, parce que les écrivaines n'ont pas intérêt à prendre le risque d'être réduite à une identité féministe dans le champ littéraire. L'accent porté sur les romans à caractère émancipatoire, plus ou moins autobiographiques, atteste tant de l'autorisation que s'octroient les femmes en dévoilant et imposant les modifications des arrangements entre les sexes que de l'intérêt que les éditeurs y accordent.

Le contenu « féministe » de ces livres opère un déplacement du roman sentimental vers le roman d'émancipation. L'appropriation littéraire de l'état de femme, que Nathalie Heinich dénomme « femme non liée » (1996, p. 308), tout en ayant une valeur symbolique et politique, sans pour autant s'afficher militante, reproduit, malgré la modification des rapports sociaux de sexe, la logique des assignations sexuées selon laquelle les femmes écrivent des histoires de femmes. Si les thèmes de la sexualité, de l'avortement, du divorce, la dénonciation du modèle d'éducation bourgeois, des femmes seules, mère ou non et qui s'assument, sont très présents et collent à l'actualité militante, les auteures tentent de démarquer leur projet littéraire de tout engagement militant :

---

[5] Les militantes ont notamment accusé de récupération les universitaires qui développaient des recherches sur les femmes (cf. Rose-Marie Lagrave, « Recherches féministes ou recherches sur les femmes ? », *Actes de la Recherche en Sciences Sociales,* n° 83, 1990, p. 27-39).

> J'aime pas ce mot d'esthétique aussi bien que féministe ou politique
> que je viens de prononcer moi-même, mais ça me semble toujours le
> risque de l'enfermement dans une catégorisation (…) en tout cas je
> n'ai jamais eu, en tout cas ça ne s'est jamais formulé clairement
> comme ça dans ma tête que je ferais des romans ou des nouvelles qui
> s'inscriraient dans une mouvance féminine ou féministe (Claude
> Pujade-Renaud, 1998).

On peut voir deux raisons à ce rapport distancié à tout parti-pris féministe.
D'une part les romancières, comme tous les autres auteurs, doivent construire
leur image d'écrivain en définissant leur territoire d'écriture. Pour s'inscrire
dans l'univers de la production symbolique, il s'agit d'imposer la marque de
sa littérarité, de son empreinte littéraire, ce qui est un travail constant. En ce
sens, cette production identitaire est « le fruit d'un travail incessant de
négociation entre des actes d'*attribution*, des principes d'identification
venant d'autrui et des actes d'*appartenance* qui visent à exprimer l'identité
pour soi, les catégories dans lesquelles l'individu entend être perçu » (Neveu,
2001, p. 83). Or, le contrôle partiel de la production identitaire, dans le cadre
de l'interaction, consiste aussi à résister à tout classement sexué auquel les
femmes n'échappent jamais complètement. Ainsi, des écrivains très reconnus
comme Marguerite Yourcenar ou Nathalie Sarraute qui tenaient des propos
favorables à la cause des femmes réprouvaient toute assimilation possible
avec les féministes. Cette difficulté à se revendiquer féministe est également
illustrée par l'attitude de Simone de Beauvoir : bien qu'elle ait publié *Le
Deuxième Sexe* en 1949 et qu'elle ait pris publiquement la défense de
Djamila Boupacha en 1962 (Naudier, 2002), l'écrivaine a rejoint le
mouvement de libération des femmes et s'est déclarée « féministe » en 1972.

C'est pourquoi, deuxième raison, toute connotation féministe imposée à
l'auteure est rejetée de crainte de la stigmatisation qu'elle entraîne :

> *Parole de femme* n'a pas eu d'intention militante cachée. J'ai écrit ce
> livre comme je le sentais, comme je pensais en espérant bien sûr que
> d'autres sinon toutes se reconnaîtraient dans cette parole que je savais
> subversive. Mais, je n'avais pas de programme au-delà », nous écrit
> Annie Leclerc[6].
> L'auteure, dès 1982, corrige les effets de son association au féminisme
> en tentant de le replacer dans un registre plus légitime : « Je trouve
> excessif de le penser comme une prise de conscience d'une révolte des
> femmes. Simplement, il est tombé à un moment où les femmes
> portaient ça en elles… Il est devenu le témoignage de ce qu'elles
> avaient à dire. (…) J'ai écrit ce livre solitairement, je le compterais
> plus comme un ouvrage de philosophie que comme un engagement.
> Or, j'ai été engagée par les effets du livre. On m'a beaucoup sollicitée
> pour être la porte-parole du féminisme. Mais je ne suis pas un porte-

---

[6] Lettre adressée en 2000.

drapeau. Je crois aussi que ce livre a été entendu, accueilli parce qu'il est écrit, parce que c'est de la littérature. Ce n'est pas un texte technique ou politique, c'est de l'écriture.

Le refus d'être considérée comme militante révèle également la valeur distinctive accordée au statut d'écrivain plutôt qu'à celui de militante. Simone de Beauvoir faisait elle-même cette distinction en disant qu'en raison de son âge et de son statut d'intellectuelle, elle n'était pas une militante (Schwartzer, 1984, p. 71-72). La division du travail de dénonciation s'effectue donc entre celles qui disposent des moyens de production symbolique, les écrivaines, qui selon les politiques éditoriales de leurs maisons et l'attention médiatique, jouent le jeu de compagnes de route, de cautions symboliques, et celles qui occupent le terrain de manière concrète en menant des actions collectives et pour lesquelles identité individuelle et identité collective ne constituent pas *a priori* deux pôles antagoniques.

Pour les auteurs, en effet, l'investissement ne vaut qu'à titre individuel. Il s'agit dès lors de s'exprimer en son nom propre afin de faire valoir la spécificité d'un engagement au nom de la personne privée. Ainsi, Françoise Parturier pose sa candidature à l'Académie française en 1970 et déclare :

> Je pose ma candidature à l'Académie française sans volonté de provocation ou de scandale. Mais par la seule logique des idées que je défends par ma plume depuis plus de quinze ans et dans mon cœur depuis toujours. Je pense aussi que le moment est venu pour ce geste. Je n'ai pas d'ambition personnelle, mais le désir de faire ouvrir la porte. (…) On a beaucoup reproché aux Américaines de la nouvelle révolution féministe leurs actes outrés, violents ou indécents. Comment accueillera-t-on ma revendication respectueuse de nos vieilles traditions ? J'en suis curieuse et ce sera une expérience. Je regrette seulement d'avoir à proposer d'aussi faibles mérites que les miens, mais qui d'autre a osé ? Le courage m'est venu du fait qu'en écrivant à la même place que tant d'académiciens français, je ne vois pas pourquoi il serait tellement étrange de m'asseoir parmi eux (*Le Monde*, 16/10/1970).

Cette citation suffit à témoigner de la position de dominée des femmes qui prennent position pour les femmes, tout en ménageant leurs homologues masculins. Cette ambivalence des écrivaines à l'égard du féminisme peut permettre d'éclairer les manières dont Annie Ernaux a combiné la référence à celui-ci à sa trajectoire littéraire.

« Je n'écris pas féministe »

La trajectoire d'Annie Ernaux est révélatrice de l'ambivalence des rapports que les écrivaines entretiennent avec le mouvement féministe. Après avoir fait une première tentative vaine aux éditions du Seuil, au début des années 60, en envoyant un manuscrit très influencé par le « nouveau roman », l'auteure tente à nouveau sa chance dix ans plus tard en plein contexte féministe. Bien que *Les Armoires vides* soient publiées en 1974, la même année que les best-sellers *Parole de femme* d'Annie Leclerc paru aux éditions Grasset, *Hosto blues* de Victoria Thérame aux éditions Des Femmes et *La Première habitude* de Françoise Lefèvre chez Jean-Jacques Pauvert, Annie Ernaux échappe au marquage féministe lors de cette première publication. Publiée chez Gallimard dans la prestigieuse collection blanche, la romancière connaît un succès d'estime. Son livre est vendu à 7000 exemplaires.

Envoyé dans un premier temps aux éditions Grasset, qui selon l'auteure faisaient « une place importante aux femmes » et parce que Christiane Rochefort y était publiée, aux éditions Gallimard « parce que deux femmes nées la même année qu'elle, Florence Delay et Natacha Michel, y avaient publié en 1973 des livres qui parlaient de leur enfance » ainsi que chez Flammarion sans raison précise[7], le livre est retenu par les éditions Grasset et Gallimard. Les éditions Flammarion refusent le manuscrit parce qu'il n'était pas une autobiographie entrant dans leur collection portant sur le vécu, le témoignage. La cible des trois éditeurs révèle cependant le sens des placements possibles qui s'offraient à l'auteure : femme, auteure d'un roman autobiographique. En effet, A.Ernaux déclare sa stratégie à I. Charpentier : « en tant que prof et connaissant la littérature, je sais bien que la littérature n'est pas le roman seulement, mais je pensais qu'un éditeur penserait comme ça... Il fallait mettre Denise Lesur, je ne pouvais pas mettre Annie D, première lettre de mon nom de jeune fille » (1999, p. 109).

Ce premier roman est finalement édité chez Gallimard, maison la plus prestigieuse des trois : le prestige littéraire de la maison impose en effet un auteur dans le champ de la littérature consacrée plutôt que dans celui de la littérature commerciale. En outre, Gallimard n'a pas de politique éditoriale médiatique en lien direct avec la « cause des femmes » : hormis S. de Beauvoir, les auteures affiliées au mouvement féministe ne sont pas publiées chez Gallimard. Enfin, le fait de traiter de l'enfance, thème classique des romans autobiographiques, distingue l'auteur des romans de femmes qui narraient leur émancipation conjugale et sexuelle (Marie Cardinal, Françoise Mallet-Joris), la glorification du corps féminin (Annie Leclerc, Chantal Chawaf, Xavière Gauthier), le récit d'une mère célibataire abandonnée par le père de ses deux enfants (Françoise Lefèvre) ou encore la violence de l'aliénation féminine en milieu hospitalier (Victoria Thérame).

Si *Les Armoires vides* s'ouvre sur une scène d'avortement, expérience spécifiquement féminine, le thème du livre porte plus précisément sur la déchirure liée à son déclassement social par le haut et retrace le processus d'acculturation aux valeurs sociales légitimes de la bourgeoisie d'une enfant issue des classes populaires. Ainsi, contrairement à d'autres romancières qui traitaient de la souffrance vécue en étant née dans la bourgeoisie, A. Ernaux

---

[7] Entretien accordé en 1998.

évoquait le prix à payer pour y accéder dès lors que l'on vient d'un milieu populaire. Ce livre ne dénonce pas explicitement la domination masculine et ne prône pas non plus le droit des femmes à l'avortement, thèmes alors défendus par le mouvement de libération des femmes[8]. Le constat l'emporte sur la dénonciation qui n'est pas vindicative.

Bien que l'auteure milite au MLAC au moment de la parution de son premier roman, elle ne le mentionne pas, distinguant ainsi ses engagements militants privés de son entreprise littéraire. Ainsi, même si la distance géographique joue, on notera qu'Annie Ernaux, venue habiter en région parisienne à la fin des années 70, ne se rapproche pas pour autant du centre du dispositif militant parisien. Elle nous dit : « Quand j'ai écrit *Les Armoires vides*, mon propos n'était pas du tout, je ne m'inscrivais pas du tout dans le féminisme, mais enfin y'avait quelque chose d'important, c'est que je faisais partie du mouvement *Choisir* de Gisèle Halimi et ensuite du MLAC, c'était du militantisme actif en faveur des femmes qui voulaient se faire avorter, faire changer la loi, quand j'étais à Annecy. La loi Veil est passée en 1975 et j'ai déménagé sur Paris et je n'ai pas eu le désir de me lier au mouvement féministe ». De plus, si elle confie au *Journal du Centre* en 1977 se définir « comme un écrivain féministe sans penser écrire féministe[9] », cette auto-désignation qui ne dépasse pas les colonnes de la presse régionale ne l'assimile pas pour autant aux féministes parisiennes.

La mention « roman » qui figure sur ses trois premiers livres accuse en outre la distance à la littérature d'émancipation centrée sur le vécu des femmes telles que le défendent Hélène Cixous, Chantal Chawaf, Xavière Gauthier ou Jeanne Hyvrard. Si ces auteures travaillent à la déconstruction des genres littéraires en faisant s'effriter les frontières de l'autobiographie, du roman et de l'essai pour recueillir une « parole » subversive qui échappe à tout classement littéraire au nom d'une révolution poétique subvertissant les structures sociales, les écrits d'Annie Ernaux, eux, demeurent classés dans la catégorie traditionnelle du roman. En cela, *Ce qu'ils disent ou rien* poursuit l'exploration de son autobiographie romancée mais non assumée. La romancière met alors en scène une adolescente, Anne, qui ne se reconnaît pas encore dans le langage de son compagnon, un jeune étudiant cultivé et politisé, et qui ne se reconnaît plus dans la réalité et le langage auxquels elle est confrontée chez ses parents.

La question du langage classant et porteur de rapports de pouvoir est au cœur de l'ouvrage d'Annie Ernaux. L'auteure y interroge l'un des thèmes

---

[8] En effet depuis le Manifeste des 343 publié dans *Le Nouvel Observateur* et la création de l'association Choisir en 1971, le procès de Bobigny de Marie-Claire Chevalier en 1972, la création du MLAC (Mouvement pour la liberté de l'avortement et de la contraception) en 1973, la lutte pour le droit à l'avortement est une revendication majeure du mouvement. Ces décalages la situent donc en marge des thèmes fédérateurs dans le mouvement féministe.

[9] *Journal du Centre* en 1977.

développés par ses contemporaines de l'avant-garde, telle Hélène Cixous, Chantal Chawaf ou Jeanne Hyvrard qui, attachées à définir une « écriture-femme », souhaitent par ce biais accomplir une révolution symbolique visant à abolir le système patriarcal « phalogocentrique ». Prenant pour thématique une question analysée par cette fraction d'auteures qui, assimilées au mouvement féministe, le dénient, Annie Ernaux échappe à toute association possible.

Entre ces concurrentes d'avant-garde et les auteures à succès, Annie Ernaux se crée un espace à elle. Elle traite le thème du langage et de ses usages sociaux en poursuivant sa recherche stylistique. La romancière se distingue de ces contemporaines en imposant ses propres schèmes de pensée selon lesquels « la classe prime sur le sexe[10] ».Cette élaboration de son oeuvre est favorisée par un contrat de sept livres signé chez Gallimard et la volonté de ne pas vivre des revenus de ses ouvrages. Son activité d'enseignante est le gage de son autonomie littéraire.

S'attachant à analyser sa propre assimilation des valeurs culturelles bourgeoises, c'est avant tout la souffrance sociale qui donne la matière à ses romans. Le personnage central est féminin mais ce n'est pas la dénonciation des rapports sociaux de sexe qui anime son projet littéraire. Cette dénonciation est plutôt conçue comme une incidente supplémentaire du clivage entre les classes se réfractant dans les relations entre les sexes. Ce n'est pas non plus la défense d'une « écriture femme ». En effet, Annie Ernaux déclare au sujet de « l'écriture-femme » :

> Je pensais qu'il n'y avait pas d'écriture féminine et ça je l'ai toujours pensé. Il y a une production d'écriture. Je pense d'ailleurs que le concept d'écriture féminine, à partir du moment où il a été émis, analysé, a forcément produit l'écriture féminine. Il a produit un type d'écriture qui était axé sur le corps. Cela dit, moi je n'ai ni refusé ni rien, moi je parle du corps aussi. Moi, je pense tout simplement que dans l'écriture telle qu'on la pratique, il y a absolument plein de déterminations, y'a la détermination de classe, y'a des déterminations sexuelles c'est évident (...). Il y a l'expérience, il y a les premières expériences, le premier monde où l'on a vécu, l'expérience de son corps familial et autre, et puis il y a la culture quand même, la littérature qu'on a ou pas aimée, voilà y'a plein de choses comme ça et puis la formation qu'on a reçue. Moi, j'ai reçu une formation universitaire très politisée et j'ai une façon d'analyser les choses qui forcément entre aussi là-dedans, c'est très complexe, je ne crois pas du tout que la détermination sexuelle soit la première, alors là pas du tout, alors je ne pouvais pas être d'accord (entretien en 1998).

Ne disposant pas encore d'une assise suffisante dans le champ littéraire, la romancière ne révèle pas ses engagements féministes. Elle ne prend pas

---

[10] Entretien 1998.

non plus position contre le courant de l'écriture femme avec lequel elle est en désaccord :

> Je me trouvais toujours en décalage avec le mouvement féministe parce qu'elles faisaient comme si toutes les femmes étaient égales, si vous voulez, dans leur condition, leur classe sociale. C'était d'abord ça qui primait. C'est pas vrai, c'est pas pareil, une femme d'ingénieur et une femme d'ouvrier ne voient pas les choses de la même façon, elles vivent leur féminité, elles ne vivent pas leurs problèmes de la même façon et, bon, ça, ça me choquait énormément, et me sentant minoritaire, je ne pouvais pas non plus...[11]

Sans position clairement établie, ni notoriété suffisante, une prise de parole publique n'est pas attendue par les revues féministes dans lesquelles elle ne publie pas (*La revue d'en face, Sorcières*…). Sa reconnaissance est avant tout littéraire et l'auteure n'a pas non plus intérêt à se prononcer dans ce débat. L'absence d'ajustements aux intérêts féministes, qui misent plutôt sur une appropriation des œuvres dont les auteures ont une plus grande visibilité médiatique, permet d'échapper à l'effet de mode qui procure un crédit symbolique doté d'une forte valeur marchande à court terme. Si le marquage féministe ou l'assimilation à « l'écriture-femme » peut avoir une rentabilité immédiate, à long terme la lutte pour se débarrasser de l'étiquette varie selon les ressources détenues par chaque auteure. Pierrette Fleutiaux, publiée à la même époque qu'Annie Ernaux, déclare également ne pas être intervenue dans un débat qui ne lui convenait pas et avoir fait attention pour ne jamais être confondue avec les auteures qui défendaient « l'écriture-femme ».

Ainsi, Annie Ernaux élude le débat :

> A ce moment-là, je me sentais déjà en désaccord avec des livres publiés comme *Parole de femme* d'Annie Leclerc, où, là, je ne me reconnaissais pas du tout dans ce ventre ouvert, les règles etc. J'avais un rapport avec mon corps féminin qui était au mieux, le plus possible ! Et puis, c'était tenu par les filles de la bourgeoisie quoi, donc socialement je ne m'en sentais pas du tout l'ambition, l'ambition que ça avait de l'homme tout-puissant alors ! Cixous, je ne me reconnaissais pas du tout dans ce qu'elle écrivait, alors je me suis tenue complètement en retrait, complètement à l'écart sans dire qu'elles avaient tort ni rien.

En revendiquant l'identité féminine, les écrivaines telles que Chantal Chawaf, Hélène Cixous ou Xavière Gauthier entendent défendre une esthé-tique d'avant-garde. Esthétique qui, par la révolution des structures

---

[11] Entretien 1998.

langagières, modifierait les rapports entre les sexes en imposant comme parallèle et irréductible un système de valeurs féminin. L'écriture est au cœur de leur projet qu'elles ne définissent pas comme féministe (Naudier, 2001). Les références qu'elles mobilisent sont avant tout littéraires et c'est bien dans cet espace qu'elles entendent être reconnues. L'écriture féminine s'oppose à la lutte féministe et aux conceptions féministes d'Annie Ernaux qui s'inscrit dans la lignée de Simone de Beauvoir.

Faire avec le féminisme et proposer une vision des rapports sociaux de sexe

La Femme gelée, comme le souligne Isabelle Charpentier, apparaît comme un « ouvrage de transition » (1999, p. 121) où l'auteure effectue son passage crucial à l'autobiographie de manière plus explicite (1999, p. 120). En 1981, dans ce roman, Annie Ernaux, inspirée par les revendications féministes, fait état des désillusions d'une jeune femme anonyme, mariée à un cadre et mère de famille, dont l'histoire est racontée à la première personne sans que l'auteure ne dévoile le caractère autobiographique. C'est à partir de ce moment qu'Annie Ernaux va faire avec le féminisme et proposer sa vision des rapports sociaux de sexe, un rapport social parmi d'autres. Cette vision sera à mon sens explicitement affirmée à partir de *Passion simple*[12].

Annie Ernaux défend une certaine vision du féminisme. Elle prend clairement position pour les conceptions égalitaristes défendues par Simone de Beauvoir, qu'elle ne cite pas, et les conceptions universalistes défendues par Elisabeth Badinter, qu'elle cite dans cet entretien, mentionnant le caractère culturel de l'instinct maternel.

Annie Ernaux déclare :

> J'en ai vraiment assez d'entendre parler de cette différence de nature qui entraîne une différence de rôle. Dans les milieux ruraux, la femme travaille depuis des siècles et porte la culotte (...). Tout le système pousse à la différenciation alors qu'au départ la féminité n'existe pas. Quant à la féminitude, c'est une notion bourgeoise (…). Tout ce folklore qui tourne aujourd'hui autour de l'enfant, qui valorise la grossesse, me semble dangereux… surtout en ces temps de chômage, cela pourrait fort bien être utilisé. Mon livre ne s'inscrit pas dans un schéma pré-établi. Je me contente d'apporter ma pierre en écrivant mon expérience de femme. Bien que je n'y milite plus, les mouvements féministes me semblent nécessaires. Ils font avancer les choses. J'ai moi-même participé au MLAC et je me suis battue pour la reconnaissance de l'avortement. Mais il ne faut pas séparer l'évolution de la femme de l'évolution sociale et politique. Tout est lié (Mireille Dumas, *Combat*, 13/03/81).

---

[12] Et ce, même si une lecture au premier degré peut réduire ce livre au stéréotype de la femme rongée par la passion d'un homme qui la domine.

Là encore, il est intéressant de noter le décalage entre l'engagement privé et la production littéraire. Au moment où l'auteure est militante active, elle n'évoque pas la situation des femmes, en revanche, une fois la reconnaissance assurée et la distance prise avec le militantisme féministe de terrain, elle exprime publiquement sa conception du féminisme.

Ce livre, *La Femme gelée*, qui clôt la trilogie romanesque, témoigne de l'existence de deux temporalités qui coexistent sans se fondre. D'une part, celle du développement de la trajectoire sociale de l'auteure qui dispose d'une reconnaissance littéraire et a connu une mobilité géographique en s'installant en région parisienne. D'autre part, celle de la temporalité de l'œuvre qui se poursuit selon l'ordre défini par l'auteure sans lui imprimer explicitement la marque de l'actualité mais en l'observant de manière latérale. Annie Ernaux affirme là sa faculté de maîtriser les options possibles qui s'offrent à elle pour asseoir sa légitimité. Ce livre, d'abord qualifié par l'auteure de « roman », sera à sa demande classé sous la rubrique « Témoignage » de la collection Folio après 1984.

Publiée chez Gallimard, distante des réseaux de sociabilités féministes parisiens, elle n'est pas marquée de cette étiquette et sa prise de position demeure sur le terrain littéraire. Si la sortie de son livre est accompagnée de sa prise de position, l'expression dénonciatrice de la condition des femmes intervient après les années de luttes intenses et visibles médiatiquement.

L'exploration du thème de la domination masculine se dessine plus précisément dans ce roman. Apportant une réponse littéraire, Annie Ernaux prend position dans le débat féministe en faisant la démonstration de la construction sociale de la différence des sexes qu'elle tend à divulguer. En racontant la soumission de la femme bourgeoise, Annie Ernaux poursuit son travail de réflexion sur le processus d'acculturation qu'elle a vécu. Si l'émancipation culturelle lui a permis son déclassement par le haut, en revanche, le mariage bourgeois a contribué à manifester que l'ascension sociale n'excluait pas une seconde forme de domination : la domination sexuelle des hommes.

N'intervenant ni dans la grande presse ni dans les revues féministes, ici le marquage féministe n'est pas stigmatisant. Bénéficiant d'un succès d'estime[13], elle a avant tout une reconnaissance littéraire. Si bien que la combinaison des thèmes de la domination sociale et de la domination sexuelle ne la fait pas percevoir comme une féministe dénonciatrice. Annie Ernaux montre dans ce livre l'aliénation de la femme bourgeoise. L'émancipation culturelle, liée à la position de transfuge de classe par le biais des études, achoppe sur la division sexuelle du travail domestique. La démonstration faite dans cet ouvrage vise à prouver que le modèle de la femme bourgeoise, cultivée et mariée, est celui de l'aliénation et que la différence entre les sexes se construit précisément dans cet univers social.

---

[13] Même si les ventes de ce livre atteignent 12000 exemplaires.

L'auteure a, en outre, à plusieurs reprises, évoqué la mise à mal des
stéréotypes masculins et féminins dans son expérience familiale enfantine
(Ernaux, Jeannet, 2003, p. 101-102). En cela, elle prend ses distances à la fois
par rapport au féminisme de la différence, qui glorifie la maternité, et par
rapport aux égalitaristes. Ainsi B. Groult lui écrit-elle pour lui assurer que
désormais les femmes sont libres et que cette réalité-là n'existe plus !
(Charpentier, 1999) Défendant les thèses du *Deuxième sexe*, cité plusieurs
fois dans ce livre, on peut se demander pourquoi Simone de Beauvoir,
auteure chez Gallimard et avec laquelle elle avait échangé deux lettres lors de
ces deux premiers livres (Ernaux, 2003, p. 102) ne s'est pas manifestée au
moment de la sortie du livre[14].

Bien que le livre soit clairement féministe, c'est encore dans le registre de
l'écriture qu'elle est évaluée. Ainsi, Christian Giudicelli fait l'éloge de
« l'écriture vive et brillante » tandis que son côté féministe est considéré
comme « banal » (*Lire*, n° 70, juin 1981). De même *FMagazine,* fondé par
Benoîte Groult, par l'entremise de la critique Catherine Rihoit, ne le qualifie
pas de « féministe ». La critique y voit un « livre vrai. Les livres vrais, il n'en
paraît pas tous les jours. Surtout des romans. Ce qu'on voit beaucoup, c'est
des livres faux sur des histoires vraies. Pas intéressant, ça se moque des
lectrices. Ce livre-là ne se moque de personne. Il prend ses lecteurs très au
sérieux. On lui en est reconnaissante » (Avril 1981).

Reconnue comme valeur sûre de la littérature, l'écrivaine ne perd pas les
acquis de son crédit littéraire en faisant œuvre féministe. Annie Ernaux tire
profit de sa confidentialité et de sa tenue à distance à la fois de « l'écriture-
femme » et de tout succès public qui, la plaçant en tête des best-sellers, aurait
terni son prestige littéraire accumulé. Elle échappe à cet égard à la
stigmatisation et au déclassement qu'ont vécus des auteures telles qu'Annie
Leclerc ou Christiane Rochefort.

Si Annie Ernaux poursuit au cours de ses livres suivants son exploration
autobiographique, dévoilant explicitement dès *La Place* en 1984 son projet
littéraire, c'est au moment de *Passion simple* qu'elle sera discréditée par une
partie des critiques (Charpentier, 1994).

Ce livre traite de son intimité en racontant sa passion, vécue au quotidien,
pour un homme de l'Est. Annie Ernaux qualifie « ce livre de féministe, bien
qu'il ne le soit pas en apparence » (…) : « C'est ça le féminisme, c'est dire
franchement les choses, (…) exprimer ce que l'on est. *Passion simple* pour
moi, c'est féministe, dans la mesure où celle qui dit "je" fait ce qu'elle veut,
elle choisit la passion. » (Charpentier, 1999, p. 143). A cette époque,
l'auteure dit « le "je" de mon œuvre est collectif » (*Le Devoir*, 28/3/92, cité
in I.Charpentier). Affirmant son autorité sur le terrain de l'intimité qui fonde

---

[14] Annie Ernaux nous a révélé au cours du présent colloque et a écrit dans son dernier
recueil d'entretiens qu'elle avait eu un bref échange épistolaire avec Simone de
Beauvoir au moment de la parution de ses deux premiers livres.

son projet littéraire initial, l'auteure opère un déplacement en s'imposant comme écrivain engagé. Ereintée pour son dernier livre, elle avait répondu à la critique en faisant état des différences de traitement critique selon que l'auteur est un homme ou une femme, dès lors que le sujet est lié à la sexualité. A la critique littéraire, elle a opposé une réponse féministe qui marquait son déplacement vers le registre politique, ce qu'elle affirme en 1993 dans son livre *Journal du dehors*, qui pour la première fois fait référence au monde qui l'entoure.

En 2000, l'auteure publie *L'Evénement,* qui développe l'expérience fondatrice qu'a été son avortement évoqué au début des *Armoires vides* et à la fin de *Passion simple,* livre qu'elle termine en écrivant : « Je me demande si je n'écris pas pour savoir si les autres n'ont pas fait ou ressenti des choses identiques, sinon, pour qu'ils trouvent normal de les ressentir » (1992, p. 65).

L'Evénement qui relate une expérience spécifiquement féminine inscrite dans le procès d'écriture paraît simultanément à *La Vie extérieure*. La parution synchronisée des deux livres atteste de la conciliation des deux volets d'une œuvre marquée par la centration à la fois sur le moi intime de l'auteure et sur son moi social attaché à saisir la réalité qui l'entoure. Elle affirme ainsi la cohérence d'être « tournée vers l'histoire du présent et plongée dans la mémoire du passé » (*Livre Hebdo*, mars 2000).

L'auteure est donc une écrivaine qui travaille sur la restitution de la mémoire à partir d'un matériau autobiographique et une écrivaine engagée qui s'investit dans les luttes de son époque. Depuis 1984, elle signe en effet nombre de pétitions en sa qualité d'écrivain. Sans que nous ne connaissions l'intention stratégique de ces deux publications concomitantes, ce fait souligne toute la difficulté des écrivaines qui, mettant au cœur de leur œuvre une expérience spécifiquement féminine, sont soumises au déclassement littéraire qui réduit la portée de l'œuvre à leur appartenance sexuée. Oscillant entre le risque de se retrouver confinée dans la catégorie des livres de femmes, exclusivement réservés aux lectrices, et la volonté d'avoir une résonance universelle par le biais de l'écriture, cette oscillation est révélatrice du redoublement de preuves que les écrivaines ont à fournir pour maintenir leur légitimité[15]. Et l'on comprend mieux dès lors leur réticence à se révéler féministe. L'opposition littérature/féminisme est en effet depuis le 19e siècle l'une des tensions constantes entre les écrivaines les plus reconnues au plan littéraire et les militantes.

---

[15] Ce phénomène du redoublement de preuves est une constante en matière de reconnaissance professionnelle dans nombre d'activités. On se reportera notamment aux travaux de Boigeol A., « Les Femmes et les Cours. La difficile mise en œuvre de l'égalité des sexes dans l'accès à la magistrature », *Genèses*, 22, mars 1996 ; Laufer J., « Travail, carrières et organisations : du constat des inégalités à la production de l'égalité, in *Masculin-Féminin : questions pour les sciences de l'homme,* J. Laufer, C. Marry, M. Maruani (dir.), P.U.F, 2001.

Il semble, du reste, qu'Annie Ernaux ait réussi à imposer son projet littéraire. Elle n'échappe pas, cependant, aux questions moralisatrices : « n'est-ce pas impudique de vous dévoiler comme vous le faites dans vos livres ? », « qu'est-ce qui était le plus lourd pour vous à l'époque : l'impossibilité médicale ou l'interdit moral ? », « vous n'avez jamais regretté de ne pas avoir gardé cet enfant ? » (*Elle*, mars 2000), ni à l'appel de Jérôme Garcin qui, reproduisant les schémas de l'assignation sexuée, prescrit ce livre à un lectorat féminin : « On souhaite à *L'Evénement* d'être lu par des jeunes femmes qui ont 23 ans aujourd'hui et la vie devant elle » (*Nouvel Observateur*, 16-22/03/2000).

On constate, en outre, tout un travail de contrôle de la réception effectué par l'auteure quand elle donne pour titre à son livre *L'Evénement* plutôt que « L'avortement » qu'elle déclare être « un terme stigmatisant qui aurait évoqué tout de suite le côté négatif de la chose » (*Elle*, mars 2000). Ainsi, l'auteure déplace sur le terrain politique et social cette expérience existentielle qui serait sinon seulement une affaire de femme. Annie Ernaux anticipe les réactions critiques en écrivant dans une parenthèse : « il se peut qu'un tel récit provoque de l'irritation, ou de la répulsion, soit taxé de mauvais goût. D'avoir vécu une chose, quelle qu'elle soit, donne le droit imprescriptible de l'écrire. Il n'y a pas de vérité inférieure. Et si je ne vais pas au bout de la relation de cette expérience, je contribue à obscurcir la réalité des femmes et je me range du côté de la domination masculine du monde » (p. 53).

De la même façon que, dans *La Place* en 1984, elle imposait par sa recherche d'une « écriture plate » sa volonté de rompre avec une « vision misérabiliste et populiste » des classes populaires, dans *L'Evénement*, en élevant l'avortement au rang d'événement, Annie Ernaux le transforme en une « épreuve initiatique » :

> Je sais aujourd'hui qu'il me fallait cette épreuve et ce sacrifice pour désirer avoir des enfants. Pour accepter cette violence de la reproduction dans mon corps et devenir à mon tour le lieu du passage des générations. J'ai fini par mettre en mot ce qui m'apparaît comme une expérience humaine totale, de la vie et de la mort, du temps, de la morale et de l'interdit, de la loi, de l'expérience vécue d'un bout à l'autre de mon corps (*Elle*, mars 2000).

A propos de cet ouvrage, Annie Ernaux déclare :

> Je ne me suis jamais située par rapport aux différentes doxas qui se sont succédées sur le féminisme. Si je dois me reconnaître dans un discours sur la condition de la femme, c'est davantage dans celui de Simone de Beauvoir. Pour moi, bien plus que les différences sexuelles, se sont les différences sociales qui structurent une personne. Cela dit, je suis très attentive à la réalité d'être femme, au vécu des

femmes dans ce monde soumis à la domination masculine – comme c'est le cas dans *L'Evénement*. Dans la société des années 1960, les femmes qui n'ont pas alors la maîtrise de la procréation, sont à la merci des hommes. Toutes et tous participent de la morale d'une époque que la pilule va venir bouleverser (*Journal du français et langues étrangères*, octobre 2000).

Si Annie Ernaux prend ainsi position sur la question des rapports sociaux de sexe, il n'en demeure pas moins qu'elle revendique sa place au sein du champ littéraire en termes purement littéraires, notamment en plaçant en exergue une citation de Michel Leiris. L'avortement, bien qu'il soit un événement qui appartient seulement aux femmes, « une affaire de femme », est, dit-elle, un « événement total traversé par l'histoire, la sociologie, la métaphysique, la psychologie, etc., qui implique l'être humain entier bien au-delà du sexuel. Il s'agit, ajoute-t-elle, dans l'écriture de parvenir à quelque chose d'immatériel, à faire de cet événement-là un événement d'écriture » (*Journal du français et des langues étrangères*, octobre 2000).

En récusant toute prise de position antérieure par rapport à ce qu'elle nomme « les différentes doxas féministes », l'auteure réaffirme ici la crainte toujours grande d'être taxée de féministe et non pas d'écrivain.

En écrivant le réel, par l'imposition d'une écriture objective, blanche, qui fait sa singularité d'écrivaine, Annie Ernaux a réussi à transformer en territoire d'écriture des thèmes discrédités littérairement tels que les milieux populaires et les expériences de vie de femme. Sans être l'emblème d'une littérature populaire ou féministe, elle érige en sujet légitime les conditions d'existence populaire et féminine. C'est par le prisme de son écriture et de la reconnaissance de sa marque littéraire qu'elle construit sa légitimité d'auteure engagée politiquement et porteuse de l'invention d'un style. Elle s'approprie le « privilège de symétrie » (Grignon, Passeron, 1989, p. 63) dont disposent les dominants mais sans retourner le stigmate des thèmes dont elle traite. Elle tente d'imposer la neutralisation de tout jugement social. Ce sont les jugements dominants qui sont pris à défaut au cœur de son œuvre littéraire sans pour autant avoir une volonté de réhabilitation des classes dominées et des femmes. Elle ne transforme donc pas le stigmate en emblème tels qu'ont pu le faire les défenseurs d'une « écriture-femme », de la négritude (Proteau, 2001) ou les romanciers populistes (Paveau, 1998). Elle vise au contraire, par son travail d'écriture, à transgresser les frontières sexuées de la littérature qui maintiennent les hommes et les femmes « ensemble et séparés » (Goffman, 2002) au sein du champ littéraire.

En restant à la périphérie tout en étant une figure centrale du monde des Lettres, par effet d'homologie, son rapport d'inclusion/exclusion à la classe bourgeoise se traduit tant dans la définition de son œuvre entre « la littérature, la sociologie et l'histoire » que dans son rapport au féminisme.

Elle brouille les cartes puisque, tout en se reconnaissant féministe[16], elle défend l'idée d'une subjectivité féminine animée par le désir féminin sans adhérer aux théories différencialistes. En outre, cette opinion est en contradiction avec le féminisme égalitariste. S'affranchissant de toute filiation marquante, sa stratégie individualiste fondée sur le projet littéraire d'une œuvre en construction indépendante de toute contrainte commerciale et militante fait qu'elle a réussi à imposer son autorité.

---

[16] L'une de ses dernières prises de position, relative à la prostitution, est la publication d'un article intitulé « Prostitution : Au vrai chic féministe » (*Le Monde*, 15 janvier 2003).

Bibliographie

BOIGEOL, Anne, « Les Femmes et les Cours. La difficile mise en œuvre de l'égalité des sexes dans l'accès à la magistrature », *Genèses*, 22, mars, 1996.

CARDINAL, Marie, LECLERC, Annie, *Autrement dit,* Grasset, Paris, 1977.

CHARPENTIER, Isabelle, « De corps à corps. Réceptions croisées d'Annie Ernaux », *Politix*, n° 27, 1994.

CHARPENTIER, Isabelle, « Une intellectuelle déplacée. Enjeux et usages sociaux et politiques de l'œuvre d'Annie Ernaux », Thèse de doctorat, Université de Picardie - Jules verne, Amiens, 1999. (Dir. B. Pudal).

ERNAUX, Annie (entretien avec Frédéric-Yves Jeannet), *L'Ecriture comme un couteau*, Stock, Paris, 2003.

GOFFMAN, Erving, *L'Arrangement des sexes*, La Dispute, Paris, 2002.

GRIGNON, Claude, PASSERON, Jean-Claude, *Le Savant et le populaire. Misérabilisme et populisme en sociologie et en littérature,* Hautes Etudes- Gallimard - Seuil, Paris, 1989.

GROULT, Benoîte, *Histoire d'une évasion*, Grasset, Paris, 1997.

HEINICH, Nathalie, *Etats de femme. L'identité féminine dans la fiction occidentale,* Gallimard, Paris, 1996.

LAGRAVE, Rose-Marie, « Recherches féministes ou recherches sur les femmes ? », *Actes de la Recherche en Sciences Sociales,* n° 83, 1990.

LAUFER, Jacqueline, MARRY, Catherine, MARUANI, Margaret (dir.), *Masculin-Féminin : questions pour les sciences de l'homme*, P.U.F, 2001.

NAUDIER, Delphine, « La Cause littéraire des femmes. Modes d'accès et de consécration des femmes dans le champ littéraire (1970-1998) », Thèse de Doctorat, EHESS, Paris, 2000. (Dir. R.-M. Lagrave).

NAUDIER, Delphine, « L'Ecriture-Femme » in « Littératures et identités » (Hervé Serry, dir.), *Sociétés contemporaines,* n° 44, 2001.

NAUDIER, Delphine, « De l'affaire Boupacha à la "cause des femmes" », in *Dissemblances. Jeux et enjeux de genre*, (R-M Lagrave, A. Gestin, E. Lépinard, G. Pruvost, dir.), Bibliothèque du féminisme, L'Harmattan, 2002, p. 167-180.

NEVEU, Erik, *Sociologie des mouvements sociaux*, La Découverte, coll. Repères, 2001.

PAVEAU, Marie-Anne, « Le "Roman populiste" : enjeux d'une étiquette littéraire », *Mots*, n° 55, 1998.

PROTEAU, Laurence, « Revendiquer la négritude », in « Littératures et identités » (Hervé Serry, dir.), *Sociétés contemporaines*, n° 44, 2001.

SCHWARTZER, Alice, *Simone de Beauvoir aujourd'hui. (Six entretiens),* Mercure de France, Paris, 1984.

VERNY, Françoise *Le Plus Beau Métier du monde*, O. Orban, Paris, 1990.

ANAMORPHOSES DES RÉCEPTIONS CRITIQUES D'ANNIE ERNAUX : AMBIVALENCES ET MALENTENDUS D'APPROPRIATION

Isabelle Charpentier
*(Université de Versailles - Saint-Quentin-en-Yvelines ;
C.A.R.PO. - C.S.E.)*

> Les insectes piquent, non par méchanceté, mais parce que, eux aussi,
> veulent vivre : il en est de même des critiques.
> F. Nietzsche (*Opinions et sentences mêlées*, Denoël, 1975, p. 164).

Dans le cadre d'une thèse de science politique portant, d'une part, sur les conditions de production de l'œuvre autosociobiographique d'Annie Ernaux, d'autre part, sur la diversité sociale de ses réceptions[1] et de ses usages sociaux et politiques[2], on a cherché à approcher les processus sociaux de formation de la « valeur »[3] des œuvres symboliques,

---

[1] Pour des synthèses sur les recherches en sociologie de la réception, voir notamment Le Grignou (B.), *Du côté du public. Usages et réceptions de la télévision*, Paris, Economica, 2003. Et, du même auteur, « La réception des médias : un mauvais objet », in Georgakakis (D.), Utard (J.-M.) (dir.), *Sciences des médias - Jalons pour une histoire politique*, Paris, L'Harmattan, 2001, p. 179-194 ; Pasquier (D.), « Les travaux sur la réception. Introduction », in Beaud (P.), Flichy (P.), Pasquier (D.), Quéré (J.-L.), *Sociologie de la communication*, Paris, CNET, 1997 ; Beaud (P.), « Les théories de la réception. Présentation », in *Réseaux*, n° 68, 1994.
Je remercie très chaleureusement E. Pierru et F. Pierru pour leur lecture attentive et toujours juste de ce texte.

[2] Charpentier (I.), *Une Intellectuelle déplacée - Enjeux et usages sociaux et politiques de l'œuvre d'Annie Ernaux (1974-1998)*, Amiens, Université de Picardie, 1999, 3 volumes, 849 p. A paraître en 2005.

[3] Voir Lafarge (C.), *La Valeur littéraire - Figuration littéraire et usages sociaux des fictions*, Paris, Fayard, 1983. Voir aussi Bourdieu (P.), « La production de la croyance

littéraires en l'espèce, mais aussi les ressorts de la fluctuation au cours du temps de cette dernière, en appréhendant notamment les déterminants sociaux de leurs lectures plurielles[4]. Dans une perspective résolument pluridisciplinaire, la thèse se proposait de tenter de dépasser les fausses oppositions pourtant traditionnelles (analyse interne *versus* analyse externe des oeuvres), pour saisir au contraire l'indissociabilité du procès de communication littéraire, en rassemblant les trois éléments que d'ordinaire on sépare dans les recherches, *i.e.*, l'auteur ou le producteur, le texte ou le message, les lecteurs ou les récepteurs. Pour tenter de comprendre les diverses prises de position de l'écrivain et de ses récepteurs, le travail a été effectué par strates successives, à la fois en amont et en aval de l'activité littéraire[5], en vue d'analyser en particulier les modalités et les logiques des réceptions différenciées des récits d'Annie Ernaux dans leurs différents espaces sociaux de circulation, en fonction des dispositions des agents qui se les approprient[6].

On s'intéressera plus spécifiquement ici à ceux qui, situés dans le plus grand rapport de proximité au champ littéraire – dont ils peuvent d'ailleurs parfois faire eux-mêmes partie lorsqu'ils sont aussi écrivains –, font de réception profession, les critiques littéraires.

Critiquer une « *littérature d'effraction* »[7] : un art difficile et instable...

L'évolution et l'ambivalence des réceptions critiques des ouvrages d'Annie Ernaux apparaissent d'emblée très frappantes. Rares sont en effet les écrivains qui suscitent des polémiques critiques aussi violentes, en outre fortement politisées depuis le début des années 1990, soit, plus précisément, depuis la publication du très controversé *Passion simple*[8] en 1992, alors

---

- Contribution à une économie des biens symboliques», in *Actes de la Recherche en Sciences Sociales*, n° 13, février 1977, p. 3-43.

[4] Voir aussi Fossé-Poliak (C.), Mauger (G.), Pudal (B.), *Histoires de lecteurs*, Paris, Nathan, 1999 ou encore Chartier (R.). (dir.), *Pratiques de la lecture*, Marseille, Rivages, 1985.

[5] Pour une présentation synthétique de la problématique et de la démarche suivies, on se permet de renvoyer à Charpentier (I.), « Lectures sociopolitiques d'une œuvre littéraire à dimension auto-sociobiographique », in Vanbremeersch (M.-C.) (dir.), *Réceptions de l'œuvre littéraire*, Paris, L'Harmattan, coll. Les Cahiers du CEFRESS, 2004.

[6] Pour une présentation des premiers résultats de l'enquête de réception, voir Charpentier (I.), « De corps à corps - Réceptions croisées d'Annie Ernaux », in *Politix*, n° 27, 3e trim. 1994, p. 45-75.

[7] L'expression est d'A. Ernaux elle-même, et se retrouve dans de nombreuses interviews avec des critiques. Pour une mise en perspective, voir Charpentier (I.), « Produire "une littérature d'effraction" pour "faire exploser le refoulé social" » - Projet littéraire, effraction sociale et engagement politique dans l'œuvre autosociobiographique d'Annie Ernaux », in Collomb (M.), dir., *L'Empreinte du social dans le roman depuis 1980*, 2005.

[8] Ernaux (A.), *Passion simple*, Paris, Gallimard, 1992.

même que les récits ne sont pas directement « politiques » au sens partisan ou militant du terme. Ces controverses, les formes variées qu'elles prennent et les argumentaires qu'elles mobilisent semblent *a priori* d'autant plus intrigants qu'Annie Ernaux semblait bénéficier d'une relative reconnaissance critique depuis la fin des années 1970, et surtout depuis l'attribution du Prix Renaudot à *La Place*[9] en 1984. Pourtant, dès ce moment, Jean-Jacques Gibert souligne dans *Révolution* (16.11.1984) : « il n'est jamais possible d'avoir une conversation posée sur ce livre, les appréciations variables sur le fond étant uniformément violentes dans la forme »…

Par commodité d'exposition, nous avons retenu dans un premier temps deux principes de classement des titres de presse fondés sur leur plus ou moins grande « spécialisation » littéraire et / ou sur leur orientation politique. Mais il convient d'emblée de préciser que cette typologie ne doit pas faire illusion : le dernier critère en particulier apparaît bel et bien davantage à l'analyse comme une « variable écran » qu'« active », en ce qu'elle masque des réceptions plus « socialement » que « politiquement » intéressées, au moins lorsque ce sont des critiques eux-mêmes mobiles sociaux ascendants qui commentent les récits.

La presse littéraire : la consécration à distance

Si la presse littéraire spécialisée, autorité de consécration (ou de relégation) par excellence, suit assez régulièrement les parutions d'Annie Ernaux depuis le premier récit publié en 1974, *Les Armoires vides*[10], et surtout depuis *La Place*, elle se montre souvent distanciée[11] et affiche d'emblée une certaine réticence face à l'objet « populaire » – parfois considéré comme « trivial » et « laid » –, à la « crudité » de son traitement[12],

---

[9] Ernaux (A.), *La Place*, Paris, Gallimard, 1984.

[10] Ernaux (A.), *Les Armoires vides*, Paris, Gallimard, 1974.

[11] Le ton modéré et distant de l'analyse apparaît d'ailleurs quasiment consubstantiel au genre de la critique littéraire : P. Bourdieu souligne ainsi que les « journaux dits de qualité » - dont font partie au premier chef les revues littéraires - « appellent un rapport à l'objet impliquant l'affirmation d'une distance à l'égard de l'objet qui est affirmation d'un pouvoir sur l'objet en même temps que de la dignité du sujet qui s'affirme dans ce pouvoir » (*La Distinction - Critique sociale du jugement*, Paris, Minuit, 1979, p. 521).

[12] Ce type d'interrogations sur le traitement légitime du «peuple» dans la littérature n'est pas nouveau, puisqu'il date de l'apparition de la critique sous sa forme actuelle (soit à la fois un «genre» et une profession) au début du XIXe siècle. Voir Wolf (N.), *Le Peuple dans le roman français de Zola à Céline*, Paris, P.U.F., coll. «Pratiques théoriques», 1990, notamment le chapitre II. Dans les années 1920, les luttes opposent en particulier les écrivains populistes - stigmatisés dans un sous-champ lui-même globalement dominé, en raison de leur origine « universitaire », « bourgeoise » et « déclassée », et parce qu'ils instrumentaliseraient littérairement le « filon peuple » -, les écrivains et critiques prolétariens rassemblés autour d'H. Poulaille et d'H. Barbusse - qui privilégient au contraire les récits « vécus » d'auteurs issus du « peuple » et qui y sont restés -, enfin les écrivains communistes. Plus précisément sur

mais aussi au « style parlé », « violent » et « provocant » adopté par
l'écrivain, toutes caractéristiques qui semblent heurter le sens du « beau »
recherché par les lettrés[13]. Il est immédiatement frappant de constater à quel
point les jugements esthétiques qui s'expriment dans les critiques peuvent
presque toujours s'analyser aussi comme des jugements sociaux d'attribution
sur la personne même de l'écrivain. Enfin, si l'on admet que le propre de la
réception critique est de n'accorder valeur et intérêt à une oeuvre que
relationnellement avec d'autres, cristallisant ainsi des taxinomies, on tient un
indice de la déroute des « *lectores* »[14], incapables de classer la production
d'Annie Ernaux dans un genre ou courant littéraire déterminé : si les
commentateurs lettrés rejettent toute parenté misérabiliste, l'écrivain est
fréquemment assimilée aux auteurs réalistes, voire même – à son grand dam
– naturalistes ; de même, les comparaisons / filiations avec d'autres
romanciers, multiples et erratiques, trahissent la confusion et l'embarras des
critiques (parfois leur agacement), puisqu'elles convoquent, parfois simultanément, les univers d'écrivains aussi disparates que Proust ou Flaubert,
Maupassant et Rousseau, Queneau, Pérec ou Lainé, Sartre, Beauvoir et Zola,
Céline ou Genet…

La presse communiste et d'extrême-gauche : de la trahison « naturaliste » à la reconnaissance politique intéressée

Les critiques de la presse communiste et d'extrême-gauche apparaissent
tout aussi déroutés et perplexes. Ainsi s'interroge François Salvaing dans
L'Humanité-Dimanche : « Annie Ernaux écrit hors normes. Romans ?
Nouvelles ? Récits ? Essais ? C'est un peu tout ça, et c'est autre chose. (...)
On se demande si son indifférence pour les catégories, les genres, les
calibres, ne tient pas à son origine sociale, à la fois paysanne et ouvrière : un
autre monde, urbain, bourgeois, masculin aussi, a inventé tous ces codes, elle

---

cette question, voir Paveau (M.-A.), « Le "roman populiste" : enjeux d'une étiquette
littéraire », in *Mots*, n° 55, juin 1998, p. 45-59.

[13] Ainsi, dès la parution des *Armoires vides*, J. Gaugeard estime-t-il dans *La
Quinzaine littéraire* (16-31.05.1974) que le récit est « généreusement enduit d'une
grasse réalité, avec un net penchant pour les déjections », et souligne la « violence »
d'un style « forcené » et « provocant », non exempt de « lourdeurs ». De même, si G.
Rohou livre globalement dans la *Nouvelle Revue Française* (n° 258, juin 1974) une
critique positive du roman (rappelons aussi qu'A. Ernaux est un jeune auteur
« maison »), il insiste toutefois sur son « amertume rageuse », sa « véhémence » et
son « emportement encoléré », qui « laisse la bride au style parlé ». Il souligne encore
la « crudité » du récit-« règlement de compte » et juge cette « vie familiale d'une
trivialité et d'une laideur confondantes (jetée au visage du lecteur avec un réalisme
cru) ».

[14] Nous empruntons ce terme à P. Bourdieu, qui l'emploie pour désigner les agents
qui remplissent « la fonction du commentateur, qui lit, commente, déchiffre un
discours déjà produit, dont il tient son *auctoritas* » (« Pour une critique de la lecture »,
in *La Lecture (II) - Approches*, Cahiers du Séminaire de Philosophie 2, Centre de
Documentation en Histoire de la Philosophie, Strasbourg, 1984, p. 13).

ne se sent pas tenue de s'y plier » (14.05.1992). Toutefois, l'évolution de la réception des ouvrages d'Annie Ernaux dans cette presse apparaît spécifique et politiquement intéressée : si certains, tel André Stil et les autres commentateurs de *L'Humanité*, dénoncent dans un premier temps la « dérision naturaliste » et le reniement, la « trahison insupportable » des origines populaires que constitueraient les récits, en particulier *Les Armoires vides*[15], ils leur reconnaissent à partir de *La Place* une importante portée politique et sociale, puisque les ouvrages s'analyseraient comme de véritables « actes politiques de résistance à l'acculturation »[16]. Si les aspects esthétiques des œuvres disparaissent alors quasiment du commentaire, leur dimension subversive (*i.e.* « révolutionnaire »[17]), autobiographique, sociologique (« la question sociale de la trahison ») et analytique est saluée avec enthousiasme, les récits étant régulièrement qualifiés de « chefs-d'œuvre ».

La presse d'information générale et politique «modérée» : de la connivence des critiques transfuges de classe à l'agacement des autres

Selon les mêmes modalités hésitantes quant au classement générique[18] et aux filiations littéraires, Annie Ernaux gagne néanmoins l'estime des « grands » chroniqueurs littéraires des quotidiens « modérés »[19], en particulier du *Monde*, mais aussi d'organes situés plus « à droite » de l'échiquier politique : on songe en particulier aux articles très élogieux, tant sur le fond que sur la forme des récits, de François Nourissier dans *Le Figaro Magazine*, ou encore à ceux du très redouté Angelo Rinaldi dans *L'Express* dès 1981. Le même accueil chaleureux est globalement réservé à l'écrivain par les critiques de *Paris-Match* ou encore du *Figaro*.

---

[15] Dans un article paru dans *L'Humanité* (11.04.1974), le rédacteur en chef A. Stil estime ainsi qu'A. Ernaux, « jeune auteur aigrie », use de la « caricature naturaliste » pour renier avec ce roman « sordide » ses origines populaires. Regrettant ce « saccage » et ce « lamentable gâchis » (titre et épilogue du papier), il conclut : « Les éditeurs, même distingués, ne crachent pas, croyant se mettre au goût de 1968, sur un "nouveau" populisme, qui crache parfois, lui, sur de pauvres gens, dont il se résigne à faire des héros de roman ». Réaction analogue sous la plume de M.-L. Coudert dans *L'Humanité-Dimanche* du 19.02.1975.

[16] Lebrun (J.-C.), in *Révolution*, n° 248, 22.02.1984.

[17] *L'Humanité*, 27.02.1984.

[18] A propos d'*Une Femme*, par exemple (Paris, Gallimard, 1988), M. Alphant évoque dans *Libération* « ce quelque chose entre les genres, qui par lui-même en est un » (21.01.1988)…

[19] La presse généraliste et politique « modérée » est aussi plus « attrape-tout » au niveau des lectorats cibles que les titres spécialisés et communistes précédemment évoqués. Sur les déterminants sociologiques classiques de la lecture des journaux d'information, voir Charpentier (I.), « Une pratique rare et sélective : la lecture de la presse d'information générale et politique », in Legavre (J.-B.) (dir.), *La Presse écrite : un objet délaissé ? Regards sur la presse écrite française*, Paris, L'Harmattan, coll. Logiques sociales, 2004.

Annie Ernaux est également bien reçue par les critiques de la presse dite
«de gauche» (notamment dans *Libération* et dans *Télérama*[20] sous la plume
constante de Michèle Gazier[21]), à l'exception, notable par sa constance, de
Jean-François Josselin du *Nouvel Observateur*[22] – cf. *infra*. Pourtant, dès
1974, la « banalité » et la « crudité » des thèmes saisis par l'auteur, le ton
qu'elle adopte, les dispositions sociologiques qu'elle affiche – cf. *infra* –, le
style (oral) qu'elle construit[23], l'aspect « *one-set reading* » des ouvrages
brefs, leurs accents féministes... indisposent manifestement davantage les
commentateurs, qui trahissent parfois une condescendance littéraire à peine
euphémisée.

Le principe d'intelligibilité de ces réceptions contrastées semble donc
clairement à rechercher ailleurs que dans le clivage traditionnel « droite /
gauche ». Contrairement aux conclusions auxquelles aboutit Joseph Jurt dans
son étude de la réception par la critique de l'œuvre de Bernanos[24], dans le cas
d'Annie Ernaux, les appropriations[25] des principaux chroniqueurs littéraires
comme les catégories de jugement qui s'y expriment, apparaissent
relativement indépendantes de l'orientation politique et intellectuelle des
commentateurs et de l'organe de presse dans lequel ils publient. Elles
semblent par contre directement à relier à l'origine sociale des critiques, et
plus précisément à leur propre situation de mobilité sociale ascendante, plus
ou moins «réussie» par rapport aux aspirations et prétentions originaires, aux

---

[20] Sur le style particulier de commentaire développé par les critiques de l'hebdomadaire de télévision, conditionné par les attentes supposées de leur lectorat cible
(diplômé, cultivé, politiquement marqué à gauche), voir Nathan (M.), « Les mauvais
films selon *Télérama* », in *Splendeurs et misères du roman populaire*, Lyon, Presses
Universitaires de Lyon, 1991.

[21] Par exemple, à propos d'*Une Femme,* la critique affirme : « Loin des larmes, de la
sensiblerie, de la complaisance, ce portrait d'une femme a la densité et la transparence
des plus purs cristaux » (*Télérama*, 20.01.1988).

[22] Sur la structuration interne et les réseaux de l'hebdomadaire, voir Pinto (L.),
L'Intelligence en action : Le Nouvel Observateur, Paris, A.M. Métailié, 1984. Voir
aussi, du même auteur, « L'émoi, le mot, le moi - Le discours sur l'art dans le "Musée
égoïste" du *Nouvel Observateur* », in *A.R.S.S.*, n° 88, juin 1991, p. 78-101.

[23] Reposant par exemple sur un « français à la limite du basique, se défiant de tout
adjectif, licenciant l'imagination (...), couvant une syntaxe sans musique, n'utilisant
qu'une seule ponctuation » (Schmidt (J.), in *Réforme*, 17.11.1984), un « langage
grossier » ou encore un « franc-parler (étonnant) pour une agrégée de lettres, même
modernes » (Roberts (J.-M.), in *Le Quotidien de Paris* (2.05.1974)). On notera que
lorsqu'A. Ernaux se voit de la sorte rappelée à ses titres universitaires et à sa
profession d'enseignante, les chantres de cette hyper-correction linguistique sont
presque toujours des critiques... sans diplôme, tel J.-M. Roberts.

[24] Jurt (J.), *La Réception de la littérature par la critique journalistique - Lectures de
Bernanos, 1926-1936*, Paris, J.-M. Place, 1980.

[25] Sur ce concept d'«appropriation», voir Certeau (M. de). « Lire : un braconnage »,
in *L'Invention du quotidien. I. Arts de faire*, Paris, UGE 10/18, 1980, p. 279-296.

modalités différentielles d'interprétation de la trajectoire de l'écrivain en fonction de celle qui est la leur, à la façon dont ils ont géré cette rupture biographique, enfin à la position actuelle qu'ils occupent au sein de l'espace de luttes que constitue la critique littéraire. On ne peut ainsi que souligner le soutien de la plupart des critiques écrivains qui sont eux-mêmes des transfuges de classe, et qui, tels François Nourissier[26], Angelo Rinaldi[27], Pierre Bourgeade[28], Pierre Démeron[29], se trouvent en position d'homologie structurale assez stricte avec Annie Ernaux. On ne relève que trois dissonnances à ce phénomène d'empathie, qui nécessiteraient de plus amples développements : Jacques-Pierre Amette du *Point*[30], le multipositionnel

---

[26] Issu de la petite bourgeoisie (père exploitant forestier, mère sans profession), F. Nourissier qualifie *La Place* de « miracle comme un écrivain n'en porte qu'un en lui ». Il ajoute : « Chaque petite honte, chaque humiliation ravalée deviennent le plus sourd et beau poème d'amour. (...) (Annie Ernaux) étrangle toute sensiblerie. (...) S'il s'agit d'un beau, d'un très beau livre, c'est comme par surcroît. (...) Comme je serais heureux si je vous avais convaincu de lire *La place* ! », conclut-il (Le Figaro Magazine, 10.03.1984) ; à la sortie d'*Une Femme*, il réaffirme l'empathie :« Quiconque a connu la terrible modestie des pauvres, leur honneur toujours à vif, leur pudibonderie, quiconque a mesuré l'humiliation d'un père ou d'une mère qui n'arrive plus à "suivre" son enfant, (...) lira *Une femme* avec le cœur serré. (...) Annie Ernaux est un des meilleurs (écrivains) parmi ceux apparus depuis une douzaine d'années » (16.01.1988).

[27] Evoquant, à l'instar de son confrère du *Figaro Magazine,* ses propres origines modestes (père cafetier, mère domestique) et se réclamant d'une communauté singulière de lecteurs déclassés, A. Rinaldi salue *La Place* en ces termes : « Déjouant avec intelligence les pièges du misérabilisme et du pathétique, refusant ce populisme qui n'a jamais rien donné de bon dans nos lettres, Annie Ernaux dresse un constat qui touchera tous ceux qui sentent bouger en eux un double si différent du personnage social qu'ils sont devenus. Tous ceux qui revoient certaines mains, déformées par les travaux manuels et les lessives, qui caressaient leur front quand ils avaient de la fièvre » (*L'Express,* 27.01.1984). On notera néanmoins que le critique se désolidarisera de l'écrivain au moment de la parution de *Passion simple.*

[28] Le père du romancier et dramaturge était receveur-percepteur des impôts. Voir notamment son article élogieux dans *F. Magazine*, à l'occasion de la parution de *La Place* (mai 1984).

[29] Fils d'un employé de banque, le critique littéraire de *Marie-Claire*, dont il est aussi rédacteur en chef adjoint, défend notamment *La Place* dans la livraison d'avril 1984.

[30] La trajectoire socioprofessionnelle du critique présente pourtant des analogies frappantes avec celle d'A. Ernaux : né dans les années 1940 en Normandie de parents commerçants, titulaire d'un Certificat de Littérature moderne et contemporaine, il collabore à la *Nouvelle Revue Française* de 1966 à 1972. En 1981, il publie un premier roman autobiographique, *Jeunesse dans une ville normande* ; en 1986, il obtient le Prix Roger Nimier pour un second récit, *Confession d'un enfant gâté.* L'homologie sociale n'incite cependant guère le critique à la clémence : en 1974, *Les Armoires vides*, qualifié de « petit roman de bonne femme » (« catégorie » qu'il oppose au « roman féminin bon ton qui se promène dans les beaux quartiers de la littérature ; le genre coquet et le week-end à Deauville, non, non, ça n'est pas pour

Patrick Besson, chroniqueur politique à *L'Humanité* et critique littéraire au *Figaro* et à *Paris-Match*[31] (cf. *infra*), ou encore Paul Guth[32], tous trois manifestement peu disposés à réendosser les stigmates de leurs origines sociales modestes...

On notera enfin que, quoique tardive puisqu'elle commence avec la parution de *La Place* et non de *La Femme gelée*[33], comme on aurait pourtant pu s'y attendre en raison de la divulgation de thèses féministes que le récit contient, la réception des ouvrages d'Annie Ernaux dans la presse féminine est globalement très élogieuse, même si l'argumentaire, non politique ou strictement esthétique, privilégie le registre de l'émotion.

La controverse critique va prendre une toute autre ampleur avec la parution de *Passion simple* en 1992.

Passion simple et ses suites : les logiques plurielles d'inversion de passions critiques pas si simples...

Paru en janvier 1992, *Passion simple* connaît un succès commercial fulgurant : 140 000 exemplaires sont vendus en six semaines. Dès sa parution, l'ouvrage clive et polarise très nettement et de manière sexuellement différenciée la critique. La polémique devient si vive que, fait exceptionnel, Jérôme Garcin lui consacre rapidement un volet spécial de l'émission littéraire qu'il produit et anime sur France-Inter, *Le Masque et la plume* (16.02.1992). Le débat confronte une seule femme critique, Josyane Savigneau du *Monde*[34], qui défend « le courage » d'Annie Ernaux d'oser

---

elle »), écrit par « une grande dadaise en socquettes », évoque selon lui la réalité « sordide » de l'avortement, dans un style « brouillon » et « râleur », qui « cultive l'aigre et l'enfance amère » : « Annie Ernaux n'écrit pas. Elle crache. Elle rue. Elle gifle. Elle vomit ». L'écrivain est prestement reléguée vers la sphère domestique féminine, rangée « du côté des plumes gratteuses, ricanantes, du côté des romancières à rebrousse-poil dont l'encre noire sent la vaisselle sur l'évier et le papotage sur le palier » (*Le Point*, n° 83, 22.04.1974). *La Place* évite toutefois en partie les remarques acerbes du critique, encore que le chroniqueur ne sache guère comment qualifier ce « morceau de prose » qui « ressemble d'un peu trop près à un chef-d'œuvre *: Le Malheur indifférent*, de l'écrivain autrichien Peter Handke » (*Le Point*, n° 118, 20.02.1984). Paradoxalement, le critique soutiendra néanmoins sans réserve *La Honte* en 1997.

[31] P. Besson est issu de la petite bourgeoisie artisanale (son père était imprimeur, sa mère couturière).

[32] S'il mène aujourd'hui une existence grand-bourgeoise, le distingué pamphlétaire, agrégé de Lettres maintes fois primé (et promu) par les plus hautes distinctions littéraires, est pourtant, lui aussi, d'origine modeste (père mécanicien). Voir son exécution de *La Place* après l'attribution du Renaudot dans *La Voix du Nord*, 29.11.1984.

[33] Ernaux (A.), *La Femme gelée*, Paris, Gallimard, 1981.

[34] Avant de participer à cette émission, J. Savigneau avait déjà répondu à propos de *Passion simple* dans *Le Monde* (17.01.1992 - cf. *infra*) à un article assassin de J.-F. Josselin paru dans *Le Nouvel Observateur* (9-15.01.1992 - cf. *infra*), avant que celui-

exprimer ainsi sans fard ou effet psychologisant le désir sexuel féminin, en dehors de toute attente sentimentale et sans culpabilité, face à trois contempteurs masculins du récit, Jean-Jacques Brochier et Jean-Didier Wolfromm, respectivement rédacteur en chef et critique au *Magazine littéraire,* ainsi que D. de Saint-Vincent du *Quotidien de Paris.* Dans cette émission radiophonique se dessinent en creux les luttes pour la distribution (notamment sexuée) des postes au sein de l'espace des autorités de consécration des œuvres, où entre en jeu le capital symbolique variable de notoriété, de reconnaissance, dont dispose chaque critique en fonction de la position qu'il y occupe. De même, un mois et demi plus tard, un article de *L'Evénement du Jeudi* titré « Une passion qui sépare la critique » (2-8.04.1992), résume les arguments opposés des commentateurs des deux sexes.

De fait, si on n'a relevé que deux ou trois articles défavorables rédigés par des femmes[35] et si, de manière générale, la presse féminine salue « l'audace » et le « courage » d'Annie Ernaux, à l'instar des critiques (mais il s'agit là encore de femmes) de *Télérama,* l'écho est bien différent chez les commentateurs professionnels masculins. Seuls ceux de la presse communiste continuent de défendre l'écrivain, en mêlant lecture politique et reconnaissance esthétique. Mais sous la plume des « grands chroniqueurs » de la presse littéraire, ce sont davantage l'irritation, les sarcasmes et la condescendance qui dominent dans l'accueil réservé à cette « bluette, littérature de dactylo », qui ressemblerait à s'y méprendre à un article de la « presse du cœur comme *Nous Deux* » ou à un roman sentimental de la collection Harlequin[36]. A de rares exceptions près[37], on retrouve la même ironie méprisante au sein de la presse d'information, « de droite » – Eric Neuhoff dans *Figaro Madame*[38] – comme « de gauche », notamment dans

---

ci ne lui fasse écho à l'occasion, un an plus tard, de la publication de *Journal du dehors* (Paris, Gallimard, 1993).

[35] Encore se situent-elles en position très dominée dans le champ de la critique, puisqu'elles s'expriment dans les rubriques littéraires de la presse quotidienne régionale.

[36] Invité de l'émission spéciale du *Masque et la plume,* J.-J. Brochier précise : « Tout cela me semble tellement banal. (...) Ce n'est pas un livre déshonorant, c'est rien, c'est une petite chose ». Même agacement chez un autre représentant du *Magazine littéraire,* P.-M. de Biasi, qui raille « les petites Emma de 1992, (...) petites bombes sexuelles à retardement qui parlent à la première personne » (n° 301, juillet-août 1992).

[37] Soit, exhaustivement, P. Grainville et A. Brincourt dans *Le Figaro* (13.01.1992 et 27.01.1992), J.-C. Lamy dans *France-Soir* (27.01.1992) et B. Pace dans *Politis* (avril 1992).

[38] « Le lecteur se demande soudain si un texte de la collection Harlequin ne s'est pas égaré sous la sobre couverture N.R.F. Mais non. En 1992, on publie de telles banalités avec le plus grand sérieux. L'édition, le snobisme en sont là. Ne pas oublier que Mme Ernaux, jadis mieux inspirée, est professeur, c'est-à-dire dans le vent. (…) C'est donc

Libération où le ton jusqu'à lors bienveillant change nettement, sous la plume de Michèle Bernstein (cf. article du 16.01.1992)[39].

De « l'obscénité sexuelle » à «l'obscénité sociale» : des réceptions sexuellement différenciées et politiquement intéressées

En particulier, les diatribes acerbes et renouvelées de Jean-François Josselin dans *Le Nouvel Observateur* (9-15.01.1992) contre « la petite Annie – l'expression apparaît ainsi douze fois dans un article de deux colonnes... –, plus Madame Ovary que Bovary »[40], méritent que l'on s'y arrête. Il faut dire que le critique demeure constant depuis *La Place* et *Une Femme*, qu'il avait déjà reçus de haut[41] ; farouchement hostile à l'écrivain, son argumentaire n'évolue guère, se fondant toujours sur la même rhétorique (infantilisation de l'auteur, ironie et mépris) et la reprise des mêmes éléments à charge (le succès public – forcément suspect –, la brièveté des récits, la « froideur » du style, la « tristesse » et la « banalité » des objets, « l'impudeur » voire « l'obscénité » des propos[42], sans que l'on sache vraiment si le commentateur

---

ça, la passion ? Elle se résume ici à une petite quarantaine de feuillets (à tout casser), à cette littérature étriquée, rabougrie, asthmatique, aussi gaie qu'un pavillon de banlieue un dimanche de pluie, en novembre. Prière de mettre ses patins avant d'entrer » (Neuhoff (E.), in *Figaro Madame*, rubrique « Humeur » du 1.02.1992).

[39] La critique récidivera en 1993, au moment de la publication de *Journal du dehors* (« D'autres obsessions bien Annie Erniennes courent dans le livre. Le cul, s'il faut l'appeler par son nom... » (*Libération*, 22.03.1993), et ne quittera plus désormais cette posture de rejet lors de la réception des récits ultérieurs.

[40] Cette comparaison de l'auteur de *Passion simple* avec l'héroïne déchue de G. Flaubert devient dès lors une topique parmi les mieux partagées au sein de l'exégèse littéraire...

[41] Lorsqu'A. Ernaux reçoit le prix Renaudot en 1984, J.-F. Josselin rompt en effet nettement avec l'unanimisme ambiant, en évoquant le «récit d'une dame triste sur la mort de son papa qui avait obtenu un succès d'estime et de public, au printemps dernier» (*Le Nouvel Observateur*, 16.11.1984). Quatre ans plus tard, la parution d'*Une Femme* coïncidant avec celle du roman de D. Sallenave, *Adieu* (P.O.L, 1988), le critique s'exerce alors à comparer les deux récits dans sa chronique «La vie est un roman» (*Le Nouvel Observateur*, 5-11.02.1988) : si le livre d'A. Ernaux est «court» (106 p.), celui de D. Sallenave est « bref » (128 p.) ; parce que l'auteur de *La Vie fantôme* « bien sûr, est plus douée ou plus rusée », « elle s'envole vers le septième ciel de la littérature avec cet *Adieu*, d'à peine une centaine de pages » ; si l'auteur de ce «chef-d'œuvre» est « l'un des écrivains les plus sensibles d'aujourd'hui », il n'en va pas de même de la « petite Annie », qui « met les corps et les cœurs à nu avec cette froideur des aides soignantes qui passent le bassin au malade ». Evoquant une ligne du récit où A. Ernaux regarde le sexe flétri de sa mère, le critique conclut : « rien ne rebute (...) l'écrivain Ernaux, même si la petite Annie a les larmes aux yeux. (...) Faut-il l'avouer, sans doute parce qu'on est nunuche ou bien encore sous le coup de l'émotion pudique du texte de Danièle Sallenave, on est un peu scandalisé. Il y aurait comme un soupçon d'obscénité dans l'air ».

[42] « Dieu merci, Madame Ernaux écrit maigre, ce qui, à l'occasion, lui permet d'être un tantinet obscène. (...) Dieu merci, si la chair est triste, Mme Ernaux a relu tout son

fait référence à une «obscénité sexuelle» ou à une « obscénité sociale »[43]...).
Les ouvrages sont ainsi relégués dans la vaine réhabilitation populiste, ce qui
permet au critique de refouler symboliquement Annie Ernaux hors de l'espace de la légitimité littéraire.

On retrouve la même violence frontale, quoique cette fois plus attendue,
dans la presse d'extrême-droite, qui mêle aussi explicitement mépris social et
stigmatisation sexuelle[44].

La tendance est donc lourde : certains critiques, auparavant bienveillants,
voire même enthousiastes, vont jusqu'à se saisir de *Passion simple* pour
revisiter négativement toute l'œuvre antérieure de l'écrivain, qui aurait été
« surévaluée », alors même qu'ils avaient pu sinon l'encenser, au moins la
saluer quelques années plus tôt. Jean-Baptiste Michel de *L'Express*[45] ou
Jérôme Garcin constituent les cas les plus emblématiques de ces « curieux »
et brusques retournements des passions critiques. Les disqualifications
esthétiques (et sexuelles) qui se libèrent à la publication de *Passion simple*
n'euphémisent plus l'autre déclassement, directement social et politique
celui-là, dont est victime l'écrivain, et qui se poursuit à la parution de *Journal
du dehors* (1993), puis surtout de *La Honte* (1997)[46], révélant ainsi toute la
fragilité de la position objective d'Annie Ernaux, dorénavant marginalisée
aux frontières du champ littéraire légitime. On ne résiste pas au plaisir de

---

livre qui ne comporte pas une seule faute d'orthographe » (Josselin (J.-F.), in *Le
Nouvel Observateur*, 9-15.01.1992).

[43] Dans le récent recueil d'entretiens avec F.-Y. Jeannet, *L'Ecriture comme un
couteau* (Paris, Stock, 2003), A. Ernaux elle-même revient sur les ressorts sociaux et
politiques d'une telle accusation de « double obscénité » (p. 107-110).

[44] L. Dandrieu lance ainsi le premier l'anathème en titrant dans *L'Action Française
Hebdo* (30.01.1992) : « Annie Ernaux inaugure la littérature de sanisette ». Erigeant
l'écrivain en « parfait symbole d'une époque ravie de se rouler dans ses excréments »,
fustigeant « cet avilissement purement sexuel », le critique affiche son mépris social, à
peine retraduit dans un argumentaire déplorant l'absence de style : « qu'Annie Ernaux
soit véritablement dotée d'un tempérament de bonniche, ou qu'elle ne fasse que
semblant, le résultat est toujours aussi désespérant de banalité et de complaisance ».

[45] «Certes, l'auteur, depuis ses débuts, ne s'était fait remarquer ni par la richesse de
son vocabulaire, ni par la fécondité de son imagination, et moins encore par
l'originalité de ses vues ou de sa construction romanesque. (...) La simplicité de Mme
Ernaux n'est plus qu'indigence, voire sottise, dans ce récit avec lequel, à partir d'une
vingtaine de feuillets dactylographiés, l'éditeur et l'imprimeur sont parvenus à obtenir
un volume. En procédant de la sorte, il faudrait sans doute une Pacific traînant
quelque 30 wagons pour transporter "Les Thibault" de Roger Martin du Gard. (...) La
platitude du style et l'inanité des remarques tendraient à prouver qu'elles ne sont
d'aucune utilité, les blessures, quand le talent n'est pas à proportion de la douleur» (J.-
B. Michel, in *L'Express*, 30.01.1992). Le même critique avait pourtant développé peu
ou prou un argumentaire rigoureusement contraire dans un autre article paru dans la
même tribune à l'occasion de la sortie d'*Une Femme* (*L'Express*, 12-18.02.1988).

[46] Ernaux (A.), *La Honte*, Paris, Gallimard, 1997.

citer le commentaire de Jérôme Garcin, qui fustige dans *Le Nouvel Observateur* (16-22.01.1997), soit après la publication de *La Honte,* « la détestation sociale du style» dont ferait montre l'écrivain, écrivain qu'il qualifiait pourtant de «pure race» en 1988 au moment de la parution d'*Une femme*[47] : « Annie Ernaux est peut-être le dernier écrivain français vraiment communiste. Persuadée que l'art est une trahison de la réalité et la beauté une distorsion bourgeoise de la vérité, (elle) (...) combat les figures de rhétorique et les signes extérieurs de richesse syntaxique comme autrefois Georges Marchais pourfendait "le grand capital"».

Outre ce que l'on pourrait appeler « l'effet Renaudot », lequel, marquant une reconnaissance littéraire, a obligé les critiques au commentaire « tolérant » et a pu tempérer un temps les ardeurs des contempteurs « esthé-tiques » de l'œuvre, le contexte de réinvestissement par les champs intellectuel et politique du terrain de la symbolique lettrée[48] permet dorénavant, sous couvert d'une disqualification des récits pour « obscénité sexuelle »[49], de jeter explicitement l'opprobre sur les thèmes « sociaux »

---

[47] Saluant alors la « dignité », la « pudeur » et « l'acuité rare » de l'écrivain, J. Garcin soulignait notamment « l'absence de tout lyrisme sentimental ». De cette « apparente simplicité d'un style non fabriqué », naissait « une grande émotion » et « une immense tendresse », et le commentateur concluait : « C'est toute la qualité de l'art, propre à Annie Ernaux, que de réussir, en tapinois, pareille métamorphose », qui n'a donc d'égale que celle du jugement du critique en l'espace de dix ans…

[48] Sur cette problématique, voir Pudal (B.), « Lettrés, illettrés et politique», in *Genèses*, n° 8, juin 1992, p. 169-181 et, du même auteur, « Les usages politiques de la symbolique lettrée (1981-1995) », in Seibel (B.) (dir.), *Lire, faire lire*, Paris, Le Monde Editions, 1995.

[49] « En employant, dans une période de réaction morale comme celle que nous vivons, les mots précis du sexe - "queue", "sperme" apparaissent dès la deuxième page de son récit, - Annie Ernaux a pris tous les risques. On n'ose plus se déclarer "choqué", alors on tente d'infantiliser celui qui écrit. A un homme, on reproche de parler d'"histoires de quéquettes et de zizis". D'une femme, on dit "la petite Annie", comme on vient de le lire dans une critique de *Passion simple*. On ne juge pas un écrivain, mais une psychologie supposée, et, pour faire bonne mesure, on appelle à la rescousse Madame Bovary, le bovarysme étant, bien entendu, un état commun à toutes les femmes. Pas de chance pour les stéréotypes masculins, Annie Ernaux est aux antipodes de Madame Bovary. Chez elle, aucune culpabilité, et c'est bien ce qui dérange. Pas d'hystérie, pas de mise en scène. (...) Une femme a-t-elle le droit d'écrire cela ?», s'interroge ainsi J. Savigneau, dans *Le Monde* (17.01.1992). Réponse de J. Védrines dans la presse d'extrême-droite, sous le titre : « Une Bovary du pauvre - Du misérabilisme racoleur et sans style », mais au moment de la sortie cinq ans plus tard de *La Honte* : « Le Ventre fait vendre : ce dieu pourtant vieillard (...) sait mieux que jamais donner le frisson aux foules idolâtres ou élire quelques suppôts vaguement lettrés qui ânonneront les deux ou trois borborygmes qui lui tiennent lieu de louange. (…) Annie Ernaux se prosterne devant le dieu Corps (...) qui n'est que le travestissement des appétits les plus rustauds, (...) qu'elle appelle, d'un autre mot menteur et vendu, les "désirs". (…) N'est pas la marquise de Merteuil qui veut. Le seul cri de guerre qu'on

qu'Annie Ernaux aborde dans tous ses ouvrages – y compris *Passion simple* – et qu'elle prétend ériger en « objets littéraires » : déclassement, déracinement, culture des classes dominées. Dans *Passion simple*, retournant délibérément le travail d'imposition de l'arbitraire culturel dominant, l'intellectuelle réitère en effet au cours de sa liaison avec un homme marié, plus jeune qu'elle, plutôt « macho » et aux manières « frustres », les comportements « oubliés » d'une adolescence féminine et populaire. Exhibant cette « culture du pauvre »[50], elle se comporte comme une « midinette », achète de la lingerie pour plaire à son amant, regarde des « soap-operas » à la télévision, fait des vœux dans le métro et dans les églises, lit des horoscopes, envisage de consulter une voyante, écoute des chansons de Sylvie Vartan... comportements que conspue l'ensemble de la critique[51]. Le refus politique du « vulgaire », de l'intrusion du social (et de la sociologie – cf. *infra*) indigne dans l'Art[52], jusqu'alors latent et/ou euphémisé, devient dicible – et pérenne – en ce début des années 1990[53], transfiguré sur le mode d'une disqualification esthétique.

Dans un tel contexte, le succès public de l'écrivain, qui ne se dément pas, et même qui augmente, constitue un autre facteur à charge justifiant pour les commentateurs autorisés la relégation littéraire[54]... Mais on perdrait sans doute une partie de l'explication si l'on s'arrêtait là.

---

entende dans *La Honte*, dernier produit de cette série infinie d'histoires immondes, c'est le mot "orgasme", martelé vulgairement jusqu'à l'angoisse. (...) Et les dames sur le retour d'applaudir aux audaces de cette bigote du plaisir qui osait, dans une langue pourtant frustre et un rien hommasse, parler, dès la deuxième page, de "queue" et de "sperme". (...) Annie Ernaux court d'instinct au détail obscène et sordide où, à l'évidence, elle se complaît. (...)Dans certains faubourgs, on dit aussi bien "avoir la honte" qu'"avoir la haine". Et c'est la même manière, élégante, délicieuse et policée, de s'autoriser la lâcheté, la bassesse, la vulgarité ou la violence » (*Valeurs actuelles,* 8.02.1997).

[50] Hoggart (R.), *La Culture du pauvre*, Paris, Minuit, 1971.

[51] Telle par exemple M. Bernstein dans *Libération* : « (Annie Ernaux) a oublié, biffé d'un trait tout ce qui était sa vie : (...) ses intérêts culturels, son intelligence. En revanche, elle s'est mise à pleurer à des rengaines, Sylvie Vartan ou Piaf, leur découvrant des profondeurs insoupçonnées. Elle accumule les amulettes propitiatoires. (...) Elle a vraiment mis toute la gomme. Et avec quel esprit de sérieux ! » (16.01.1992).

[52] Sur cette question, voir Bourdieu (P.), « Pour une science des œuvres », in *Art Press*, n° 13 (hors série), 1992, p. 124-129.

[53] On donnera comme illustration de cette posture la critique assassine de P. Besson dans *Paris-Match* (24-30.05.1993), au moment de la parution de *Journal du dehors* : « Après s'être fait connaître comme spectatrice hébétée d'elle-même et de ses parents », Annie Ernaux, « phénomène de librairie (...) d'une prétention fade et inouïe », se serait reconvertie « en sociologue atone et déprimée des villes nouvelles, (...) subtile comme un tract de Génération Ecologie »...

[54] Il est à cet égard remarquable que la fortune publique d'A. Ernaux ne devienne explicitement suspecte qu'après la parution de *Passion simple*. Le débat a été posé en

Encadrer sa réception « entre littérature et sociologie » : brouillage improbable des frontières entre les genres, ambivalences d'une posture auctoriale démiurgique et dépossession (provisoire) des « *lectores* »

En effet, ces jugements critiques évolutifs, parfois contradictoires, souvent embarrassés, sont aussi à mettre en perspective avec la position ambivalente qu'occupe (et dont joue) Annie Ernaux entre littérature et sociologie, ainsi qu'à son souci constant d'encadrer sa propre réception. En effet, si l'écrivain fournit, dans son travail littéraire, des éléments d'analyse sociologique de sa propre trajectoire sociale, c'est à la fois par les thématiques qu'elle privilégie dans son œuvre autosociobiographique[55], et par le biais du style et de la structure narrative des récits, dans lesquels elle tend progressivement à atteindre une écriture de plus en plus dépouillée des attributs stylistiques habituels en littérature, pour aboutir à ce qu'elle nomme une «langue des choses», à portée objectivante.

De fait, l'« écriture plate »[56], celle qui permet de « rendre compte d'une vie soumise à la nécessité »[57] sans la trahir et qui devient peu à peu la «marque de fabrique» spécifique de l'écrivain, rend périlleux tout brio distinctif dans l'exégèse, exercice pourtant prisé des interprètes autorisés. Difficile en effet de surenchérir stylistiquement dans le commentaire d'un style qui se caractérise précisément par l'absence apparente de style... On pourrait multiplier les illustrations de l'embarras des critiques, montrant à quel point les récits d'Annie Ernaux rendent incertain leur habituel exercice d'affirmation de compétences lettrées : ainsi, Jean-Baptiste Michel, s'essayant dans *L'Express* (12-18.02.1988) à l'analyse critique d'*Une Femme*, remarque : « lorsque l'auteur déclare au début qu'elle "souhaite

---

ces termes par les critiques dans le cadre de l'émission spéciale du *Masque et la plume* déjà évoquée : « je crois que le livre est à 140 000 exemplaires, je trouve que c'est beaucoup pour une passion simple » (A. de Gaudemar, de *Libération*) ; « ce succès est inexplicable », renchérit J.-D. Wolfromm ; « qu'on fasse un tel tabac à cause de ce livre me semble totalement exagéré. Cela se lit entre deux arrêts de métro, (...) une fois qu'on l'a lu, on l'a oublié. (...) Ça s'arrête là », confirme J.-J. Brochier.

[55] Sur l'écriture autosociobiographique comme renouvellement de l'autobiographie, voir Thumerel (F.), « Les Pratiques autobiographiques d'Annie Ernaux », *L'Ecole des lettres II*, n° 9 (dossier « L'Autobiographie selon Annie Ernaux »), février 2003, p. 1-36. Voir aussi, du même auteur : « Littérature et sociologie : *La Honte* ou comment réformer l'autobiographie », in *Le Champ littéraire français au XX*e *siècle. Eléments pour une sociologie de la littérature*, Paris, Armand Colin, coll. U, 2002, p. 83-101.

[56] Interrogée sur cette notion qu'elle utilise dans *La Place* (*op. cit.*, p. 24), A. Ernaux s'explique : « "Plate" parce que je décris la vie de mon père, ni avec mépris, ni avec pitié, ni à l'inverse en idéalisant. J'essaie de rester dans la ligne des faits historiques, du document. Une écriture sans jugement, sans métaphore, sans comparaison romanesque, une sorte d'écriture objective qui ne valorise ni ne dévalorise les faits racontés» (in Allix (G.) et Margueritte (M.), *Autour de* La Place *avec Annie Ernaux*, C.R.D.P. de Basse Normandie, M.A.F.P.E.N., Académie de Caen, p. 19).

[57] Ernaux (A.), *La Place, op. cit.*, p. 24.

rester, d'une certaine façon, en dessous de la littérature", avouons qu'il est difficile de ne pas descendre en dessous de la critique pour soutenir son effort... ». Il se sent donc obligé d'affirmer vigoureusement que même « écrit "en dessous de la littérature", (*Une femme*) offre aussi au lecteur la chance d'en visiter les arcanes », (ré)attestant ainsi sa compétence statutaire à découvrir le « mystère littéraire » sous la banalité apparente. Frédéric Ferney dévoile encore plus explicitement ses craintes dans *Le Figaro littéraire* (8.02.1988) : « Comment fait-on la critique de "ça" ? (...) "Au-dessous de la littérature", mais voyons, il n'y a rien, il y a la mort anonyme, l'oubli ! (...) On évite ici le coup d'archet de la mémoire, l'élégance, le violoncelle, la virtuosité, l'élégie, mais c'est encore, je le jure, de la littérature »... Avant d'estimer que « l'écolière méritante » arrive à « vaincre l'insignifiance, (...) la terreur inculquée de l'atavisme », il ajoute, perfide (et néanmoins naïf à force d'être manifeste) : « on peut parfaitement, c'est notre métier, ergoter sur l'admiration qu'il faut porter à ce genre dur, dénué et parfaitement inutile, qui s'interdit de penser l'avenir et à cette passion de la dernière extrémité »...

Marquée par le double refus (sociologique) de l'écueil misérabiliste comme de la posture populiste en littérature, pointés par les sociologues Jean-Claude Passeron et Claude Grignon[58], la démarche d'Annie Ernaux apparaît de fait sociologiquement instruite. Elle oscille en permanence entre littérature et sociologie, brouillant ainsi les frontières entre deux genres tradition-nellement ennemis, qui se sont en outre historiquement constitués l'un contre l'autre, comme le montre l'analyse fine de Wolf Lepenies[59]. Les intentions sociologiques du projet, tant au niveau des formes narratives que des thématiques abordées dans cette œuvre qui se présente néanmoins avant tout comme « littéraire »[60], sont de plus en plus explicites, même si l'écrivain ne prétend pas à l'objectivité de la démarche proprement scientifique. Elle se veut néanmoins «l'ethnologue d'elle-même»[61], lit beaucoup de sociologie, lui emprunte nombre de démarches[62] – même si très rarement ses concepts

---

[58] Grignon (C.), Passeron (J.-C.), *Le Savant et le populaire - Misérabilisme et populisme en sociologie et en littérature*, Paris, EHESS / Gallimard / Le Seuil, 1989.

[59] Voir Lepenies (W.), *Les Trois cultures - Entre science et littérature, l'avènement de la sociologie*, Paris, Editions de la Maison des Sciences de l'Homme, 1991.

[60] L. Thomas relève aussi cette ambivalence intrinsèque du projet de l'écrivain. Voir *Annie Ernaux. An Introduction to the Writer and her Audience*, Oxford, New York, Berg Publishers, 1999, notamment le second chapitre : « Ernaux's Auto/biographical Pact : The Author and the Reader in the Text », p. 29-53.

[61] Ernaux (A.), « L'écriture du quotidien familial », communication orale retranscrite non publiée au séminaire « Sociologie de la famille » de l'INED, animé par F. de Singly, 25 avril 1991.

[62] Sur cette démarche, et plus spécifiquement à propos de sa mise en œuvre dans *La Honte*, voir l'analyse de C. Baudelot dans ce même recueil (« Les dimensions psycho-

spécifiques (au moins dans les récits eux-mêmes) : recours au témoignage, travail sur archives et photographies, observations ethnographiques comme dans *Journal du dehors* ou plus récemment *La Vie extérieure*[63], usage des initiales anonymes pour désigner les personnages qu'il s'agit de ne pas « singulariser », emploi de phrases infinitives ou nominales marquant l'objectivation et la montée en généralité, présence hétérodoxe de notes de bas de page. Ces marqueurs du brouillage des genres, violemment brocardés par la critique littéraire, lui permettent une nouvelle fois de reléguer l'écrivain aux lisières du champ littéraire légitime.

En outre, et il s'agit là d'un autre élément d'importance à charge, plus ou moins confusément perçu comme tel par les commentateurs (comme en témoignent par exemple les articles de Jérôme Garcin ou de Patrick Besson), l'évolution stylistique et générique de cette œuvre inclassable, hétérodoxe, est présentée par l'auteur elle-même comme « politique de l'intérieur », soit « à contre-courant » en cette période marquée par le retrait des écrivains des préoccupations du « siècle». Pour Annie Ernaux, l'écriture est « l'acte politique par excellence »[64] – ce qui ne l'empêche pas de développer d'autres engagements plus directement militants, ceux-là…

Enfin, dernière particularité intriguante de l'écrivain qui exaspère et contraint, au moins partiellement, les interprètes autorisés : depuis le premier récit paru en 1974, Annie Ernaux, même si elle s'en défend parfois, cherche avec insistance à contrôler sa réception, à l'anticiper, non seulement dans les récits publiés eux-mêmes, où elle livre régulièrement des « modes d'emploi » des textes, mais aussi dans les multiples commentaires qu'elle diffuse dans la presse lors de la parution de chaque nouvel ouvrage (à propos du « genre » des récits, de ce qu'ils sont et ne sont pas, de leur positionnement « en-dessous » de la littérature…). La dimension sociale et politique n'est jamais absente de ces discours d'accompagnement, qui cherchent à imposer, aux critiques mais aussi d'ailleurs aux sociologues qui prennent son œuvre comme objet d'étude, un sens « conforme » des textes. Ces tentatives répétées d'Annie Ernaux dans le but d'encadrer sa réception fonctionnent comme autant d'obstacles à la maîtrise symbolique des critiques, contraints par le « pacte de lecture »[65] directif que l'écrivain tente d'instaurer.

---

logiques, morales et corporelles des rapports de classe : Pierre Bourdieu et Annie Ernaux »).

[63] Ernaux (A.), *La Vie extérieure*, Paris, Gallimard, 2000.

[64] Elle s'en explique notamment dans un entretien qu'elle nous a accordé : « La littérature est une arme de combat », *in* Mauger (G.) (dir.), *Rencontres avec Pierre Bourdieu*, Paris, Belin, 2004.

[65] Nous empruntons l'expression à J.-C. Passeron : « La notion de pacte », *in Actes de la lecture*, n° 17, mars 1987 et « Le plus ingénument polymorphe des actes culturels : la lecture », *in* Ministère de la Culture, *Bibliothèques publiques et illettrisme*, Paris, 1986.

Au-delà des thématiques abordées (le « populaire » et le « féminin »), fréquemment considérées comme des objets littéraires indignes, voire « obscènes », cette posture tout à fait singulière de l'auteur contribue largement à expliquer un certain nombre de « malentendus » avec les critiques, qui ne savent quelle attitude adopter tant face à cette exhibition de stigmates sociaux qu'à cet usage littéraire hérétique de la démarche sociologique. Comment, en effet, dans cette configuration exceptionnelle du jeu, ne pas déroger au rôle distinctif, matériel et symbolique, dévolu par le poste, « tenir sa place » et réussir cette opération de grandissement de soi consubstantielle à l'exercice d'exégèse[66], face à des textes se jouant des critères doxiques fondant la valeur littéraire ?

Les commentateurs professionnels se trouvent alors presque acculés à défendre des intérêts corporatifs, spécifiquement internes au champ littéraire, dont Annie Ernaux menacerait l'autonomie. Objectivant son étiquette de « dominée », elle s'en sert pour tenter d'auto-définir sociologiquement son oeuvre, dissuadant préventivement les velléités d'interprétation dévaluante des thématiques, de la méthode et du style induits par son projet. Visant autant (sinon plus) à induire un procès de lecture qu'à définir une posture d'écriture – à tout le moins cette dernière lui sert-elle à réaliser la première intention –, l'écrivain tend à subvertir les lois de fonctionnement du jeu littéraire, en tentant d'exproprier la critique cultivée de son monopole exégétique – *i.e.* de production sociale de la valeur d'un texte et de son producteur[67]. Cette ambition doublement démiurgique d'Annie Ernaux (en ce sens qu'elle serait créatrice d'oeuvres et de publics), plus ou moins clairement appréhendée comme telle par les critiques, induit l'idée que « les lectures pourraient être im-médiates et la fonction de lector inutile »[68]. Cette stratégie, guidée par le « sens pratique » de l'écrivain, mais aussi fondée sur la maîtrise savante de sa réception qu'elle acquiert progressivement, est évidemment irrecevable pour les critiques, puisque l'alchimie aboutit sinon à les nier en tant que tels, du moins à les manipuler, à réduire leur rôle « inspiré » à une vulgaire description plate ou, pire, à les condamner à dériver vers un type de glose stigmatisée dans le champ littéraire, le commentaire

---

[66] Le commentaire de M. Balmer, saluant pourtant *Une Femme* dans *Femina Matin* (n° 11, 13.03.1988), rend compte de ce malaise : « Face à ce petit livre (...), on aimerait se taire. Ne rien dire d'autre que lisez-le, lisez-le d'urgence. Il dit tout. Et puis, c'est vrai, on se reprend. Le public est habitué aux explications. Il faut au moins dire pourquoi on préférerait se taire. Voilà. Parce qu'il est difficile de parler de l'émotion qui vous prend là... » Suit un développement de neuf lignes, avant que la critique ne conclut : « Pour une fois, on ne va pas en rajouter. Lisez-le ».

[67] Sur cette question, voir Molinié (G.) et Viala (A.), *Approches de la réception - Sémiostylistique et sociopoétique de Le Clézio*, Paris, P.U.F, 1993, notamment p. 186.

[68] Lehingue (P.) et Pudal (B.), « Retour(s) à l'expéditeur. Eléments d'analyse de la déconstruction d'un "coup" : la "Lettre à tous les Français" de François Mitterrand », in C.U.R.A.P.P. *La Communication politique*, Paris, P.U.F., 1991, p. 170.

« petit-bourgeois ». Cette posture ambivalente focalise alors les crispations des interprètes, d'autant plus sûrement que *Passion simple* fragilise la position d'Annie Ernaux et leur donne l'opportunité de s'exprimer crûment, sans euphémisation : en effet, dans la mesure où le récit s'éloigne *a priori* de la narration des origines, des difficultés liées aux parcours des mobiles sociaux ascendants, les « bonnes intentions de gauche » ne font plus rempart, et c'est alors l'écrivain, son style, ses objets, que l'on affirme explicitement « déplacés » dans le champ littéraire. Ce « cas limite », au terme duquel les critiques restaurent ainsi une partie de leur *auctoritas* sur la présentation (qui est aussi représentation) des œuvres et des auteurs, permet donc aussi de poser la question plus générale de la capacité des producteurs symboliques à définir leurs propres critères de légitimation et met en évidence les limites de leur pouvoir démiurgique.

« Entre-deux » et « double je / jeu »…

Une telle posture de l'« entre-deux » apparaît donc intrinsèquement ambivalente et incertaine : le « double jeu / je » entre littérature autobiographique et pré-tension socio-analytique fait qu'Annie Ernaux sert la sociologie en se servant, qu'elle est « dans le jeu » littéraire, mais sans réellement « jouer le jeu ». C'est aussi ce positionnement ambivalent qui explique la reconnaissance dont elle bénéficie malgré tout dans des univers sociaux impliquant pourtant des logiques de fonctionnement très différentes et *a priori* éloignés les uns des autres, reconnaissance qui pourrait sembler étonnante, si l'on considère le caractère relativement autonome des espaces considérés : champ littéraire, champ scientifique (sociologique), champ politique. Tant le cumul par l'écrivain de ressources différenciées que les jeux croisés qu'elle en opère sur des registres différents contribuent pourtant en partie à l'expliquer. En ce sens par exemple, il est permis de penser que la caution scientifique des sociologues « critiques » « compense », en quelque sorte, la (re)mise en cause progressive par une partie de la critique littéraire de ses « qualités d'écrivain », au moins dans la mesure où cette reconnaissance singulière lui sert de ressource (à double tranchant) pour expliquer « sociologiquement » la relégation dont elle est l'objet[69]. Mais on perdrait sans doute à nouveau une partie de l'explication si l'on s'arrêtait là : l'œuvre d'Annie Ernaux est aussi l'objet d'usages sociaux et politiques multiples et différenciés dans les différents champs où elle est constituée en enjeu. Les manières dont elle est reçue apparaissent alors autant (sinon plus) déterminantes que les stratégies de présentation de soi que l'écrivain déploie ou les propriétés de ses produits littéraires, par définition (par destination ?) inclassables.

---

[69] Elle affirme ainsi par exemple « avoir senti, compris, quels détours pouvaient prendre des jugements de classe déguisés en jugements littéraires » (« Annie Ernaux ou l'inaccessible quiétude », entretien avec S. Laacher, in *Politix*, n° 14, 1991, p. 78).

CHAPITRE IV
FORMES DE L'ENTRE-DEUX :
ÉCRITURES JOURNALIÈRES

AMBIVALENCES ET AMBIGUÏTÉS
DU JOURNAL INTIME

Entretien avec Annie Ernaux

• La pratique journalière : une écriture de l'entre-deux...

– *Sartre assigne au journal l'unique fonction de faire le point dans une période de mutation. Or, votre pratique ne coïncide évidemment pas avec cette définition, puisque vous vous êtes lancée dans l'aventure intime dès l'âge de seize ans... Dans quelle mesure peut-on durablement s'atteler à ce que, dans* La Douceur de la vie, *Jallez nomme « ce travail d'historiographe de soi-même »*[1] *? Je vous pose d'autant plus cette question que, dans* La Honte, *vous affirmez qu'« écrire est une chose publique »...*[2]

– Il me plaît que vous placiez sous les notions d'ambivalence et d'ambiguïté cet entretien sur ma pratique du journal intime. A vrai dire, je me suis jusqu'ici toujours beaucoup moins « retournée » sur cette forme d'écriture que sur l'écriture de mes textes, alors que je l'exerce depuis l'âge de seize ans. Très précisément, depuis le samedi 23 janvier 1957. Ce soir-là, à Yvetot, il y a un bal chic où il m'est interdit d'aller – par une conjugaison de la loi maternelle « tu es trop jeune » et de la loi sociale, pas de robe à danser, comme cela se fait alors. Je suis persuadée que l'objet de ma passion, platonique, y sera. Cela ressemble à un conte, ou à la chanson *Le Pont du Nord*. Ni fée ni frère pour me transporter au bal de l'école régionale d'agriculture, je prends un cahier et j'inscris la date. L'écriture apporte un remède à la déréliction sociale et amoureuse dans laquelle je suis plongée avec violence. Aucun examen de conscience, aucune introspection critique, du pur affect. Des phrases sans destinataire, à situer peut-être entre la prière et la poésie (les *Nuits* de Musset m'accompagnent, je m'en récite des passages par cœur). Si le geste d'ouvrir un cahier neuf, de noter l'année, le

---

[1] Jules Romains, *La Douceur de la vie* (1939), in *Les Hommes de bonne volonté*, t. XVIII, Paris, Flammarion, 1958 ; rééd. Laffont, coll. « Bouquins », 1988, p. 487.
[2] Annie Ernaux, *La Honte*, Gallimard, 1997 ; rééd. « Folio », 1999, p. 91.

jour, suggère la mise en route d'un projet, je n'ai pas le souvenir d'avoir envisagé de m'engager « durablement » dans la tenue d'un journal. C'est pourtant ce qui s'est passé, mais sans régularité. Pas plus à seize ans qu'à trente, autrefois qu'aujourd'hui, je n'ai accordé volontairement, minutieusement, du temps dans la journée à cette activité, qui est toujours demeurée sans gravité, je dirais, presque sans enjeu, parce qu'il ne s'agit pas d'un texte qui puisse *s'achever*. Un journal s'arrête, il ne s'achève pas. Le journal a été d'emblée une sorte de façon *écrite* d'exister, de mettre en mots des émotions, des scènes, des pensées.

Ecriture privée, donc, relevant du secret (jamais je n'ai eu envie de donner à lire à quiconque mon journal) alors que, oui, j'ai écrit dans *La Honte* qu'« écrire est une chose publique ». L'écriture, toute écriture, est, par nature, publique à mes yeux en ce sens que, détachée de la voix, du corps, de la vie même de celui qui la produit, immatérielle, elle est donnée à tous, n'importe qui sachant lire peut se l'approprier. C'est ainsi que je ressens tous mes livres, mais seulement une fois qu'ils sont terminés. Quant je les écris, ils sont aussi secrets que mon journal intime, aussi « privés » ; la lecture d'une œuvre en cours me paraîtrait une violation : je n'ai jamais montré à personne un texte en cours d'élaboration, pas plus que mon journal. Comme si l'immatérialité, le détachement avec la personne, la vie, n'étaient pas accomplis, ne pouvaient s'accomplir que par la « totalité » et la fin. D'ailleurs, si j'ai publié une partie de mon journal intime, *Se perdre*, c'est parce qu'elle me semblait posséder une autonomie, celle que lui donne la passion avec son irruption et sa fin.

Je dirais que l'écriture est, sous toutes ses formes, une activité très secrète, qui me procure de la honte à la publication, au moment où elle est offerte, exposée aux autres, rendue publique.

– *Toujours dans ses* Carnets de la drôle de guerre, *Sartre propose implicitement une vision dualiste de son travail d'écrivain-philosophe, opposant à ses écrits de pure création un journal qu'il écrit en « basse tension ». Vous-même m'avez récemment déclaré que votre journal n'a pas la même valeur que vos « textes concertés »[3]. Or, dans* Se perdre, *vous nous confiez qu'il constitue votre « seul lieu véritable d'écriture »...[4]*

– Je ne sais plus à quel moment ni dans quel contexte apparaît cette phrase dans *Se perdre*, ce qui est caractéristique, d'ailleurs, du souvenir que j'ai du contenu de mes journaux intimes, souvenir flou, alors que je saurais retrouver facilement telle ou telle phrase dans mes autres textes, en raison de cette « concertation », de ce travail, auxquels ils ont donné lieu. Il me semble que, à ce moment-là, le journal était en effet mon seul lieu d'écriture au sens le plus matériel : j'étais incapable de poursuivre un projet d'écriture, de me

---

[3] Cf. *L'Ecole des lettres*, n° 9, dossier : « L'Autobiographie selon Annie Ernaux », février 2003, p. 23.
[4] Annie Ernaux, *Se perdre*, Gallimard, 2001 ; rééd. « Folio », 2002, p. 13.

laisser obséder – comme c'est toujours le cas – par la réalisation d'un texte entier, donc le journal était bien un recours, une façon de ne pas laisser passer le temps sans aucune écriture, de ne pas me perdre tout à fait dans ce conflit entre la vie portée à l'incandescence, celle de la passion, et l'écriture. Mais « seul lieu véritable d'écriture » peut aussi vouloir dire que se dépose dans le journal une vérité brute, instantanée, contradictoire, qui s'exprime plus librement parce qu'elle n'entre pas dans la cohérence d'une œuvre, du projet d'une œuvre. C'est pour cette raison que j'ai publié deux journaux intimes correspondant à deux textes « concertés », *Se perdre* et « *Je ne suis pas sortie de ma nuit* », rédigés respectivement avant *Passion simple* et *Une femme*, afin de montrer cette vérité-là et de faire bouger le sens et la cohérence de ces textes.

Il n'en reste pas moins que si j'ai absolument besoin de tenir un journal intime, que sa destruction me serait une souffrance énorme, je ne lui accorde pas la même valeur qu'à mes autres textes. La posture d'écriture n'est pas la même. Dans ce que je nomme les textes concertés, romans, récits, même les journaux « du dehors », j'ai le désir de rechercher et de mettre au jour une réalité, d'aller jusqu'au bout de quelque chose et la forme du texte est elle aussi à trouver. C'est une projection dans le monde, une quête. *Passion simple* est la recherche de ce qu'est une passion au travers de ses signes matériels, *Une femme* de la vie de ma mère et de mon lien avec elle. Au début de *La Honte*, je ne sais pas ce que je trouverai. Quelque part dans mon journal, j'ai écrit que celui-ci était une défaite au regard de la prise sur le monde. La prise, c'est-à-dire la compréhension du monde, et son action sur lui. Je dirais que le journal enregistre, le texte autre, lui, vise à transformer. Quand j'écris dans mon journal, je n'ai pas l'impression de m'engager ni de me colleter avec l'inconnu.

Cela dit, il m'arrive de penser que les journaux intimes pourraient dans l'avenir devenir le genre dominant et que seul, peut-être, mon journal trouverait grâce aux yeux des lecteurs du XXIIe siècle...

• Pratique journalière et sincérité

– Si cela ne vous dérange pas, je vous invite à poursuivre quelques instants notre cheminement en compagnie de Sartre, l'un des auteurs qui vous ait le plus marqué, je crois. J'aimerais en effet vous soumettre un problème fondamental qu'il soulève dans ces mêmes Carnets *: « Faut-il penser en écrivant ou écrire ce qu'on a pensé ?» Dans le premier cas, «on risque de se forcer, on devient insincère » ; dans le second, le journal intime « a perdu ce je ne sais quoi d'organique qui fait son intimité ». D'un côté, on note les pensées, de l'autre l'histoire des pensées*[5]...

---

[5] Jean-Paul Sartre, *Carnets de la drôle de guerre. Septembre 1939-Mars 1940*, Gallimard, 1995, p. 75.

– La lecture de *La Nausée* a été un événement quand j'avais seize ans et je m'aperçois que j'ai commencé mon journal moins d'un mois après : quelle influence a eue sur moi le journal fictif de Roquentin, je ne peux pas le dire.

Sartre, comme Gide, dont il lit le journal avec une sorte de fascination-répulsion, me semble situer l'écriture du journal dans une perspective éthique, dont le *faut-il* est la marque. Comment faire du journal à la fois un outil intellectuel rigoureux et un lieu de vérité. On est sur le plan de l'exigence philosophique et morale, la posture de l'examen de conscience n'est pas loin. Exercice spontané de la pensée ou distanciation, qu'est-ce qui est juste ? En même temps, Sartre exprime une crainte, un regret, dans une formule que je trouve très révélatrice, *perdre quelque chose d'organique qui fait son intimité*. Je pense qu'il faut prendre ce terme d'organique au sens premier, qui vient des organes, du corps, de l'existence. Sartre soupçonne que c'est dans le surgissement de la pensée, faisant corps avec l'être de chair et de sang, en situation, que résident l'intérêt du journal, sa vérité. Dans le lien le plus étroit, le plus instantané, avec la personne. Ce qui est d'ailleurs l'une des définitions possibles de la sincérité.

Je ne me suis jamais posé la question de ce que « devrait » être ou non mon journal, en tout cas, il ne me semble pas être un lieu d'examen, d'édification de moi-même, et la spontanéité l'emporte sur la distanciation. J'accorde de plus en plus de place et de prix, dans mon journal, à la saisie immédiate des sensations et des pensées, à cette trace écrite, dans le délai le plus court, de « l'organique », avec ses images, de la réalité ou du souvenir. Ne rien perdre de l'existence. Il y a deux ans, seule à Venise durant une semaine, j'ai traîné partout un bloc, dont les feuillets ont été ensuite collés dans mon cahier-journal, je notais tout ce qui suscitait pensée ou émotion, dans une sorte d'écriture ininterrompue. Saisir au plus près les choses, fixer le présent, peut-être se faire entièrement écriture... J'ai de moins en moins de goût pour écrire de façon rétrospective dans mon journal, pour me forcer à analyser des moments et des faits passés.

C'est ainsi que le journal devient histoire, forme témoignage historique, aspect qui ne m'est apparu que vers la quarantaine, en me relisant. Toutes les notations sur les sentiments, les événements, proposent finalement un tableau objectif, véridique, des pensées et des jugements au fil des années. Un document. La trace d'un passage sur la terre. Une vie, la mienne, est inscrite là, dans le journal, mais elle n'est pas la vie « éclaircie », dont parle Proust à propos de la littérature, ce rôle appartient à mes autres textes. Elle est seulement une vie déposée, archivée.

– *Autre problème, qui va nous conduire du côté d'une figure majeure de l'écriture intime : diriez-vous avec Gide que « le désir de bien écrire ces pages de journal leur ôte tout mérite même de sincérité »[6] ?*

---

[6] André Gide, *Journal. 1889-1939*, Gallimard, « Bibliothèque de la Pléiade », 1951, p. 39.

– L'image de la sincérité, c'est une coïncidence absolue de soi avec l'écriture, d'où l'idée que le travail sur les mots, sur l'expression, va briser cette fusion, qu'on se place déjà sous le regard des autres. La sincérité, c'est aussi la vitesse, toujours dans l'imaginaire. Ecrire au fil du stylo, sans correction, comme les choses viennent, sans faire intervenir un projet esthétique, paraît gage de vérité. Je dois partager cette croyance, puisque je me refuse à toute correction, rature, dans mon journal, dans lequel, contrairement à mon habitude, j'écris très vite, sans me relire. Mais je sens qu'il me faut présenter autrement la question.

Bien écrire, selon moi, c'est écrire « juste ». Tchekov dit quelque part : « Il faut être d'abord juste, le reste viendra de surcroît ». Dans les textes autres que le journal, je me confronte à des réalités encore non lisibles, dévoilées, que l'écriture fera venir au jour, cela demande beaucoup de temps, de réflexion pour atteindre par les mots ce que je recherche, pour que les mots soient posés comme des pierres. La justesse est à ce prix. Toute autre attitude en écrivant la manquerait. Dans le journal, il ne s'agit pas de confrontation avec le monde, avec des réalités passées, mais de saisie du présent dans son opacité, son côté aveugle ; dans ce cas-là, le juste réside dans la spontanéité, l'absence de réflexion sur le langage, les mots mêmes participent du temps qu'ils saisissent, de l'instant où ils surgissent. Mais je ne dirais pas que le journal est plus sincère ou plus juste que les autres textes. Et si, comme je le pense, la sincérité a un sens en littérature, comme horizon, posture, création de formes, je ne la crois pas antinomique du travail des mots. Même, je vois une influence de ma façon d'écrire générale, dans les textes «concertés», sur l'écriture du journal à partir des années quatre-vingt : elle est plus directe, moins autocensurée qu'auparavant, plus nue.

• La question de l'*authenticité*

– *Afin d'aborder la question, toute proche mais plus complexe, de l'authenticité, je prendrai comme point de départ une nouvelle citation des* Carnets de la drôle de guerre *: « C'est marrant comme on vit plus naturel quand on n'a pas un carnet derrière soi, comme les incidents s'anéantissent dès qu'on les a vécus et comme, au fond, en un sens, l'authenticité est affaire de journal intime [...] »*[7]. *Avant Sartre, qui ne voulait surtout pas devenir « un maniaque de l'analyse, genre Amiel »*[7] – *lequel regrettait parfois que son journal se substituât à sa vie même ! –, Denis de Rougemont dénonce également l'inauthenticité de l'activité journalière dans son* Journal d'un intellectuel en chômage *(1937) : l'« auteur, s'il a l'intention d'écrire un journal, pense et sent en vue du journal »...*[8] *Que vous suggèrent ces critiques ?*

---

[7] Jean-Paul Sartre, *Carnets de la drôle de guerre*, op. cit., p. 646 et 351.

[8] Denis de Rougemont, *Journal d'un intellectuel en chômage* (1937), Paris-Genève, Slatkine, « Fleuron », 1995, p. 135.

– Ce qui me frappe dans ce que vous me citez, c'est la distinction, finalement, qui est faite entre écrire de façon générale et écrire un journal intime, l'espèce de perversion attribuée à cette écriture-là, car enfin, lorsqu'on écrit, qu'on a décidé d'écrire, est-ce qu'on ne pense pas en fonction de son entreprise, est-ce qu'on ne saisit pas les sensations et les idées qui viennent par rapport au texte en cours ? La preuve en est que l'écriture d'un livre entraîne souvent une moindre tenue du journal, il y a transfusion et métamorphose ailleurs des pensées et des sensations. Et prenez l'art épistolaire : est-ce que Madame de Sévigné n'avait pas adopté une façon d'exister en fonction des lettres à sa fille ? La honte et la culpabilité toujours latentes attachées au journal intime viennent de ce que, dans son principe, mais non sa réalité, il refuse les autres.

Cela dit, j'ai pu constater, par exemple en voyage, qu'un état de vacance induisait une certaine posture vis à vis de mon journal intime, une attention particulière à ce que, dans le quotidien, je ne notifierais pas. Parce que c'est alors mon seul « lieu » d'écriture. Mais en aucun cas, je n'ai eu le sentiment de vivre les choses pour les écrire. Je vis les choses et elles peuvent être écrites, c'est très différent. Plus exactement, les choses m'arrivent pour que je les écrive, mais pas spécialement dans le journal. Ou bien le journal sera, à mon insu, sans projet défini, le premier état, saisi dans le moment même, de ce qui m'arrive. Ce que disent Denis de Rougemont et Sartre m'est, d'une certaine façon, très étranger. Je crois avoir le même dégoût que Sartre pour l'introspection, je ne me place pas du tout dans la quête du moi, mais il m'intéresse, comme l'écrit Marivaux, de « surprendre les pensées que le hasard me donne », et de les noter, pas seulement les pensées, aussi les sensations. Le journal intime, c'est pour moi conférer du poids à la réalité présente, et un sens provisoire. On a pu remarquer dans *Se perdre* que j'écris juste avant un rendez-vous avec S. et aussitôt après, comme si la réalité de l'amour pouvait être « maintenue », sauvée, par cet encadrement. Le journal sert ici, mais également dans d'autres moments, à « photographier » un être qui est soi mais qui apparaîtra autre dans quelque temps.

– *Sur le plan philosophique, les critiques sont plus radicales. Qu'on se souvienne des propos d'Edouard, dans* Les Faux-Monnayeurs *(1925) : « "L'analyse psychologique a perdu pour moi tout intérêt du jour où je me suis avisé que l'homme éprouve ce qu'il s'imagine éprouver [...]" »[9]. Ce que, quelque temps plus tard, théorise Sartre, qui récuse la « psychologie d'introspection » : « Les doutes, les remords, les prétendues "crises de conscience", etc., bref toute la matière des journaux intimes deviennent de simples représentations »[10]. Plus récemment, Barthes, quant à lui, met en relief le système de représentations qui rend le journal inauthentique : les notations intimes sont des copies d'émotions, lesquelles sont des copies de*

---

[9] André Gide, *Les Faux-Monnayeurs* (1925), Gallimard, « Folio », 1990, p. 73.

[10] Jean-Paul Sartre, *La Transcendance de l'Ego : esquisse d'une description phénoménologique* (1936), Vrin, 1988, p. 75.

représentations littéraires...[11] Annie Ernaux, il ne s'agit évidemment pas, comme vous l'avez compris, de vous « harceler » avec des références extérieures à votre œuvre, mais de vous inviter à développer une réflexion sur les ambiguïtés du genre qui ne me paraît pas étrangère à vos préoccupations.

– A vrai dire, je ne me pose pas beaucoup la question de l'authenticité du journal, de mon journal. Evidemment, les propos de Gide, Sartre, Barthes, sont fondés (encore que affirmer qu'on éprouve ce qu'on imagine éprouver me paraît bien léger, je crois à l'antériorité et la brutalité de la sensation), mais, à la limite, pourquoi ne pas parler de l'inauthenticité de toute l'écriture de soi et même de toute écriture ? Non, les doutes que je peux encore avoir concernent la limitation du journal, par nature, à dire la totalité du monde, à rester, quoique je fasse, dans un registre plus intime que social et historique, donc je me pose la question de l'utilité, du rôle politique au sens large. Les journaux que j'ai publiés me sont apparus comme ayant cette dimension, sinon je ne crois pas que j'aurais pris cette décision. Mais, sur la longue durée de la tenue de mon journal, je m'aperçois que celui-ci fait histoire, qu'il porte témoignage de croyances, de concepts, d'un langage même propre à mes différents âges et à la traversée d'une époque, de ses mutations. Ce qui paraissait «aliénation» à un moment sera liberté à un autre... Et la déliaison, la fragmentation du journal ne sont qu'apparentes, il y a une unité et une continuité évidentes, dans le retour des mêmes thèmes, des mêmes problématiques.

En relisant la partie la plus ancienne de mon journal, je vois aussi tout ce que j'ai naturellement censuré, et qui sera en revanche la matière de mes autres textes. Il y a quelques années, j'ai pensé, écrit dans le journal même, que celui-ci n'était pas le lieu de la vérité mais du désir et du rêve, qu'il était le lieu du faux quand j'écris certaines choses pour qu'elles n'arrivent pas, pour les conjurer. Pourtant, je suis certaine que mon journal possède une vérité : s'y écrit là, dans une certaine écriture, entièrement spontanée, ce que je n'écrirais pas, de cette façon, ailleurs. Est-ce que ce n'est pas l'écriture, le choix d'une écriture, qui témoigne, comme ailleurs, de « l'authenticité » d'un journal ?

Propos recueillis par Fabrice Thumerel

---

[11] Cf. Roland Barthes, « Délibération », *Tel Quel*, 1979. Repris dans *Le Bruissement de la langue. Essais critiques IV,* Editions du Seuil, 1984 ; rééd. coll. « Points/ Essais », 1993, p. 436-437.

UN SINGULIER JOURNAL AU FÉMININ

Annie Ernaux et Philippe Lejeune

[L'intervention de Philippe Lejeune (Université de Paris XIII) précède celle de l'auteur, dont elle est séparée par trois astérisques]

Je vais sortir du champ de l'œuvre d'Annie Ernaux pour situer la pratique de l'écrivain dans un contexte plus large. Je partirai tout d'abord des résultats de plusieurs enquêtes sur le journal intime.

La première question qui se pose est la suivante : qui tient un journal dans la France contemporaine ? Selon les deux dernières enquêtes du Ministère de la Culture sur les pratiques culturelles des Français, un nombre non négligeable de personnes indiquent tenir un journal intime, ou avoir tenu un carnet de notes (7 % en 1988, 8 % en 1997). Mais le plus important, c'est qu'on a pu constater une disparité entre les pratiques masculines et féminines : en 1997, 10 % de la population féminine était concernée par l'écriture journalière, contre 6 % de la population masculine (l'écart était plus grand chez les 15-20 ans). Fait encore plus important, les hommes et les femmes écrivains se conduisent différemment en face de la frontière entre le public et le privé, d'une part, et d'autre part entre l'œuvre et l'intime. J'en donnerai deux signes spectaculaires. En 1982, *Le Monde des livres* a interrogé sur leur pratique du journal on ne sait quelle quantité d'écrivains, mais a publié les réponses de 22 hommes et de 5 femmes : mon analyse des réponses faisait apparaître que tous les hommes établissaient un rapport entre leur pratique (ou absence de pratique) du journal et leur travail d'écrivain (donc tenaient des raisonnements d'instrumentalisation du journal), tandis que toutes les femmes se comportaient simplement comme si c'était deux activités autonomes et sans rapport. Conséquence pratique : à la troisième question de l'enquête, si on accepterait de confier au *Monde* pour publication un extrait de son journal, toutes les femmes (qui toutes tenaient ou avaient tenu un journal) répondaient non, et un bon nombre des rares hommes qui l'avaient fait se précipitaient pour dire oui. Le second signe, encore plus spectaculaire, est l'analyse que j'ai faite des publications contemporaines de journaux (je tiens un répertoire, le plus complet possible, des journaux de langue française publiés depuis janvier 1997 – voir sur mon site « Autopacte ») : sur 355 références, 308 ont des hommes pour auteurs (il est vrai qu'il y a beaucoup de journaux de guerre, d'hommes politiques, etc.). Moralité : les femmes écrivent des journaux, et ce sont les hommes qui en publient. Par ailleurs, j'ai analysé un phénomène particulier, la publication *périodique* de son journal par un écrivain de son vivant (le « feuilleton », comme le font sous nos yeux actuellement Renaud Camus et Marc-Edouard Nabe, par exemple) : la liste ne comporte que des noms d'hommes, depuis Léon Bloy, Julien Green, etc., jusqu'à Renaud Camus (seule exception, Françoise Giroud, mais elle y avait été provoquée par une commande du Seuil, et son journal était plutôt un journal d'actualités, un journal de journaliste plutôt que de diariste).

Une fois ce cadre rappelé, situons rapidement la position d'Annie Ernaux. Mais auparavant, afin de donner matière à discussion dans un court moment, j'aimerai citer le témoignage de Christine de Rivoyre, publié dans *Le Monde des livres* déjà mentionné, et intitulé « A ma mort, tout sera brûlé » :

> Je consigne quotidiennement et brièvement dans un agenda tout ce qui a occupé ma journée, réactions aux événements importants survenus en France et dans le monde, les gens que je vois, les lettres que je reçois, les livres que je lis, mais aussi les péripéties mineures : occupations dans le jardin, balades en forêt ou ailleurs, remarques sur mes chiens et mes chevaux, la couleur du ciel et, parfois, de mon cœur. Quand je voyage, je note absolument tout, aussi bien les itinéraires, les paysages entrevus, les étapes, tout ce que j'apprends du pays où je me trouve, que les commentaires et les attitudes de mes compagnons de voyage et les visages des inconnus qui m'ont distraite un instant, leurs confidences, etc. C'est seulement aux heures vraiment difficiles, quand je subis une épreuve de taille ou un grave arrachement, que je tourne volontairement ou non une page de ma vie, c'est à ce moment-là que je fais quelque chose que j'appelle un journal intime, et là je n'ai pas peur de m'étendre, j'ai besoin de lumière et seuls les mots peuvent m'aider à la trouver. Bien entendu, tout cela, agenda, journal, ne sera jamais publié. Si je les conserve, c'est parce que je les relis : quand j'en ai besoin, j'aime bien savoir précisément comment j'ai vécu, retrouver le fil du temps, garder la mémoire de ceux qui ont compté. A ma mort, tout sera brûlé, ainsi que les lettres que je garde pour les mêmes raisons.

Il me semble que cette position classique a d'abord été la vôtre : je me souviens qu'en 1993, lors d'une table ronde organisée par l'Association pour l'autobiographie, vous déclariez que votre journal étant une chose totalement privée, vous le garderiez pour vous – précisant tout de même que, entrée dans le champ de la notoriété, vous vous attendiez à le voir publier *post mortem*. (Cela dit, vous savez qu'il y a toujours moyen d'empêcher une publication...). J'en profite pour vous demander de bien vouloir tout à l'heure confirmer ou infirmer vos autres propos de 1993 concernant votre écriture journalière : vous nous aviez confié alors que le support sur lequel vous écriviez votre journal (cahiers Clairefontaine) était différent de celui utilisé pour les autres textes, que votre écriture était spontanée, sans corrections et qu'elle n'avait pas changé au fil des années.

Avant de vous laisser la parole, je voudrais insister sur l'originalité de votre « dérive », si je puis dire (puisqu'au fond il s'agit d'expliquer la publication de *Se perdre*, qui a étonné, parce que c'est une conduite vraiment originale, que les gens n'arrivaient pas à ramener aux schémas de conduite qu'ils connaissaient). Le problème (la raison pour laquelle les gens ne comprennent pas), c'est qu'Annie Ernaux n'a pas rejoint le moins du monde la position des hommes ! Elle a inventé quelque chose de nouveau. A deux reprises, « *Je ne suis pas sortie de ma nuit* », et *Se perdre*, elle a publié un fragment de son journal correspondant à des récits (ou portion de récit, pour *Une femme*) déjà publiés. Donc il ne s'agit absolument pas d'une publication brute, originale, d'une entrée *directe* dans l'intimité : au contraire, la lecture ne peut s'en faire qu'à travers le souvenir des récits antérieurs – on ne peut pas imaginer une publication plus médiate de ce qui avait été immédiatement écrit. Les gens n'arrivent pas à sentir la subtilité de ces filtres invisibles. Ce qui a été écrit en 1988-90 l'a été, chaque jour, dans l'ignorance (et l'attente !) du lendemain, et dans l'ignorance du récit qui en serait fait. Et ce qui est publié l'est dans la distance d'une relecture (silencieuse) à la fois du passé et de son écriture, et c'est « cité » plutôt que publié. Le dispositif n'a au fond pas grand chose à voir avec la génétique (qui suppose une position de relecture extérieure, et une attitude explicative, qui prendrait le texte de *Passion simple* pour la chose à expliquer, et le journal comme une source plus ou moins déformée ou exploitée). Annie Ernaux a construit progressivement un dispositif de vibration, entre ce qui fut vécu, le journal écrit sur le champ, le récit sur le champ, le récit et le journal relu : c'est presque comme une « installation » – qui dépasse la notion d'œuvre fermée ou de texte, c'est un système de « résonance » dans le temps, avec la maturation silencieuse d'une série de temps de « latence ». Le journal qui a été écrit et celui qui a été publié sont identiques à la lettre près, et pourtant ne sont pas *le même*. C'est quelque chose que je comparerai (pas en soi, mais comme type d'invention) à la démarche de Perec dans *W ou le souvenir d'enfance*, l'idée de construire un dispositif de « triangulation » pour évoquer quelque chose de finalement indicible.

Je conclurai en disant qu'Annie Ernaux n'a pas fait ce qu'elle excluait en 1993, elle n'a pas, banalement, comme un homme, publié son journal, ni dévoilé son intimité, etc. Elle a inventé du nouveau. C'est pour cela que j'ai parlé de « dérive », mot et notion que j'aime. Les gens attendent toujours que vous répétiez indéfiniment ce que vous avez fait. Ils aiment vous prévoir et vous classer. Je me garderai bien d'imaginer qu'on puisse prévoir la suite des dérives d'Annie Ernaux, ni de croire qu'elle va se mettre à publier tranche par tranche les journaux correspondant à ses différents récits. Je ne sais pas, et la joie sera d'être de nouveau surpris.

*

* *

Concernant l'aspect matériel de l'écriture du journal, rien n'a changé : j'écris toujours mon journal intime sur des cahiers Clairefontaine 100 pages, à grands carreaux. (Il y a eu tout de même une exception, en 94-95 j'ai utilisé un livre blanc qui m'avait été offert, avec une reproduction de Hopper sur la couverture). Rien de changé non plus dans ma façon d'écrire, toujours spontanée, sans corrections. Le pli est trop ancien, cela fait 45 ans que j'écris ainsi mon journal, et je crois que j'ai besoin de cette forme d'écriture dans laquelle la vitesse du Bic autrefois, du stylo feutre maintenant, suit au plus près la pensée et la sensation. J'ai besoin d'un espace textuel où, presque, je ne fais qu'exister, où la vie coule en mots, rien d'autre. A la différence de mes autres textes, il n'y a pas de *projet*, du moins pas de projet autre que cette saisie d'un moment.

Mais, en 1993, vous avez raison de le rappeler, j'avais une position des plus catégorique : jamais, au grand jamais, je ne publierais de mon vivant quoi que ce soit de mon journal intime ! Celui-ci ne serait publié qu'après ma mort. Il en allait de même pour ce journal intime à part – rédigé sur des feuilles détachées – couvrant les deux ans et demi de la maladie d'Alzheimer de ma mère, journal dont je puis dire qu'alors l'idée de sa publication m'était inconcevable, me faisait même l'effet d'un sacrilège (vis-à-vis d'elle comme vis-à-vis du récit que j'avais écrit sur elle, *Une femme*). Et j'ai non seulement publié ce journal quatre ans plus tard sous le titre « *Je ne suis pas sortie de ma nuit* » mais également, quatre ans encore après, la partie de mon journal intime allant de septembre 1988 à avril 1990… On pourrait en conclure que j'ai allègrement foulé aux pieds mes principes précédents. En réalité, il s'agit pour ces deux publications successives, de ce que vous avez appelé très justement un « système de résonance dans le temps, avec la maturation silen-cieuse d'une série de temps de latence ». Mise en résonance du journal et d'un autre texte paru plusieurs années *avant* : résonance de « *Je ne suis pas sortie de ma nuit* » et de la dernière partie de *Une femme*, résonance de *Se perdre* et de *Passion simple*. Dans les deux cas, l'écart de publication entre le récit et le journal est de neuf ans. Dans les deux cas également, il y a eu *oubli* du journal, c'est-à-dire que je n'ai pas relu du tout celui-ci durant plusieurs années et que sa redécouverte, sa relecture, ont été, au sens propre, bouleversantes. De ce bouleversement, sur lequel je vais m'expliquer, est née progressivement l'idée d'une possible publication.

J'avais dactylographié fin 91 ce que je nommais « le journal des visites », ce journal rédigé essentiellement après chaque visite à ma mère, en long séjour à l'hôpital de Pontoise. C'était un texte qui avait pour moi une autonomie, mais terrible à lire – on ne peut même pas parler de « lecture », plutôt de plongée dans la douleur et la culpabilité –, et auquel je n'ai plus touché jusqu'en mars 96 à l'occasion d'une mise en ordre de mes affaires avant un séjour aux Etats-Unis (si l'avion tombait…). Tout s'est passé dans les premières minutes de lecture, j'ai été empoignée par ce qui était écrit, dans l'impossibilité de m'en arracher. Tout ce qui était raconté, noté là m'était connu, mais *une autre* l'avait écrit. Je n'éprouvais plus, dans ma vie, les sentiments exprimés là, j'avais oublié un certain nombre de détails. En relisant, j'étais envahie de nouveau par une grande souffrance, mais j'ai perçu, à la fin, que c'était l'écriture qui produisait cette souffrance. Celle-ci était enclose dans le journal, elle n'était plus en moi. Cela voulait dire que les autres pourraient lire cela, en être touchés aussi. D'autre part, ce qui, neuf ans plus tôt, me paraissait une suite de fragments violents, disparates, des bribes de moments durs à vivre, de l'informe en quelque sorte, m'est apparu comme un texte fermé, autonome. En somme j'avais écrit un livre, ou plutôt un livre s'était écrit et je l'avais ignoré jusqu'à ce jour. Et ce « livre », je l'ai vu tout de suite, mettait en danger, s'il était publié, *Une femme*. Par mettre en danger, je veux dire apporter un autre éclairage sur mon rapport à ma mère que dans *Une femme*. Ce livre est un récit personnel écrit impersonnellement, et après le décès de ma mère, alors que dans le journal, je ne sais pas qu'elle va mourir bientôt et je suis livrée à l'horreur de la dégradation d'une vivante, et le corps a une place énorme. Il s'agissait donc d'une *autre vérité* que dans *Une femme*, et elle constituait un livre, un autre livre. C'est là que j'ai ressenti vraiment pour la première fois le besoin de briser la clôture d'un texte, ici *Une femme*, de faire bouger la première « vérité », en fournissant d'autres éléments directement en rapport avec lui, d'autres pièces au dossier dans cette sorte de compte rendu d'une vie, d'un passage sur la terre, que représente pour moi la littérature. Cela dit, sans doute n'aurais-je pas publié ce journal si je n'avais pas été en train de terminer *La Honte* : dans mon imaginaire, la publication concomitante de ce texte et du journal sur ma mère, de deux textes dangereux, au lieu d'additionner leur potentiel de danger, le diviserait, ou encore ce journal passerait davantage inaperçu, derrière *La Honte*…

La relecture de mon journal des années 88-90 – inaccessible pendant cinq ans – au début de 2000, a été un bouleversement du même ordre. Autant le texte de *Passion simple*, le récit écrit de 89 à 91, m'était et m'est toujours présent, dans sa forme, son écriture, bien qu'existant hors de moi, et entouré de toute sa réception passionnée elle aussi, autant cette partie de mon journal a été une découverte. C'était comme un texte inconnu, écrit par une sorte de Religieuse portugaise… Un texte autonome, dont l'écriture n'avait rien à voir avec celle de *Passion simple*, ni en étendue, ni en tonalité, et qui ne constitue pas la genèse du récit (que des critiques aient pu parler ensuite de *Se perdre* comme *le making of* de *Passion simple* est atterrant). Le sexe, seulement suggéré dans le récit, y était détaillé. J'ai « lu » ce journal avec avidité, saisie par une attente de la suite comme si je ne la connaissais pas… Pour avoir été souvent une « relectrice » de mon journal, j'ai une certaine habitude des effets de lecture qu'il peut me procurer. Je me suis aperçue que je lisais cette période comme un roman qu'on n'arrive pas à lâcher, dont je n'avais pas conscience d'être l'auteur. Il y avait même une « entrée » très romanesque, « S...la beauté de tout cela »... J'ai cependant hésité longuement devant la publication de ce journal, plus que devant celle de « *Je ne suis pas sortie de ma nuit* ». Parce que le journal et le récit sont en étroite relation du point de vue temporel et celui des faits, que de nombreux lecteurs se sont approprié *Passion simple*, ont lu leur propre histoire dans ce récit : l'*autre vérité* du journal intime allait faire bouger violemment celle du récit rétrospectif, un peu comme si je reprenais au lecteur ce que je lui avais donné. Le mécontentement, l'espèce de déception, qu'ont exprimé certaines lettres à la sortie de *Se perdre* ont confirmé cette intuition. L'autre danger, indépendant de l'existence de *Passion simple*, c'était l'exposition extrême de soi que constitue le journal intime, pour une raison simple : je ressens comme un autre moi celui qui parle dans le journal d'il y a neuf ans, mais pas le lecteur qui ne fait qu'un du texte passé et de la personne actuelle. Car si c'est seulement moi qui ai pu écrire ces choses, aujourd'hui je ne pourrais réellement plus les écrire, donc je suis autre... Tout compte fait, la perspective de ces dangers m'a plutôt incitée à publier, c'est la fameuse « ombre d'une corne de taureau »...

Vous soulignez, Philippe Lejeune, que le journal qui a été écrit et celui qui a été publié sont identiques et pourtant pas *le même*. C'est ce que je ressens quasi matériellement, il y a pour moi la partie de mon journal des années 88-90, suivant et précédant d'autres années, déposée sur des cahiers manuscrits et des disquettes, que je relis, et il y a un livre, avec un titre, *Se perdre*, auquel je ne me reporte jamais, comme s'il s'agissait d'un texte différent, vis-à-vis duquel j'ai le même détachement qu'envers tous mes autres textes publiés. Et je crois que, maintenant, *Passion simple* n'est plus tout à fait le même texte qu'avant la parution de *Se perdre*.

Il me semble que je ne pourrais pas publier une partie de mon journal qui ne corresponde à aucun récit publié. Comme si seul ce dernier *m'autorisait* à le faire, comme s'il fallait que la vie soit devenue « forme », forme littéraire concertée, avec un coefficient de généralité, pour que je la livre ensuite dans son immédiateté, son caractère informe. Par ailleurs, je n'éprouve pas la nécessité de publier le journal de la période décrite dans *La Femme gelée* ou dans *L'Occupation,* par exemple. Je ne connais pas à l'avance mes dérives...

AU SUJET DES JOURNAUX EXTÉRIEURS

Entretien d'Annie Ernaux
avec Marie-Madeleine Million-Lajoinie (*sociologue*)

[La présentation de Marie-Madeleine Million-Lajoinie est suivie d'un dialogue avec l'auteure]

Avec les deux journaux extérieurs, *Journal du dehors* (rédigé entre 1985 et 1992, publié en 1993) et *La Vie extérieure* (1993-1999, paru en 2000), Annie Ernaux, même si pour elle « il n'y a pas de séparation entre le dedans et le dehors », inaugure un changement d'orientation dans son écriture, changement que pourrait partiellement éclairer la chronologie de son œuvre (cf. *infra*, question n°1).

Dans ces journaux, A.E. nous associe au regard qu'elle porte sur le monde qui l'entoure, sur son cadre de vie – la Ville Nouvelle de Cergy, le RER, le Métro, les Médias – et sur les gens qui le peuplent – les voyageurs ordinaires des transports en commun, le petit peuple de la rue, les mendiants, SDF, vendeurs à la sauvette, commerçants, employés et clients des grandes surfaces ou des petits commerces, mais aussi les personnes médiatisées, célèbres ou inconnues, etc. Elle perçoit aussi au travers des individus évoqués, les masses anonymes qu'ils incarnent, consommateurs, petits actionnaires, hommes de pouvoir... Elle nous associe donc au spectacle du monde tel qu'elle le voit dans sa vie quotidienne et à la lecture qu'elle en fait.

Ces ouvrages peuvent ainsi être définis comme des **ethnotextes** au moyen desquels l'auteure nous livre une certaine réalité du monde extérieur, « une tranche de vie toute crue » comme l'écrit un journaliste ; mais A.E. nous livre aussi le sens qu'elle donne à ce qu'elle voit et entend « par habitude intellectuelle (apprise) de ne pas (s')abandonner seulement à la sensation » (J.D., p. 36).

Elle traduit donc à sa manière le code dont se servent les acteurs observés dans leurs échanges verbaux, oraux ou écrits, directs ou médiatisés et dans leur comportement : celui, divers selon les situations et les personnalités, dont peuvent user les SDF et les vendeurs de rue, par exemple. Elle décrit aussi par le menu certains des rites qui règlent les échanges entre acteurs sociaux, notamment entre commerçants et clients – à la boucherie, chez la coiffeuse...

C'est ainsi à une **lecture des rapports sociaux** à l'œuvre dans les situations observées que nous convie A.E. : dans nombre de celles-ci en effet, les signes de la hiérarchie sociale sont à ses yeux manifestes (le comportement qui trahit l'intellectuel ou l'ouvrier, ou encore la femme bourgeoise « qui ne connaît pas la vie avec trois mille cinq cents francs par mois », etc.) ; elle s'intéresse également à la domination sociale qui pèse sur les plus faibles (au bureau d'aide sociale par exemple) et à la violence de l'exclusion sociale incarnée par ces nombreux acteurs de la rue abondamment évoqués dans ses textes.

Son histoire personnelle en milieu populaire, mais aussi sa culture et sa sensibilité sociologiques, sont là très prégnantes. Cette recherche du sens des situations humaines, A.E. la partage en effet avec les observateurs sociaux, les anthropologues, les sociologues. Comme certains d'entre eux, elle se livre à un réel dévoilement du refoulé social, à une lecture très sociologique de la réalité sociale : elle insiste beaucoup sur ce qu'on ne veut en général pas voir, la misère et sa violence réelle et symbolique, la domination sociale, la théâtralité des échanges sociaux réels ou médiatisés, etc. Il s'agit pour elle de montrer ce qui se cache derrière l'apparence du jeu social, ce qui est inaperçu, refoulé. On pense bien sûr à Pierre Bourdieu – auquel on sait qu'A.E. se réfère volontiers –, à sa théorie et à sa pratique du « déchiffrement », à sa volonté de « nommer l'innommable ».

Mais A.E. se cherche aussi elle-même au travers des situations observées. Non seulement pour se donner « l'illusion d'être proche des gens » qu'elle rencontre (JD, p. 36), mais aussi pour cerner l'émotion réelle que lui procurent les situations évoquées. Plus généralement, elle cherche à travers celles-ci quelque chose de sa vérité propre : d'abord parce qu'elles comportent parfois un élément qui lui suggère quelque chose de sa propre situation, actuelle ou passée ; mais aussi parce qu'elles sont pour elle l'occasion de mettre en œuvre une réelle « objectivation de soi », c'est-à-dire une manière de se comprendre dans l'objectivité du monde social : « C'est donc au dehors [...] qu'est déposée mon existence passée. Dans des individus anonymes qui ne soupçonnent pas qu'ils détiennent une part de mon histoire[...] »(JD, p. 106). S'objectiver, c'est ainsi faire retour sur soi pour comprendre l'ancrage social de ses sentiments et de ses conduites. La lecture du monde proposée dans les journaux extérieurs, c'est aussi pour l'auteure une autre manière d'aller jusqu'au bout de sa démarche vers la vérité, et notamment « de (se) mesurer aux formes extrêmes de la déréliction », qu'elle peut observer, « comme s'il y avait une vérité qu'on ne puisse connaître qu'à ce prix »(VE, p. 125). Il s'agit bien pour A.E. de parvenir à une compréhension du « social incorporé » en elle-même, de son « habitus » –

c'est-à-dire, selon Bourdieu, de cette « complicité infra-consciente » entre elle-même et le monde social. Quel que soit le niveau de la réalité sociale auquel elle se situe : échanges interpersonnels mère/ fille ou fils, relations commerçant/clients, ou masse anonyme de consommateurs ou de manifestants, l'auteure, dans l'ensemble des situations et des échanges qu'elle a pu observer, recherche quelque chose d'elle-même et de ce qui a structuré et structure encore son habitus.

La rédaction des journaux extérieurs a également permis à A.E. de se livrer à une sorte d'expérience extrême de quasi-dissolution dans le monde extérieur :

> Aujourd'hui, pendant quelques minutes, j'ai essayé de *voir* tous les gens que je croisais, tous inconnus. Il me semblait que leur existence, par l'observation détaillée de leurs personnes, me devenait subitement très proche, comme si je les touchais. Si je poursuivais une telle expérience, ma vision du monde et de moi-même s'en trouverait radicalement changée. Peut-être n'aurais-je plus de moi (VE, p. 26).

La démarche d'écriture inaugurée par les journaux extérieurs consomme sans doute pour l'auteure la rupture avec l'idée de permanence identitaire, avec l'essentialisme ; rupture déjà évidente dans ses autres textes et du reste revendiquée. Sa vérité n'est pas programmée, elle ne sort pas tout armée, immuable, de la profondeur de son être ; elle la recherche et la construit dans l'écriture, et ces deux ouvrages y contribuent à leur manière et selon une orientation qui leur est propre.

L'analyse proposée ici appelle quelques questions.

QUESTIONS À ANNIE ERNAUX

– Annie Ernaux, vous écrivez ces journaux extérieurs en prenant une posture explicitement socio-ethnologique. Constituent-ils pour vous une sorte de rupture avec vos autres textes, et notamment avec, d'une part, Passion Simple *– paru à peu près en même temps que le* Journal du dehors *et qui a connu la réception mitigée que l'on sait – et, d'autre part,* L'Evénement, *paru à peu près en même temps que* La Vie Extérieure *? Et si rupture il y a, s'agit-il d'une rupture volontaire ? ou d'une manière de stratégie dans votre trajectoire d'écrivaine : une sorte de repos pour vous-même et aussi pour le lecteur, après la plongée extrême dans l'infini de votre désir, que révèlent* Passion Simple *et aussi, dans une tonalité différente,* L'Evénement *?*

— Je ferai une séparation absolue entre l'écriture du JDD, de la VE, et de leur publication. J'ai commencé d'écrire, dans l'année qui a suivi la fin de l'écriture de *La Place*, donc neuf ans avant la publication de *Passion simple*, des fragments sur des choses vues au dehors, de façon impersonnelle. C'était au fond dans la continuité de l'écriture de *La Place* et cela correspondait à un désir ancien d'évoquer la ville nouvelle de Cergy, qui datait de mon arrivée dans la banlieue parisienne, en 1975. Parallèlement, je commençais à tenir un journal sur ma mère atteinte de la maladie d'Alzheimer, extrêmement intime, lui. Il me semble que j'avais besoin de ces deux formes d'écriture à ce moment-là, où, par ailleurs, je n'arrivais pas à poursuivre un texte autre. La VE est la poursuite, de 93 à 99, du même désir de saisir mon époque à travers des notations au jour le jour sur le monde extérieur tel que je le traverse, dans sa quotidienneté. Je ne sens aucune rupture en moi-même entre ces textes et ceux que vous citez, *Passion simple* et *L'Evénement*. Il me semble que je traite l'intime avec la même distanciation que le social ; la seule différence, certes importante, est la présence du *je*. Mais dans le JDD et la VE, d'où le *je* est souvent absent, mon histoire et ma mémoire sont impliquées fortement.

Il est vrai que l'écriture des journaux extérieurs a représenté pour moi, non un repos à proprement parler, mais une expérimentation, une façon d'écrire assez libre, sans le *coût* qu'implique un projet structuré, sans perspective de publication. Quelque chose entre le journal intime – toujours tenu – et l'œuvre concertée.

Le désir de publication du JDD, comme ultérieurement de « *Je ne suis pas sortie de ma nuit* », de *Se perdre*, est venu après avoir tapé tous les fragments à la machine et m'être rendu compte que l'ensemble avait une unité, un sens, « faisait texte », constituait une totalité. Je songeais à la publication dans *La Nouvelle Revue française* ; Pascal Quignard, alors directeur littéraire chez Gallimard, a estimé qu'il fallait donner une visibilité plus grande au texte et l'a publié dans la collection blanche, donc un an après *Passion simple*. A dire vrai, je n'étais pas fâchée qu'avec le JDD on cesse de me voir seulement comme l'auteur de *Passion simple* – mais ici, je parle plus des lecteurs que des critiques. J'avais envie d'affirmer ma liberté : que ce texte soit déjà écrit, qu'il puisse être publié, tombait bien.

La publication de la VE en même temps que *L'Evénement* a des motifs très banals : la masse de fragments était suffisamment importante pour constituer un livre et je ne voulais pas supporter pour celui-ci, une nouvelle fois, l'épreuve de la sortie d'un livre. La publication conjointe des deux textes a réglé le problème…

– Votre posture socio-ethnologique, nourrie par les concepts sociologiques (de Pierre Bourdieu notamment), livre au lecteur une réalité brute ou pré-analysée, mais toujours fragmentée, « juste des instants, des rencontres ». Vous recueillez « une parole dispersée » (F. Simonet). Selon un critique, cela « nous parle mieux de notre civilisation et de notre culture qu'un savant ouvrage de sociologie » (Le Nouvel Observateur, 15/04/93). Pourtant, le travail sociologique proprement dit, de recoupement, de synthèse, d'explicitation théorique resterait à faire. Et tel n'est pas bien sûr votre objectif qui est d'abord celui d'une écrivaine. On aimerait pourtant comprendre la manière dont s'articulent pour vous les intentions socio-ethnologiques et le projet proprement littéraire ; comment vous gérez les

éventuelles contradictions que peut générer la conduite conjointe de ces deux approches à l'intérieur de votre projet d'écriture.

– Je ne sais pas si on peut parler d'*intentions* socio-ethnologiques. Mon regard l'est sans doute, socio-ethnologique, puisqu'on me le dit, mais ce n'est pas du tout par l'application d'une méthode, d'un savoir. Ce que je cherche dans ces journaux, c'est de dire une réalité extérieure à moi-même, qui me happe, me fascine ou me révolte. C'est mon histoire de transfuge, ma mémoire, mes désirs, qui choisissent cette réalité, en un sens je n'y peux rien…Il se trouve simplement qu'elle est aussi celle des sociologues. Mais il n'est pas de mon intention de l'analyser comme les sociologues, seulement de la faire voir et de la faire ressentir, souvent dans sa violence, sans exprimer l'émotion qui est à l'origine de l'écriture. Il n'y a pas de contradictions au moment où j'écris ces fragments, ces « photos », tout l'enjeu est dans la saisie des mots qui vont rendre de façon la plus juste un moment, une scène. La réflexion naît du concret et du sensible, elle ne préexiste pas pour moi.

– *La parole recueillie et offerte dans les journaux extérieurs est « dispersée ». Il n'y a pas de récit, pas de continuité autre que la posture même de l'auteure. C'est une écriture par fragments. Vous faites le pari que le lecteur vous suivra néanmoins dans cette nouvelle orientation d'écriture. Et vous le gagnez ce pari. Y aurait-il eu cependant de votre part une pratique nouvelle destinée – entre autres objectifs – à éveiller l'attention du lecteur sur une réalité sociale souvent déguisée, truquée ou violente et plutôt pénible; réalité qu'il n'a en général pas très envie de voir, tant il est vrai, comme vous l'écrivez, qu'« il est trop difficile de supporter cette part de nous- mêmes... » (VE, p. 123) ? Donc éveiller l'attention du lecteur mais sans insister, de crainte peut-être de le lasser ? Suggérer de manière anecdotique, et parfois redondante, en évitant la posture de l'intellectuelle éclairée susceptible d'assener une vérité plus ou moins insupportable ? A moins que cette fragmentation de l'observation et du texte ne soit voulue par vous pour faire sens à sa manière : la parole, l'observation recueillies sont fragmentées, dispersées, comme peut l'être votre moi, éparpillé et plus ou moins dissous dans le monde extérieur, où justement vous cherchez à le trouver...*

– Je n'ai pas eu l'intention, en commençant à noter des choses vues et entendues, d'éveiller le lecteur – figure très improbable, et encore plus improbable ici – à une réalité sociale définie. Il y avait ce désir, évoqué plus haut, de mettre en mots ce que signifiait vivre là, dans une ville nouvelle de la région parisienne, un monde entièrement nouveau pour quelqu'un ayant toujours vécu en province. Au début, je m'étais orientée vers un projet romanesque, où l'architecture, le paysage, tenaient une grande place. Le *Journal du dehors* (primitivement « le journal de la ville ») est la reprise et transformation inconsciente de ce projet, après l'écriture de *La Place*, mais la totalité est pulvérisée et je ne m'intéresse cette fois qu'aux gens, qu'aux lieux que je fréquente réellement, de l'intérieur, le train et le métro, les supermarchés, etc. Il s'est agi aussi pour moi d'une prise de possession d'un univers où je m'étais sentie, pendant quelques mois, à mon arrivée, étrangère, privée de pensée et de sensibilité. Je me suis mise à aimer vivre là, dans cette grande banlieue.

Cela dit, prendre comme objet d'écriture un réel généralement ignoré de la littérature, ou traité de façon accessoire, m'est apparu également comme une nécessité. J'avais conscience que ma façon d'écrire, le choix des personnes décrites, « l'ethnotexte », avaient une portée sociopolitique, et le mépris affiché par certains critiques parisiens à l'égard du JDD lors de sa publication m'a confortée dans cette nécessité. Révélatrice, à cet égard, est l'incroyable légèreté du chroniqueur de *Lire* qui me domicilie à Evry : quelle importance, en effet, Cergy ou Evry, deux lieux aussi improbables l'un que l'autre pour lui…

Mes choix d'écriture ne sont jamais dictés par une possible attente du lecteur, être lisible, ne pas lasser, etc., non, ils s'imposent, « c'est ça » ou « ça n'est pas ça ». Ici, c'est le fragment qui rend le mieux pour moi la rencontre fugitive d'inconnus, leurs comportements, les rapports sociaux, l'époque où l'on est, au fil des jours. Des éclats de réel d'un présent insaisissable dans sa totalité. En même temps, dans cette forme d'écriture, qui relate au fond à chaque fois l'expérience d'une dissolution dans l'extérieur, d'une traversée par les autres, par les gens, je lis clairement mes obsessions personnelles, mes peurs et mes désirs. L'intime et le social ne font qu'un ici.

– *A.E., vous proposez au lecteur votre propre lecture de la réalité sociale, et en particulier de la violence réelle et symbolique inhérente au monde moderne et aux rapports sociaux qu'il secrète ; une réalité qu'il n'est peut-être pas vraiment agréable de connaître. Si, comme le dit Pierre Bourdieu, « le dévoilement est en soi une critique sociale », vous utiliseriez peut-être alors l'écriture comme instrument d'action ; « mettre le monde en mots », « une habitude » sans doute, mais éventuellement non dénuée de visée d'action : « écrire… tout ce que j'écris ici comme preuve » (V.E., p. 36). Dans* Se perdre*, vous évoquez à la page 355, en vous référant à Simone de Beauvoir, « une certaine idée de l'action de la littérature ». Qu'en est-il de cette idée-là à propos des journaux extérieurs ? Se servir peut-être de la notoriété acquise par les précédents récits pour entraîner le lecteur dans une confrontation avec la dure réalité sociale… Ces journaux ne constituent-ils pas ainsi une sorte de « rappel moral » (J. Savigneau dans* Le Monde *du 23/04/93) en direction du lecteur plus ou moins entraîné ainsi à faire retour sur lui-même dans la société qui est sienne ?*

– Avec *Passion simple*, j'avais pris le risque de publier un texte qui, je me souviens de la phrase qui m'était venue en apportant mon manuscrit chez Gallimard, « me brûlait les doigts », le risque de la liberté de forme et de sujet. Il se trouve, en effet, que, par ce texte assez peu classable, j'ai été très connue, et que je me suis sentie infiniment libre. Mais quand je parle de liberté, c'est d'abord liberté de forme, d'écriture, parce que la matière s'impose, elle, toujours. Comme ne varie pas ma vision de l'écriture, « dévoilement critique » du monde. Je ne peux pas concevoir de faire des livres qui ne mettent pas en cause ce que l'on vit, qui ne soient pas des interrogations, des observations de la réalité telle qu'il m'est donné de la voir, de l'entendre ou de la vivre, ou de m'en souvenir. Une littérature qui m'engage et qui engage le lecteur. Les journaux extérieurs participent de ce désir, sans doute, obliger à voir ce qui est proche, que tout le monde voit sans voir, sans vouloir voir. Le JDD a souvent donné lieu, dans des classes, à des travaux d'écriture où il s'agissait de décrire des scènes quotidiennes, de la rue, des magasins, du bus, impliquant des rapports sociaux. Il me semblait que c'était une bonne utilisation de mon texte…

BIBLIOGRAPHIE

Publications d'Annie Ernaux[1]

• **Romans autobiographiques**

Les Armoires vides, 1974 ; rééd. « Folio », 1984.
Ce qu'ils disent ou rien, 1977 ; rééd. *ibid.*, 1989.
La Femme gelée, 1981 ; rééd. *ibid.*, 1987.

• **Textes autosociobiographiques**

La Place, 1984 ; rééd. *ibid.*, 1986 ; rééd. « Folio plus », 1997.
Une femme, 1988 ; rééd. *ibid.*, 1990 ; rééd. « La Bibliothèque Gallimard », 2002.
Passion simple, 1992 ; rééd. *ibid.*, 1994.
La Honte, 1997 ; rééd. *ibid.*, 1999.
L'Evénement, 2000 ; rééd. *ibid.*, 2001.
L'Occupation, 2002 ; rééd. *ibid.*, 2003.

• **Journaux extérieurs**

Journal du dehors, 1993 ; rééd. « Folio », 1995.
La Vie extérieure, 2000 ; rééd. *ibid.*, 2001.

• **Journaux intimes et journal d'écriture**

« Paper traces of Philippe V. » (traduit en américain par Tanya Leslie), *Frank*, number 15, 2ᵉ trimestre 1996, p. 32-33.
« Fragments autour de Philippe V. », *L'Infini*, n° 56, hiver 1996.
« *Je ne suis pas sortie de ma nuit* », 1997 ; rééd. « Folio », 1999.
Se perdre, 2001 ; rééd. *ibid.*, 2002.
« Journal d'écriture (extraits) » (1989 et 1998), *Les Moments littéraires*, Anthony, 2ᵉ semestre 2001, p. 15-31.
« Journal intime » (fragment : avril-mai 1990), *Ecrits* (revue dirigée par Naïm Kattan), Québec, janvier 2002.

• **Articles et textes divers**

« Y. ville nouvelle », *Roman*, septembre 1983.
« L'Ecrivain en terrain miné », *Le Monde*, 23 mars 1985, p. 21.
« Cesare Pavese », *Roman*, n° 16, septembre 1986.
« Je ne suis pas sûre d'être écrivain », in *Passages (Passagen)*. Textes réunis par Alain Lance. Francfort, Institut Français de Francfort, 1986, p. 89-91.
« Insatisfaction », *Nouvelles Nouvelles*, n° spécial, 1ᵉʳ trimestre 1988, p. 12-16.
« Ernaux, Annie (1940-...) », in *Le Dictionnaire de Littérature française contemporaine* de Jérôme Garcin, François Bourin, 1989, p. 179-183.

---

[1] Tous les volumes, sauf indication contraire, ont paru chez Gallimard.

« New french fiction », *The Review of contemporary fiction*, Elmwood Park, Illinois, Darkley Archive Press, vol. IX, spring 1989.

Une lettre de Annie Ernaux : « Mes points de vue successifs sur le mariage », *Autrement* (série « Mutations »), n° 105, mars 1989, p. 12.

« Quelque chose entre l'histoire, la sociologie, la littérature », *La Quinzaine littéraire*, n° 532 (n° spécial), du 16 mai au 31 mai 1989, p. 13.

« Littérature et politique », *Nouvelles Nouvelles*, n° 15, été 1989, p. 100-103.

« Sur la réception de *Passion simple*», *La Faute à Rousseau*, mars 1994.

« Vers un je transpersonnel», *RITM*, Université de Paris X, n° 6, 1994, p. 219-221.

« Tout livre est un acte », *Europe*, n° 784-785 (Paul Nizan), août-septembre 1994, p. 18-24.

« L'Enfance et la Déchirure », *Europe*, n° 798 (Valéry Larbaud), octobre 1995, p. 77-83.

« Vocation ? », *La Faute à Rousseau*, n° 20, février 1999.

« De l'autre côté du siècle », *La Nouvelle Revue française*, n° 550, 1999, p. 96-100.

« Souvenirs d'enfance d'Annie Ernaux à Fécamp », *Bulletin de l'Association des amis du Vieux-Fécamp et du Pays de Caux*, 1999, p. 153-155.

« Parmi les rares photos de famille... », in *Acteurs du siècle*, Editions Le Cercle d'Art, 2000, p. 43-53.

« Le Fil conducteur qui me lie à Beauvoir », *Simone de Beauvoir Studies*, vol. 17, 2000-2001.

« Première enfance », in *Jardins d'enfance*, Le Cherche Midi, 2001.

« Bourdieu : le chagrin », *Le Monde*, 5 février 2002.

« Sur l'écriture », *LittéRéalité* (Canada), vol. XV, n° 1, printemps-été 2003.

« Mise à distance », *Revue des Deux Mondes*, « L'Enigme de l'élégance », juillet-août 2003, p. 100-103.

« L'Homme de la poste, à C. », in *Histoires à coucher dehors* (recueil de nouvelles en faveur du Droit au Logement), Julliard, octobre 2003.

• Entretiens et tables rondes

« La Littérature » (entretien avec Roger Vrigny), France Culture, 21 juin 1984.

« Entretien » (avec Smaïn Laacher), *Politix*, n° 14, 1991, p. 75-78.

« L'Ordinateur et l'Ecriture littéraire » (table ronde animée par Claudette Oriol-Boyer), in J. Anis et J.-L. Lebrave éds, *Texte et ordinateur : Les Mutations du lire-écrire*, Editions de l'Espace européen, 1991, p. 281-302.

« L'Ecriture littéraire peut-elle s'enseigner ? » (rencontre animée par Daniel Delas, avec Michel Chaillou, Joseph Guglielmi, Tierno Monenembo et Ghislain Sartoris), *Le Français d'aujourd'hui*, supplément au n° 98, septembre 1992, p. 7-10.

« Entretien » (avec Karim Azouaou), *Pages des Libraires*, n° 22, mai-juin 1993.

« Entretien » (avec Claire-Lise Tondeur), *The French Review*, vol. 69, n° 1, 1995, p. 37-44.

« Entretien » (avec Monique Houssin), in M. Houssin, P. Latour et M. Tovar éds, *Femmes et citoyennes*, Les Editions de l'Atelier, 1995, p. 84-87.

« Discussion » (avec des étudiants de l'I.U.T. de Bordeaux), *Bibliothèque de travail second degré*, n° spécial : « Journaux du dehors », revue de l'Ecole Moderne française, n° 283, janvier 1996.

« Une "conscience malheureuse" de femme » (entretien avec Philippe Vilain), *LittéRéalité*, vol. 9, n° 1, 1997, p. 66-71.

« Annie Ernaux ou l'autobiographie en question » (avec Philippe Vilain), *Roman 20-50*, n° 24, décembre 1997, p. 141-147.

« Ecrire le vécu » (avec M. Bacholle), *Sites*, vol. 2, n° 1, 1998, p. 141-151.

« Entretien » (avec Franck Lanot), *Elseneur (L'Ecriture de soi comme dialogue)*, Presses Universitaires de Caen, n° 14, juin 1998, p. 197-200.

« Ecrire le dedans et le dehors : dialogue transatlantique » (avec M. Boehringer), in Monika Boehringer éd., *Ecriture de soi au féminin* (numéro spécial), *Dalhousie French Studies*, n° 47, 1999, p. 165-170.

« Entretien » (avec Catherine Argand), *Lire*, avril 2000, p. 38-45.

« Entretien » (avec Marianne Payot), *L'Express*, 13-19 avril 2000, p. 20.

« Entretien » (avec Michel Zumkir), *La Libre essentielle*, n° 15, 15 avril 2000.

« Vivre pour se raconter, se raconter pour vivre » (avec Vincent de Gaulejac), *Revue internationale de psychosociologie*, vol. VI, n° 14, 2000 ; repris dans *Récits de vie et histoire sociale*, Editions Eska.

« Entretien » (avec Jean-Claude Renard), *Politis*, n° 40, 15 mars 2001.

« Mémoire et réalité (entretien) », *Les Moments littéraires*, Anthony, 2ᵉ semestre 2001, p. 3-13.

« Entretien » (avec Pierre-Louis Fort), in *Une femme*, « La Bibliothèque Gallimard », *op. cit.*, p. 8-18.

Table ronde sur l'autobiographie (animée par Pascal Le Guern, avec Annie Ernaux et Philippe Lejeune), cassette vidéo enregistrée en février 2002, CNED/*L'Ecole des lettres*.

« Entretien » (avec Claire Simon), *Croisées*, n° 2, grec/céci/documentaire sur grand écran, printemps-été 2002.

L'Ecriture comme un couteau. Entretien avec Frédéric-Yves Jeannet, Stock, 2003.

« Entretien » (avec Pierre-Louis Fort), *The French Review*, vol. 76, n° 5, avril 2003, p. 984-994.

« La Littérature est une arme de combat... » (avec Isabelle Charpentier), in Gérard Mauger éd., *Rencontres avec*, Belin, 2004.

Publications critiques

• Ouvrages et thèses

CHARPENTIER, Isabelle, « Une intellectuelle déplacée. Enjeux et usages sociaux et politiques de l'œuvre d'Annie Ernaux (1974-1998) », Doctorat de science politique, Université d'Amiens, 1999.

FAU, Christine, « Langage populaire et écriture autobiographique chez Annie Ernaux », University of Georgia, 1997.

FERNANDEZ-RECATALA, D., *Annie Ernaux*, Editions du Rocher, Monaco, 1994.

HADFIELD, C.E., « Place, language and identity in the work of Annie Ernaux », University of Strathclyde, 1995.

KUHL, Heike Ina, « *Du mauvais goût* » : *Annie Ernauxs Bildungsaufstieg als literatur und gesellschaftskritische Selbstzerstörung. Eine Untersuchung ihres Werks mithilfe textlinguistischer, psychologischer und soziologischer Kriterien*, Tübingen, Niemeyer, 2001.

LOKOY, Gro, *L'Œuvre d'Annie Ernaux. Une histoire, plusieurs visions*, Institut d'Etudes romanes, Université de Bergen, 1992.

MCILVANNEY, Siobhan J., « Gendering mimesis. Realism and feminism in the works of Annie Ernaux and Claire Etcherelli », University of Oxford, 1994.

– *Annie Ernaux : The Return to Origins*, Liverpool University Press, 2001.

MEIZOZ, J., *Annie Ernaux, une politique de la forme*, Slatkine, Genève, 1996.

SAVEAN, Marie-France, **La Place** et **Une femme** d'Annie Ernaux, Gallimard, « Foliothèque », 1994.

THOMAS, Lyn, Annie Ernaux. An introduction to the writer and her audience, Oxford, Berg, 1999.

- Annie Ernaux, Stock, 2005.

TONDEUR, Claire-Lise, Annie Ernaux ou l'exil intérieur, Amsterdam et Atlanta, GA, Rodopi, 1997.

• **Articles et études partielles**

ALTOUNIAN, J., « De l'Arménie perdue à la Normandie sans place. La place des déportés dans l'écriture », Les Temps Modernes, n° spécial : « Arménie diaspora », sept. 1988.

- « L'Enseignement des lettres et la lettre morte (une lecture de La Place d'Annie Ernaux) », Les Cahiers du CRELEF, Université de Besançon, n° 25, 1987. Repris dans Ouvrez-moi les chemins d'Arménie, Les Belles Lettres, 1990.

BACHOLLE, M., « Annie Ernaux : Lieux communs et lieu(x) de vérité », LittéRéalité, vol. 7, n°s 1-2, 1995, p. 28-40.

- « Passion simple d'Annie Ernaux : Vers une désacralisation de la société française », Dalhousie French Studies, n° 36, 1996, Fall, p. 123-134.

- Un passé contraignant. « Double bind » et transculturation (A. Ernaux, A. Kristof et F. Belghoul), Amsterdam et Atlanta, GA, Rodopi, 2000.

BOEHRINGER, M., « Tombeau d'une mère : "elle" e(s)t "je" : Une femme et "Je ne suis pas sortie de ma nuit" d'Annie Ernaux », Dalhousie French Studies, n° 47, 1999, p. 155-163.

- « Paroles d'autrui, paroles de soi. Journal du dehors de Ernaux », Etudes françaises, XXXVI, 2, 2000, p. 131-148.

BOZON, M., « Orientations intimes et constructions de soi. Pluralité et divergences dans les expressions de la sexualité », Sociétés contemporaines, n° 41-42, 2001, p. 11-40.

CAIRNS, L., « Annie Ernaux, filial ambivalence and Ce qu'ils disent ou rien », Romance Studies, n° 24, 1994, Fall, p. 71-84.

CHARPENTIER, I., « De corps à corps : réceptions croisées d'Annie Ernaux », Politix, n° 27, 1994, p. 45-75.

- « Lectures sociopolitiques d'une œuvre littéraire à dimension autosociobiographique : réceptions croisées d'Annie Ernaux », dans Vanbremeersch M.-C. éd., Réceptions de l'œuvre littéraire, L'Harmattan, 2004.

COTILLE-FOLEY, N.C., « Abortion and contamination of the social order in Ernaux's Les Armoires vides », French Review, LXXII, 1998-1999, p. 886-896.

DAY, L., « Class, sexuality and subjectivity in Annie Ernaux's Les Armoires vides », in M. Atack and P. Powrie (eds), Contemporary french fiction by women : feminist perspectives, Manchester and New York, Manchester University Press, 1990, p. 41-55.

- « Fiction, autobiography and Ernaux's evolving project as a writer. A study of Ce qu'ils disent ou rien », Romance Studies, XVII, 1999, p. 89-103.

- « Ernaux and Courbet's L'Origine du monde. The maternal body, desire and filial identity in "Je ne suis pas sortie de ma nuit" and Passion simple », French Forum, XXV, 2000, p. 205-226.

- «The Dynamics of shame, pride and writing in Annie Ernaux's L'Evénement », Dalhousie French Studies, vol. 61, hiver 2002, p. 75-91.

DAY, L. et JONES, T., *Ernaux : La Place, Une femme,* University of Glasgow French and German Publications, 1990.

DAY, L. et THOMAS, L., « Exploring the interspace : recent dialogues around the work of Annie Ernaux », *Feminist Review,* n° 74, été 2003, p. 98-104.

FALLAIZE, E., « Annie Ernaux », in E. Fallaize, *French women's writing : recent fiction,* London, Macmillan, 1993, p. 67-87.

FAU, C., « Le Problème du langage chez Annie Ernaux », *The French Review,* vol. 68, n° 3, 1995, p. 501-512.

FELL, A.S., « Recycling the past. Ernaux's evolving "ecriture de soi" », *Nottingham French Studies,* XLI, 1, spring 2002, p. 60-69.

FOREST, P., *Le Roman, le Je,* Nantes, Editions Pleins Feux, coll. « Auteurs en questions », 2001 (cf. p. 13).

GARAUD, C., « Ecrire la différence sociale : registres de vie et registres de langue dans *La Place* d'Annie Ernaux », *French Forum,* vol. 29, n° 2, mai 1994, p. 195-214.

GAULEJAC, V. de, *La Névrose de classe. Trajectoire sociale et conflits d'identité,* Hommes et Groupes Editeurs, 1987 ; cf. p. 151-169.

GILLAIN, A. et LOUFTI, M., *Récits d'aujourd'hui,* Holt, Rinehart and Winston, 1989 (cf. chap. 2 sur *La Place*).

HAVERCROFT, B., « Auto/biographie et agentivité au féminin dans *"Je ne suis pas sortie de ma nuit"* d'Annie Ernaux », in L. Lequin et C. Mavrikakis éds, *La Francophonie sans frontière. Une nouvelle cartographie de l'imaginaire au féminin,* L'Harmattan, 2001, p. 517-535.

– «Trauma, agency and identity in Annie Ernaux's *La Honte*», in *ibid.*

HOLMES, D., « Feminism and Realism : Christiane Rochefort and Annie Ernaux », in D. Holmes, *French women's writing, 1848-1994,* London, Athlone Press, 1996, p. 246-265.

HUTTON, M.A., « Challenging autobiography. Lost object and aesthetic object in Ernaux's *Une femme* », *Journal of European Studies,* XXVIII, 1998, p. 231-244.

IONESCU, M.C., « *Journal du dehors* d'Annie Ernaux : "je est un autre" », *The French Review,* vol. 74, n° 5, avril 2001, p. 934-943.

KIMMINICH, E., « Macht und Magie der Worte. Zur Funktion des Schreibens im Werk Annie Ernaux », in W. Asholt (ed.), *Intertextualität und Subversivität. Studien zur Romanliteratur der achtziger Jahre in Frankreich,* Heidelberg, Universitätsverlag Carl Winter, 1994, p. 149-159.

KRITZMAN L.D., « Ernaux's testimony of shame », *L'Esprit créateur,* XXXIX, 4, hiver 1999, p. 139-149.

LAACHER, S., « Annie Ernaux ou l'inaccessible quiétude », *Politix,* n° 14, 1991, p. 73-75.

LAUBIER, C. (ed.), *The Condition of Women in France, 1945 to the present. A documentary anthology,* London and New York, Routledge, 1990 (cf. ch. 9).

LECARME, J. et LECARME-TABONE, E., *L'Autobiographie,* Armand Colin, coll. « U », 1997, p. 97 et 286-287.

LE GALL, J.A., « Ernaux, *La Place,* ou la mémoire humiliée », *Cahiers du Cerf,* n° 9, 1994, p. 28-37.

LIS, J., « "Il faut que j'explique tout ça". Eléments pour une approche sociologique de l'œuvre d'Annie Ernaux », *Studia Romanica Posnaniensia,* vol. 31, Poznan, juin 2004.

MALL, L., « "Moins seule et factice" : la part autobiographique dans *Une femme* d'Annie Ernaux », *The French Review*, vol. 69, n° 1, 1995, p. 45-54.
– « L'Ethnotexte de la banlieue. *Journal du dehors* de Ernaux », *Französisch heute*, XXVII, 1998, p. 134-140.

MARRONE, C., « Past, present and passion tense in Annie Ernaux's *Passion simple* », *Women in French Studies*, n° 2, 1994, Fall, p. 78-87.

MARSON, S., « Women on women and the Middle Man : narrative structures in Duras and Ernaux », *French Forum*, The University of Nebraska Press, vol. 26, n° 1, hiver 2001. p. 67-82.

MAUGER, G., « Les Autobiographies littéraires », *Politix*, n° 27, 1994, p. 32-44.

MCILVANNEY, S., « Ernaux and realism : redressing the balance », in M. Allison (ed.), *Women's space and identity, Women Teaching French Papers 2*, Department of Modern Languages, University of Bradford, 1992, p. 49-63.
– « Recuperating romance : literary paradigms in the works of Annie Ernaux », *Forum for Modern Language Studies*, vol. 32, n° 3, 1996, p. 240-250.
– «Ernaux, un écrivain dans la tradition du réalisme », *Revue d'Histoire littéraire de la France*, XCVIII, 1998, p. 247-266.

MILLER, Nancy K., « Autobiographical Others : Annie Ernaux's *Journal du dehors* », *Sites*, Spring 1998, p. 127-139.
– « Memory stains : Annie Ernaux's *Shame* », *Auto/Biography Studies*, vol. 14, n° 1, été 1999.

MONTFORD, C.R., « "La Vieille Née" : Simone de Beauvoir, *Une mort très douce*, and Annie Ernaux, *Une femme* », *French Forum*, vol. 21, n° 3, 1996, p. 349-364.

MORELLO, N., « "Faire pour la mère ce qu'elle [n'] avait [pas] fait pour le père" : étude comparative du projet autobiographique dans *La Place* et *Une femme* d'Annie Ernaux », *Nottingham French Studies*, 38, 1, 1999, p. 80-92.

MOTTE, W., « Annie Ernaux's Understatement », *The French Review*, vol. 69, n° 1, octobre 1995, p. 55-67.

NAUDIER, D., « La Cause littéraire des femmes. Modes d'accès et de consécration des femmes dans le champ littéraire (1970-1998) », Thèse de Doctorat, EHESS, Paris, 2000.

OLIVER, A., « Ecritures de femmes et autobiographie. *La Place* de Ernaux », *Studi francesi*, XLVI, 2002, p. 391-407.

POYET, T., « *La Place*, d'Annie Ernaux. Pour une définition du rappport entre la forme et le lectorat », *L'Ecole des lettres II*, Paris, n° 9 (Dossier Ernaux), février 2003, p. 37-49.

PREVOST, C. et LEBRUN, J.-C., *Nouveaux territoires romanesques*, Paris, Messidor (Editions Sociales), 1990 ; cf. « Annie Ernaux ou la conquête de la monodie », p. 51-66.

SAIGAL, M., « L'Ecriture : lien de mère à fille chez Jeanne Hyvrard, Chantal Chewaf et Annie Ernaux », *Chiasma*, Amsterdam-Atlanta, 2000.

SANDERS, C., « Stylistic aspects of women's writing : the case of Annie Ernaux », *French Cultural Studies*, vol. 4, n° 10, février 1993, p. 15-29.

SAVEAN, M.-F., « Dossier : *La Place* », Gallimard, « Folio Plus », 1997.

SHERINGHAM M., «Invisible presences : fiction, autobiography and women's lives - Virginia Woolf to Annie Ernaux», *Sites*, vol. 2, n° 1, 1998, p. 5-24.

SIMONET-TENANT, F., *Le Journal intime*, Nathan, « 128 », 2001 (cf. p. 84 et 124).

THIEL-JANCZUK, K., « *Journal du dehors* et *La Vie extérieure* d'Annie Ernaux : l'engagement au quotidien », *Studia Romanica Posnaniensia*, vol. 30, Poznan, 2003, p. 219-234.

THIOLLET, C., *Le Commentaire composé*, Ellipses, 1996 ; cf. chap. 5 : « L'Ecriture analytique », p. 87-94.

THOMAS, L., « Women, education and class : narratives of loss in the fiction of Annie Ernaux », in M. Hoar, M. Lea, M. Stuart, V. Swash, A. Thomson and L. West (eds), *Life histories and learning : language, the self and education. Papers from an interdisciplinary conference*, Brighton, University of Sussex, 1994, p. 161-166.

– « "Le Texte-Monde de mon enfance", popular and literary intertexts in *Les Armoires vides* », in L. Penrod ed., *Casebook on* **Les Armoires vides**, Dalkey Archive Press, 2004.

– avec Webb E., « Writing from experience : the place of the personal in french feminist writing », *Feminist Review*, n° 61, 1999.

THUMEREL, F., *Le Champ littéraire français au XXe siècle. Eléments pour une sociologie de la littérature*, Armand Colin, « U », 2002 (cf. « Littérature et sociologie : *La Honte* ou comment réformer l'autobiographie », p. 83-101 ; voir aussi p. 37-38, 73 et 76-77).

– « Les Pratiques autobiographiques d'Annie Ernaux », *L'Ecole des lettres II*, Paris, n° 9 (Dossier : « L'Autobiographie selon Annie Ernaux »), février 2003, p. 1-36.

– « Compte rendu de *L'Ecriture comme un couteau* », *La Faute à Rousseau*, Ambérieu-en-Bugey (01), n° 34, octobre 2003, p. 79-80.

TISON, G., « La Lecture dans les romans autobiographiques d'Annie Ernaux », *L'Ecole des lettres II*, Paris, n° 6, décembre 2003, p. 23-37.

TISSERON, S., *La Honte. Psychanalyse d'un lien social*, Dunod, 1992.

– *Du bon usage de la honte*, Ramsay, 1998.

TONDEUR, C.-L., « Le Passé : point focal du présent dans l'œuvre d'Annie Ernaux », *Women in french studies*, n° 3, 1995, Fall, p. 123-137.

– « Relation mère/fille chez Annie Ernaux », *Romance Languages Annual*, n° 7, 1995, p. 173-179.

VILAIN, Ph., « Le Sexe et la Honte dans l'œuvre de Ernaux », *Roman 20-50*, Université de Lille III, n° 24, décembre 1997, p. 149-164.

– « La Ville d'Y(vetot) dans l'œuvre de Ernaux », *Etudes normandes*, Rouen, XLVII, 2, 1998, p. 51-60.

– « Le Dialogue transpersonnel dans l'œuvre d'Annie Ernaux », *Elseneur (L'Ecriture de soi comme dialogue)*, Presses Universitaires de Caen, n° 14, juin 1998, p. 201-207.

– « Annie Ernaux : l'écriture du don reversé », *LittéRéalité*, vol. X, n° 2, automne-hiver 1998.

WAREHIME, M., « Paris and the autobiography of a flâneur : Patrick Modiano et Annie Ernaux », *French Forum*, The University of Nebraska Press, vol. 25, n° 1, janvier 2000.

WETHERILL, P.M., « Introduction to *La Place* », London, Routledge, 1987.

WILLGING, J., « Annie Ernaux's shameful narration », *French Forum*, The University of Nebraska Press, vol. 26, n° 1, hiver 2001, p. 83-103.

WILSON, S., « Auto-bio-graphie : vers une théorie de l'écriture féminine », *The French Review*, vol. 63, n° 4, mars 1990, p. 617-622.

F.T.

TABLE DES MATIÈRES

Ouvrage imprimé
à l'imprimerie de l'Université d'Artois

Ouvrage façonné par
L'Imprimerie Centrale de l'Artois
Rue Sainte-Marguerite – Arras

Dépôt légal : 4ᵉ trimestre 2004

Artois Presses Université
9, rue du Temple
B.P. 665
62030 Arras Cedex
Tél. : 03.21.60.38.51